El dedo del mono

y otros cuentos

Isaac Asimov

EDICIONES B
GRUPO ZETA

Barcelona • Bogotá • Buenos Aires • Caracas • Madrid • México D.F. • Montevideo • Quito • Santiago de Chile

Título original: *The Complete Stories II* (extracto)

Traducción: Carlos Gardini

1.ª edición: septiembre 1994
1.ª reimpresión: agosto 1997
2.ª reimpresión: octubre 1999

© 1992 by Isaac Asimov
© Ediciones B, S.A., 1994
   Bailén, 84 - 08009 Barcelona (España)
   www.edicionesb.es

Publicado por acuerdo con Doubleday,
una división de Bantam Doubleday Dell
Publishing Group, Inc.

Printed in Spain
ISBN: 84-406-5037-X
Depósito legal: B. 43.546-1999

Impreso por LITOGRAFÍA ROSÉS

El dedo del mono
y otros cuentos

Isaac Asimov

INTRODUCCIÓN

En los dos primeros volúmenes de mis cuentos completos (éste es el segundo) reúno más de cincuenta relatos, y todavía quedan muchos más para volúmenes futuros.

Debo admitir que incluso a mí me deja un poco atónito. Me pregunto dónde encontré tiempo para escribir tantos cuentos, considerando que también he escrito cientos de libros y miles de ensayos. La respuesta es que me he dedicado a ello durante cincuenta y dos años sin pausa, de modo que todos estos cuentos significan que ya soy una persona de cierta edad.

Otra pregunta es de dónde saqué las ideas para tantas historias. Me la plantean continuamente.

La respuesta es que, al cabo de medio siglo de elaborar ideas, el proceso se vuelve automático e incontenible.

Anoche me encontraba en la cama con mi esposa y algo me estimuló la imaginación.

—Acaba de ocurrírseme otra historia sobre deseos frustrados —le dije.

—¿Cómo es? —me preguntó.

—Nuestro héroe, que ha sido bendecido con una esposa tremendamente fea, le pide a un genio que le conceda una mujer bella y joven en la cama por las noches. Se le concede el deseo con la condición de que en ningún momento debe tocar, acariciar y ni siquiera rozar el trasero de la joven. Si lo hace, la joven se transformará en su esposa. Cada noche, mientras hacen el amor, él no es capaz de apartar las manos del trasero, y el resultado es que todas las noches se encuentra haciendo el amor con su esposa*.

Lo cierto es que cualquier cosa me hace pensar en un cuento.

Por ejemplo, estaba revisando las galeradas de un libro mío cuando me llamó el director de una revista. Quería un cuento de ciencia ficción inmediatamente.

—No puedo —le dije—. Estoy liado con unas galeradas.

—Déjalas.

—No.

Colgué. Pero al colgar pensé qué cómodo sería tener un robot que pudiera corregir las galeradas por mí. De inmediato dejé de revisarlas, pues se me había ocurrido un cuento. Lo encontraréis aquí como *Galeote*.

Mi cuento favorito en esta compilación es *El hombre bicentenario*. Poco antes de iniciarse el año 1976, el del bicentenario de Estados Unidos, una revista me pidió que escribiera un cuento con ese título.

—¿Acerca de qué? —pregunté.

—Acerca de cualquier cosa. Sólo tenemos el título.

Reflexioné. Ningún hombre puede ser bicentenario, pues no vivimos doscientos años. Podría ser un robot, pero un robot no es un hombre. ¿Por qué no un cuento sobre un robot que desea ser hombre? De in-

---

* Como mi querida esposa es para mí la mujer mas bella del mundo —y lo sabe— no se tomó a mal esta historia, salvo para decirme que yo tenía una mente morbosa.

mediato comencé *El hombre bicentenario*, que terminó por ganar un premio Hugo y un Nebula.

En cierta ocasión, mi querida esposa Janet tenía un fuerte dolor de cabeza, pero aun así se sintió obligada a prepararle la cena a su amante esposo. Resultó ser una cena exquisita y —como soy un amante esposo— comenté:

—Deberías tener jaquecas más a menudo.

Y ella me arrojó alguna cosa y yo escribí el cuento *Versos luminosos*.

Un joven colega murió en 1958 y le hicieron una simpática nota necrológica en el *New York Times*. Fue en aquellos viejos tiempos en que los escritores de ciencia ficción no gozaban de gran notoriedad. Me puse a cavilar si, cuando yo pasara a la gran máquina de escribir del cielo, el *New York Times* se dignaría mencionarme a mí también. Hoy sé que lo hará, pero entonces no lo sabía. Así que tras muchas cavilaciones escribí *Necrológica*.

Una vez tuve una discusión acalorada con el director de una revista. Él deseaba que yo introdujera una modificación en un cuento y yo me negaba; no por pereza, sino porque pensaba que estropearía el cuento. Al final, se salió con la suya (como es habitual), pero yo me desquité escribiendo *El dedo del mono*, que es una buena descripción de lo que sucedió.

La directora de una publicación me pidió una vez que escribiera un cuento sobre un robot femenino, pues hasta aquel momento todos mis robots eran masculinos. Acepté sin objeciones y escribí *Intuición femenina*. Lo que mejor recuerdo de ese cuento es que no entendí que la mujer lo quería para ella. Creí que me estaba dando un consejo desinteresado. En consecuencia, cuando terminé el cuento y otro director me pidió uno con toda urgencia, me dije: Pues ya lo tengo. Y cuando la directora se enteró recibí una lluvia de insultos.

Algunos cuentos surgen cuando otra persona hace un comentario casual. Cuentos tales como *Reunámonos* y *Lluvia, lluvia, aléjate* son ejemplos de ello. No me siento culpable por inspirarme en frases ajenas. Ya que los demás no van a hacer nada con ellas, ¿por qué no usarlas?

Pero lo cierto es que los cuentos surgen de cualquier cosa. Sólo hay que mantener los ojos y los oídos abiertos y la imaginación en marcha. Una vez, durante un viaje en tren, mi primera esposa me preguntó de dónde sacaba las ideas, y respondí:

—De cualquier parte. Puedo escribir un cuento sobre este viaje en tren. —Y comencé a escribir a mano.

Pero ese cuento no figura en este volumen.

ISAAC ASIMOV

¡NO TAN DEFINITIVO!

Nicholas Orloff se caló el monóculo en el ojo izquierdo con la rectitud británica de un ruso educado en Oxford y dijo en tono de reproche:

—¡Pero, mi querido señor secretario, quinientos millones de dólares!

Leo Birnam se encogió de hombros y echó aún más atrás en la silla su cuerpo delgado.

—Los fondos son necesarios, delegado. El Gobierno del Dominio de Ganimedes está desesperado. Hasta ahora he podido mantenerlo a raya, pero soy sólo secretario de Asuntos Científicos y mis poderes son limitados.

—Lo sé, pero... —Orloff extendió las manos en un ademán de impotencia.

—Me lo imagino —convino Birnam—. Al Gobierno del Imperio le resulta más fácil hacer la vista gorda. Hasta ahora no ha hecho otra cosa. Hace años que intento hacerles comprender la naturaleza del peligro que se cierne sobre todo el sistema, pero parece imposible. No obstante, recurro a usted, señor delegado. Usted es nuevo en su puesto y puede encarar este asunto joveano sin prejuicios de ningún tipo.

Orloff tosió y se miró las puntas de las botas. En los tres meses que llevaba actuando como sucesor del delegado colonial Gridley había dado carpetazo, sin leerlo, a todo lo relacionado con «esos malditos delirios joveanos». Tal actitud concordaba con la política ministerial, que calificó el problema joveano como «asunto cerrado» mucho antes de que él iniciara su gestión.

Pero, dado que Ganimedes había empezado a fastidiar, lo enviaban a él a Jovópolis con instrucciones de contener a aquellos «condenados provincianos». Era un asunto feo.

—El Gobierno del Dominio necesita tanto el dinero —señaló Birnam— que si no lo consigue hará público todo el asunto.

Orloff perdió toda su flema y se echó mano al monóculo, que se le caía.

—¡Querido amigo!

—Sé lo que eso significaría y me han aconsejado no hacerlo, pero hay una justificación. Una vez que se revelen los entresijos del asunto joveano, una vez que la gente se entere, el Gobierno del Imperio no durará ni una semana. Y cuando intervengan los tecnócratas nos darán todo lo que pidamos. La opinión pública se encargará de ello.

—Pero también provocarán el pánico y la histeria...

—¡Por supuesto! Por eso vacilamos. Considérelo un ultimátum. Queremos mantener el secreto, necesitamos guardar el secreto; pero más necesitamos el dinero.

—Entiendo. —Orloff estaba pensando a toda prisa y sus conclusiones no eran agradables—. En ese caso, sería aconsejable investigar más. Si usted tiene los papeles concernientes a las comunicaciones con el planeta Júpiter...

—Los tengo —confirmó secamente Birnam—, y también los tiene el Gobierno del Imperio en Washington. Eso no servirá, delegado. Es lo mismo que los funcionarios terrícolas vienen rumiando desde hace un año y no nos ha llevado a ninguna parte. Quiero que usted me acompañe a la Estación Éter.

El ganimediano se había levantado de la silla y miraba a Orloff fijamente desde su imponente altura.

—¿Se atreve a darme órdenes? —preguntó Orloff, sonrojándose.

—En cierto modo, sí. Insisto, no queda tiempo. Si usted se propone actuar hágalo pronto o no lo haga. —Hizo una pausa y añadió—: Espero que no le importe caminar. Los vehículos de energía no pueden aproximarse a la Estación Éter, por lo general, y aprovecharé la caminata para explicarle la situación. Son sólo tres kilómetros.

—Caminaré —fue la brusca respuesta.

Ascendieron al nivel subterráneo en silencio, que rompió Orloff cuando entraron en la antesala, débilmente iluminada.

—Hace frío aquí.

—Lo sé. Es difícil mantener una buena temperatura tan cerca de la superficie. Pero hará más frío en el exterior. Aquí es.

Birnam abrió la puerta de un armario y le indicó los trajes que colgaban del techo.

—Póngase esto. Lo necesitará.

Orloff palpó el traje con ciertas reservas.

—¿Tienen peso suficiente?

Birnam se puso su traje mientras hablaba.

—Tienen calefacción eléctrica, así que abrigan bastante. Eso es. Meta las perneras dentro de las botas y ajústelas bien.

Se volvió y con un resoplido levantó de un rincón

del armario un cilindro de gas doblemente comprimido. Echó una ojeada al cuadrante de lectura y giró la llave de paso. Se oyó el siseo del gas y Birnam lo olfateó con satisfacción.

—¿Sabe manejar esto? —preguntó, mientras enroscaba un tubo flexible de malla metálica, en cuyo otro extremo había un extraño objeto curvo de vidrio grueso y claro.

—¿Qué es?

—¡La máscara de oxígeno! La escasa atmósfera de Ganimedes se compone de argón y de nitrógeno a partes iguales. No es demasiado respirable.

Levantó el cilindro doble en la posición y lo ajustó en el arnés de la espalda de Orloff, haciéndole tambalearse.

—Es pesado. No puedo caminar tres kilómetros con esto encima.

—No pesará ahí fuera. —Birnam señaló con la cabeza hacia arriba y bajó la máscara de vidrio sobre la cabeza de Orloff—. Acuérdese de inhalar por la nariz y exhalar por la boca, y no tendrá ningún problema. A propósito, ¿ha comido hace poco?

—Almorcé antes de ir a su casa.

Birnam resopló.

—Bien, es un pequeño inconveniente. —Sacó un estuche de metal del bolsillo y se lo dio al delegado—. Póngase una de esas píldoras en la boca y chúpela constantemente.

Orloff movió con torpeza sus dedos enguantados y al fin logró sacar del estuche una píldora de color marrón y metérsela en la boca. Siguió a Birnam hasta una rampa en declive. El extremo cerrado del corredor se deslizó a ambos lados y hubo un susurro apagado cuando el aire se dispersó por la escasa atmósfera de Ganimedes.

Birnam agarró del codo a su acompañante y prácticamente lo sacó a rastras.

—Le he puesto el tanque al máximo —gritó—. Inhale profundamente y no deje de chupar la píldora.

La gravedad volvió a la normalidad de Ganimedes en cuanto cruzaron el umbral y tras un instante de aparente levitación Orloff sintió que se le revolvía el estómago.

Tuvo una arcada y movió la píldora con la lengua en un desesperado intento de dominarse. La mezcla de los cilindros de aire, rica en oxígeno, le quemaba la garganta; poco a poco Ganimedes se estabilizó. Orloff notó que su estómago se normalizaba. Intentó caminar.

—Tómelo con calma —le recomendó Birnam en tono tranquilizador—. Es una reacción normal las primeras veces en que hay un cambio brusco de gravedad. Camine despacio y rítmicamente, o de lo contrario se caerá. Eso es, lo está logrando.

El suelo parecía elástico. Orloff sentía la presión del brazo del otro, sujetándolo a cada paso para evitar que diera un brinco demasiado alto. Iba dando pasos más largos y más bajos a medida que encontraba el ritmo. Birnam siguió hablando, con la voz un poco sofocada por el barboquejo de cuero que le cubría la boca y la barbilla:

—Cada uno en su mundo. Visité la Tierra hace unos años, con mi esposa, y lo pasé muy mal. No conseguía aprender a caminar por la superficie de un planeta sin usar máscara. Me sofocaba. La luz del sol era demasiado brillante, el cielo demasiado azul y la hierba demasiado verde. Y los edificios estaban en plena superficie. Nunca olvidaré la vez que intentaron hacerme dormir en una habitación que estaba a veinte pisos de altura, con la ventana abierta de par en par y la luna brillando. Me subí en la primera nave espacial que iba en mi dirección y no pienso volver. ¿Cómo se siente ahora?

—¡Magnífico! ¡Espléndido!

Una vez desaparecida la incomodidad inicial, Orloff se sentía estimulado por la baja gravedad. El terreno escabroso, bañado en una luz líquida y amarilla, se encontraba cubierto de arbustos bajos y hojas anchas, que indicaban el orden de una parcela cuidada. Birnam le ofreció la respuesta a la pregunta tácita:

—Hay dióxido de carbono suficiente para mantener vivas las plantas y todas tienen capacidad para fijar el nitrógeno de la atmósfera. Por eso, la agricultura es la principal industria de Ganimedes. Esas plantas valen su peso en oro, tanto como los fertilizantes en la Tierra, y duplican o triplican su valor como origen de medio centenar de alcaloides que no se pueden obtener en ninguna otra parte del sistema. Y, desde luego, cualquiera sabe que la hoja-verde de Ganimedes es muy superior al tabaco terrícola.

Un estratocohete zumbó en lo alto, estridente en la escasa atmósfera, y Orloff miró hacia arriba.

Se paró, se paró en seco; y se olvidó de respirar.

Era la primera vez que veía Júpiter en el cielo.

Una cosa era ver la fría y cruda imagen de Júpiter contra el trasfondo de ébano del espacio. A novecientos sesenta mil kilómetros ya era bastante majestuoso; pero en Ganimedes, despuntando por encima de los cerros, con contornos más suaves y desdibujados por la tenue atmósfera, brillando dulcemente en un cielo rojo donde sólo unas estrellas fugitivas se atrevían a competir con el gigante... No había palabras para describirlo.

En principio, Orloff contempló ese disco convexo

en silencio. Era gigantesco, treinta y dos veces el diámetro aparente del Sol tal como se veía desde la Tierra. Sus franjas destacaban en acuosas pinceladas de color contra el fondo amarillento, y la Gran Mancha Roja aparecía como una salpicadura ovalada y anaranjada cerca del borde occidental.

—¡Es bellísimo! —murmuró.

Leo Birnam también lo miraba, pero su actitud no era de admiración reverente, sino de aburrida rutina ante un espectáculo frecuente, y además expresaba repugnancia. El barboquejo le ocultaba la sonrisa crispada, pero la presión que ejercía sobre el brazo de Orloff dejaba magulladuras a través de la tosca tela del traje.

—Es el espectáculo más horrendo del sistema.

Pronunció esas palabras muy lentamente, y Orloff, de mala gana, volvió su atención hacia él.

—¿Eh? —y añadió con desagrado—: Ah, sí, esos misteriosos joveanos.

El ganimediano se alejó irritado y echó a andar a zancadas de cuatro metros. Orloff lo siguió torpemente, manteniendo el equilibrio con dificultad.

—Aguarde —jadeó.

Pero Birnam no le escuchaba.

—Los terrícolas se pueden permitir el lujo de ignorar Júpiter —masculló con amargura—. No saben nada sobre él. Es apenas un punto en el cielo de la Tierra, una cagadita de mosca. Los terrícolas no viven en Ganimedes, con la presencia de ese maldito coloso que nos acecha. A quince horas de aquí... y sólo Dios sabe qué oculta en la superficie. Algo que espera y espera y trata de salir. ¡Como una bomba gigantesca a punto de estallar!

—¡Pamplinas! —logró articular Orloff—. Por favor, vaya más despacio. No puedo seguir su ritmo.

Birnam aminoró la marcha.

—Todos saben que Júpiter está habitado —rezongó—, pero prácticamente nadie se detiene a pensar en lo que eso significa. Le aseguro que esos joveanos, sean lo que fueren, han nacido para mandar. ¡Son los amos naturales del sistema solar!

—Pura histeria —murmuró Orloff—. Hace un año que el Gobierno del Imperio oye esas patrañas.

—Y nadie nos escucha. ¡Bien, entérese! Júpiter, descontando el grosor de su colosal atmósfera, tiene ciento treinta mil kilómetros de diámetro. Eso significa que posee una superficie cien veces superior a la terrícola y cincuenta veces mayor que la de todo el Imperio Terrícola. Su población, sus recursos y su potencial bélico siguen esa proporción.

—Meros números...

—Sé a qué se refiere —continuó Birnam, airado—. Las guerras no se libran con números, sino con ciencia y organización. Los joveanos tienen ambas cosas. Durante el cuarto de siglo en que nos hemos comunicado con ellos nos hemos enterado de algunas cosas. Tienen energía atómica y radio, y en un mundo de amoníaco bajo enorme presión (en otras palabras, un mundo donde casi ningún metal puede existir como metal a causa de la tendencia a formar complejos solubles de amoníaco) han logrado construir una compleja civilización. Eso significa que tienen que trabajar con plásticos, vidrios, silicatos y materiales sintéticos de construcción. Eso significa una química tan avanzada como la nuestra, y apostaría a que incluso más avanzada.

Orloff aguardó un poco antes de replicar:

—Pero ¿qué certeza tienen ustedes sobre el último mensaje de los joveanos? En la Tierra ponemos en duda que sean tan belicosos como se los describe.

El ganimediano se rió secamente.

—Interrumpieron todas sus comunicaciones después del último mensaje, ¿verdad? No parece una actitud muy amistosa, ¿no? Le aseguro que hemos hecho todo lo posible por establecer contacto. Pero espere, no hable, déjeme explicarle algo. En Ganimedes, durante veinticinco años, un puñado de hombres se ha deslomado tratando de comprender en nuestros aparatos de radio un conjunto de señales variables, cargadas de estática y distorsionadas por la gravedad, pues eran nuestra única conexión con la inteligencia viva de Júpiter. Se trataba de una tarea para todo un mundo de científicos, pero en la estación sólo contábamos con una veintena. Yo fui uno de ellos desde el principio y, como filólogo, contribuí a construir e interpretar el código que creamos entre nosotros y los joveanos, así que como ve entiendo de lo que hablo. Fue un trabajo extenuante. Tardamos cinco años en superar las señales aritméticas elementales: tres más cuatro igual a siete; la raíz cuadrada de veinticinco es cinco; el factorial de seis es setecientos veinte. Después de eso, a veces pasaban meses hasta que podíamos elaborar y corroborar una sola idea mediante nuevas comunicaciones. Pero, y esto es lo importante, cuando los joveanos interrumpieron las relaciones los comprendíamos plenamente. No había ya probabilidades de error en la interpretación, así como no es probable que Ganimedes se aleje repentinamente de Júpiter. Y el último mensaje era una amenaza y una promesa de destrucción. No hay duda. ¡No hay la menor duda!

Atravesaban un pasaje en el que una oscuridad fría y húmeda reemplazaba a la amarilla luz de Júpiter. Orloff estaba perturbado. Nunca le habían presentado la situación de esa manera.

—¿Pero qué razones les dimos para...?

—¡Ninguna! Era simplemente esto: ellos descubrieron por nuestros mensajes, y no sé dónde ni cómo, que nosotros no éramos joveanos.

—Pues claro.

—Para ellos no estaba tan claro. En sus experiencias jamás se habían topado con inteligencias que no fueran joveanas. ¿Por qué iban a hacer una excepción en favor de quienes están en el espacio exterior?

—Usted dice que eran científicos —observó Orloff con voz glacial—. ¿No comprenderían que un entorno distinto engendra una vida distinta? Nosotros lo sabíamos. Nunca pensamos que los joveanos fueran terrícolas, aunque nunca nos habíamos topado con inteligencias ajenas a la Tierra.

De nuevo se hallaban bajo la líquida luz de Júpiter, y una extensión de hielo relucía con tonos ambarinos en una depresión a la derecha.

—Dije que eran químicos y físicos, no que fuesen astrónomos. Júpiter, mi querido delegado, tiene una atmósfera de casi cinco mil kilómetros de espesor y esos kilómetros de gas bloquean todo, excepto el sol y las cuatro mayores lunas de Júpiter. Los joveanos no saben nada sobre entornos distintos.

Orloff reflexionó.

—Conque decidieron que éramos alienígenas. ¿Y bien?

—Si no somos joveanos, para ellos no somos gente, de modo que un no joveano era un «bicho» por definición. —Birnam impidió la inmediata objeción de Orloff—. He dicho que para ellos éramos bichos, y lo somos. Más aún, somos bichos que tienen el descaro de querer tratar con joveanos, es decir, con seres humanos. El último mensaje decía, palabra por palabra: «Los joveanos son los amos. No hay lugar para las sabandijas. Os destruiremos de inmediato.» Dudo que ese mensaje contuviera ninguna hostilidad, era simplemente una declaración fría. Pero hablan en serio.

—¿Y por qué?

—¿Por qué el hombre exterminó la mosca doméstica?

—Vamos, no habla en serio al citarme esa analogía.

—Pues sí, ya que los joveanos nos consideran moscas, unas moscas insufribles que se atreven a aspirar a la inteligencia.

Orloff hizo un último intento.

—Pero, señor secretario, parece imposible que una forma de vida inteligente adopte semejante actitud.

—¿Está usted familiarizado con muchas formas de vida inteligente, aparte de la nuestra? —replicó Birnam, con sarcasmo—. ¿Se siente competente para juzgar la psicología joveana? ¿Tiene idea de lo distintos que deben de ser físicamente los joveanos? Piense tan sólo en un mundo con una gravedad dos veces y media superior a la terrícola, con océanos de amoníaco, océanos a los que se podría arrojar la Tierra entera sin provocar siquiera una salpicadura considerable, y con una gravedad colosal que le impone densidades y presiones de superficie que hacen que las simas submarinas de la Tierra parezcan por comparación un vacío medio penetrable. Hemos procurado deducir qué clase de vida podría existir en esas condiciones y hemos desistido. Es absolutamente incomprensible. ¿Espera usted, pues, que su mentalidad sea comprensible? ¡Jamás! Acepte las cosas tal como son. Se proponen destruirnos. Eso es todo lo que sabemos y todo lo que necesitamos saber. —Levantó su mano enguantada y señaló con un dedo—. Allí está la Estación Éter.

Orloff giró la cabeza.

—¿En el subsuelo?

—¡Por supuesto! Todo, excepto el observatorio, que es esa cúpula de acero y cuarzo de la derecha, la pequeña.

Se habían detenido ante dos grandes rocas que flanqueaban un terraplén, y desde detrás de cada una de ellas un soldado, con máscara de oxígeno y el uniforme naranja de Ganimedes, se acercó a ambos con las armas preparadas.

Birnam mostró su rostro a la luz de Júpiter y los soldados se cuadraron y le cedieron el paso. Uno de ellos bramó una orden en su micrófono de la muñeca. Una entrada camuflada se abrió entre las rocas y Orloff siguió al secretario hacia la cámara de presión.

El terrícola echó una última ojeada al acechante Júpiter antes de que la puerta se cerrara.

Ya no parecía tan hermoso.

Orloff no se sintió de nuevo normal hasta que se hubo apoltronado en el mullido sillón del despacho del doctor Edward Prosser. Con un suspiro de alivio, se acomodó el monóculo bajo la ceja.

—¿Le molestará al doctor Prosser que yo fume aquí mientras esperamos? —preguntó.

—Adelante —le dijo Birnam—. Si por mí fuese traería a Prosser a rastras sin demora, pero es un individuo extraño. Hablará más si aguardamos a que esté dispuesto.

Sacó del estuche una barra torcida de tabaco verdoso y mordió la punta con violencia. Orloff sonrió a través del humo de su cigarrillo.

—No me molesta esperar. Tengo algo que decirle. Como comprenderá, señor secretario, por un momento me dio escalofríos, pero a fin de cuentas, aunque los joveanos tengan intenciones de causarnos daño cuando lleguen a nosotros, lo cierto es que no pueden llegar hasta nosotros.

Había espaciado con énfasis las últimas palabras.

—Una bomba sin detonador, ¿eh?

—¡Exacto! Es tan simple que no vale la pena hablar de ello. Reconocerá usted, supongo, que no hay modo de que los joveanos puedan salir de Júpiter.

—¿Ningún modo? —preguntó Birnam con tono socarrón—. ¿Quiere que analicemos ese tema? —Miró fijamente la roja brasa del cigarro—. Es muy común afirmar que los joveanos no pueden salir de Júpiter. La prensa sensacionalista de la Tierra y de Ganimedes le ha dado pábulo a ese hecho y se han dicho muchas sandeces sentimentaloides sobre las desdichadas inteligencias que están ancladas irrevocablemente a la superficie y deben observar el universo sin alcanzarlo. Pero ¿qué retiene a los joveanos en su planeta? ¡Dos factores! ¡Eso es todo! El primero es el inmenso campo gravitatorio de Júpiter. Dos gravedades terrícolas y media.

Orloff asintió con la cabeza.

—¡Un buen problema!

—Y el potencial gravitatorio de Júpiter es peor aún, pues a causa de su gran diámetro la intensidad del campo gravitatorio decrece con la distancia a sólo una décima parte de la rapidez con que decrece el campo terrícola. Es un problema tremendo..., pero lo han resuelto.

Orloff se enderezó en el asiento.

—¿Cómo?

—Tienen energía atómica. La gravedad, aunque sea la de Júpiter, no representa nada una vez que uno se pone a trabajar en los inestables núcleos atómicos.

Orloff aplastó el cigarrillo con nerviosismo.

—Pero la atmósfera...

—Sí, eso los detiene. Están viviendo en el fondo de un océano atmosférico de casi cinco mil kilómetros, donde la presión comprime el hidrógeno hasta darle casi la densidad del hidrógeno sólido. Conserva el estado gaseoso porque la temperatura de Júpiter está por encima del punto crítico del hidrógeno, pero imagínese una presión capaz de transformar el hidrógeno en algo con la mitad de peso que el agua. Le sorprendería la cantidad de ceros que se necesitan. Ninguna nave espacial, de metal o de otro tipo de materia, resistiría tamaña presión. Ninguna nave terrícola puede descender a Júpiter sin quedar triturada como una cáscara de huevo, y ninguna nave joveana puede abandonar Júpiter sin estallar como una pompa de jabón. Ese problema aún no está resuelto, pero algún día lo resolverán. Tal vez lo resuelvan mañana, tal vez dentro de un siglo o de un milenio. No lo sabemos, pero cuando lo resuelvan nos llevarán ventaja. Y se puede resolver.

—No veo cómo...

—¡Con campos de fuerza! Nosotros los tenemos.

—¡Con campos de fuerza! —Orloff parecía francamente estupefacto, y masculló la palabra una y otra vez—. Los usan como escudo contra los meteoritos las naves que operan en la zona de los asteroides; pero no sé cómo se aplicarían al problema joveano.

—El campo de fuerza común —explicó Birnam— es una débil y enrarecida zona de energía que se extiende a más de ciento cincuenta kilómetros en torno de la nave. Detiene los meteoritos, pero resulta vacío como éter para objetos del tipo de las moléculas de gas. Ahora bien, ¿qué pasaría si se tomara esa misma zona de energía y se la comprimiera, dándole un grosor de unos dos o tres milímetros? Pues que las moléculas rebotarían como pelotas. Y si se usaran generadores más potentes, que comprimieran el campo hasta un cuarto de milímetro, las moléculas rebotarían aun cuando estuvieran bajo la increíble presión de la atmósfera de Júpiter, y si se construyera una nave en su interior...

Dejó la frase en el aire. Orloff estaba pálido.

—¿Quiere decir que es posible lograrlo?

—Le apostaría cualquier cosa a que los joveanos están intentándolo. Y nosotros también, aquí en la Estación Éter.

El delegado colonial acercó su silla a la de Birnam y puso su mano en la muñeca del ganimediano.

—¿Por qué no podemos atacar Júpiter con bombas atómicas? Me refiero a infligirles un castigo. Con esa gravedad y con tanta superficie no podemos errar.

Birnam sonrió.

—Hemos pensado en eso. Pero las bombas atómicas no harían más que abrir orificios en la atmósfera. Y aunque lográramos penetrar, divida la superficie de Júpiter por la superficie afectada por una sola de las bombas y hallará cuántos años necesitaríamos bombardear ese planeta, a un ritmo de una bomba por minuto, para conseguir daños significativos. ¡Júpiter es enorme! ¡No lo olvide! —Se le había apagado el puro, pero no hizo una pausa para encenderlo, sino que continuó con voz baja y tensa—: No, no podemos atacar a los joveanos mientras permanezcan en Júpiter. Debemos esperar a que salgan, y cuando lo hagan nos aventajarán en número. Una ventaja tremenda, sobrecogedora; así que nosotros tendremos que aventajarlos con nuestra ciencia.

—¿Pero cómo podemos saber de antemano lo que van a conseguir? —interrumpió Orloff, con un tono de fascinado horror.

—De ninguna manera. Así que tenemos que perfeccionar todos los recursos posibles y esperar lo mejor. Pero sí sabemos algo que van a tener, y eso es los campos de fuerza. No podrán salir sin ellos. Y si ellos los tienen nosotros también debemos tenerlos, y ése es el problema que intentamos resolver aquí. No nos garantizarán la victoria, pero sin ellos la derrota es segura. Bien, ya sabe por qué necesitamos el dinero y... algo más. Queremos que la Tierra misma se ponga manos a la obra. Hay que iniciar una campaña para contar con armamento científico y subordinar todo lo demás a ese propósito. ¿Entiende?

Orloff se había puesto de pie.

—Birnam, estoy con usted, al ciento por ciento. Cuente con mi respaldo en Washington.

Su sinceridad era inequívoca. Birnam aceptó la mano tendida y se la estrechó. En ese momento un hombrecillo entró en la oficina.

El recién llegado habló a borbotones y dirigiéndose únicamente a Birnam.

—¿De dónde sale usted? Estaba tratando de ponerme en contacto. La secretaria me dice que no está y, cinco minutos después, aparece aquí. No lo entiendo.

Se ocupó en las cosas de su escritorio. Birnam sonrió.

—Si tiene un minuto, doctor, salude al delegado colonial Orloff.

El doctor Edward Prosser se irguió como un bailarín de ballet y miró al terrícola de arriba abajo.

—El nuevo, ¿eh? ¿Recibiremos dinero? Lo necesitamos urgentemente. Estamos trabajando con bajo presupuesto. Aunque tal vez no necesitemos nada. Todo depende.

Volvió a sus cosas. Orloff parecía desconcertado,

pero Birnam le guiñó el ojo y Orloff se contentó con mirarlo inexpresivamente a través del monóculo.

Prosser sacó de un cajón una libreta de cuero negro, se desplomó en su silla giratoria y dio una vuelta.

—Me alegra que haya venido, Birnam —dijo, hojeando la libreta—. Tengo algo que mostrarle, a usted y también al delegado Orloff.

—¿Por qué nos hizo esperar? —preguntó Birnam—. ¿Dónde estaba?

—¡Ocupado! ¡Ocupadísimo! Llevo tres noches sin dormir. —Levantó la vista, y su rostro pequeño y arrugado se sonrojó de placer—. Todo se aclaró de golpe. Como un rompecabezas. Nunca había visto nada igual. Nos tenía en vilo, se lo aseguro.

—¿Tiene ya esos campos de fuerza densos que está buscando? —se interesó Orloff con repentino entusiasmo.

—No, eso no —respondió Prosser, con fastidio—. Es otra cosa. Vengan conmigo. —Miró su reloj y se levantó de un brinco—. Tenemos una media hora. En marcha.

Un vehículo eléctrico aguardaba fuera y Prosser no cesó de hablar mientras conducía ese aparato zumbón por las rampas que descendían a las profundidades de la Estación Éter.

—¡Teoría! —exclamó—. ¡Teoría! Eso es lo importante. Un técnico trabaja en un problema. A tontas y a locas. Pierde siglos. No llega a nada. Va al azar de un lado a otro. Un verdadero científico, en cambio, recurre a la teoría. Deja que la matemática resuelva sus problemas.

Estaba desbordante de satisfacción. El vehículo se detuvo de golpe ante una enorme puerta doble y Prosser bajó de un brinco. Los otros dos lo siguieron con paso más tranquilo.

—¡Por aquí, por aquí! —indicó Prosser.

Abrió la puerta, recorrió el pasillo y subió por una escalera angosta hasta un pasaje estrecho que rodeaba una vasta sala de tres niveles. Orloff comprendió que esos dos niveles elipsoides, llenos de tuberías de cuarzo y acero, constituían un generador atómico. Se ajustó el monóculo y observó la febril actividad de abajo. Un hombre con auriculares, sentado en un taburete ante una mesa de control llena de interruptores, miró hacia arriba y saludó. Prosser le devolvió el saludo.

—¿Aquí crean sus campos de fuerza? —quiso saber Orloff.

—¡Correcto! ¿Alguna vez ha visto uno?

—No. —El delegado sonrió tímidamente—. Ni siquiera sé qué es, lo único que sé es que se puede usar como escudo contra meteoritos.

—Es muy simple. Materia elemental. Toda la materia se compone de átomos, los cuales permanecen unidos mediante fuerzas interatómicas. Sacamos los átomos. Dejamos las fuerzas interatómicas. Eso es un campo de fuerza.

Orloff se quedó desconcertado, y Birnam se rió guturalmente, rascándose la oreja.

—Esa explicación me recuerda nuestro método ganimediano para suspender en el aire un huevo a uno o dos kilómetros de la superficie. Es así: se busca una montaña que tenga esa altura, se pone el huevo encima, se deja el huevo allí y se retira la montaña. Eso es todo.

El delegado colonial echó atrás la cabeza para reírse, pero el irascible doctor Prosser frunció los labios reprobatoriamente.

—Venga, venga. Basta de bromas. Los campos de fuerza son un asunto serio. Tenemos que estar preparados para recibir a los joveanos.

Un zumbido repentino y crispante hizo que Prosser se apartara de la barandilla.

—Rápido, póngase detrás de esa pantalla protectora —murmuró—. El campo de veinte milímetros está subiendo. Radiación peligrosa.

El zumbido se amortiguó hasta casi desaparecer y los tres salieron de nuevo al pasillo. No se notaba ningún cambio, pero Prosser pasó la mano por encima de la barandilla y dijo:

—¡Siéntanlo!

Orloff extendió un dedo con cautela, abrió la boca y apoyó la palma de la mano. Era como empujar contra una goma suave y esponjosa o contra resortes de acero superflexibles.

Birnam también lo intentó, y le comentó a Orloff:

—Es lo mejor que hemos logrado, ¿verdad? Una pantalla de veinte milímetros puede albergar una atmósfera de una presión de veinte milímetros de mercurio contra un vacío sin que haya filtraciones.

El comisionado asintió con la cabeza.

—¡Entiendo! Se necesitaría una pantalla de setecientos sesenta milímetros para albergar la atmósfera de la Tierra.

—¡Sí! Eso sería una pantalla de una atmósfera. Bien, Prosser, ¿por esto estaba tan excitado?

—¿Por la pantalla de veinte milímetros? Claro que no. Puedo subir hasta doscientos cincuenta milímetros usando el pentasulfato de vanadio activado en la desintegración de praseodimio. Pero no es necesario. Un técnico lo haría, y el lugar saltaría por los aires; pero el científico verifica la teoría y va con cuidado. Ahora estamos endureciendo el campo. ¡Observen!

—¿Nos ponemos detrás de la pantalla?

—Esta vez no es necesario. La radiación es peligrosa sólo al principio.

Recomenzó el zumbido, aunque no tan fuerte como antes. Prosser le gritó al hombre de la consola y la única respuesta fue un ademán con la mano extendida. Luego, el hombre de los controles agitó un puño.

—¡Hemos pasado los cincuenta milímetros! —exclamó Prosser—. ¡Sientan el campo!

Orloff extendió la mano y palpó con curiosidad. La goma esponjosa se había endurecido. Trató de pellizcarla entre el pulgar y el índice, tan perfecta era la ilusión, pero la «goma» se disolvió en aire.

Prosser chistó con impaciencia.

—No hay resistencia en ángulo recto. Mecánica elemental.

El hombre de los controles gesticulaba de nuevo.

—Más de setenta —explicó Prosser—. Ahora vamos más despacio. El punto crítico está en 83,42.

Se asomó por la barandilla y alejó con los pies a los otros dos.

—¡Apártense! ¡Peligro! —Y luego vociferó—: ¡Cuidado! ¡El generador está pegando sacudidas!

El ronco zumbido se elevaba y el hombre de los controles movía frenéticamente los interruptores. Desde el corazón de cuarzo del generador atómico, el sombrío fulgor rojo de los átomos que estallaban resplandecía peligrosamente.

Hubo una pausa en el zumbido, un rugido reverberante y una detonación de aire que arrojó a Orloff contra la pared. Prosser corrió hacia él. Tenía un corte encima del ojo.

—¿Está herido? ¿No? ¡Bien, bien! Esperaba algo parecido. Debí haberle avisado. Bajemos. ¿Dónde está Birnam?

El alto ganimediano se levantó del suelo y se alisó la ropa.

—Aquí estoy. ¿Qué estalló?

—No ha estallado nada. Algo cedió. Venga, bajemos.

Se enjugó la frente con un pañuelo y los condujo abajo.

El hombre de los controles se quitó los auriculares y bajó del taburete. Parecía cansado, y su rostro sucio estaba grasiento por la transpiración.

—Esa maldita cosa llegó a 82,6, jefe. Casi me pilló.

—Conque sí, ¿eh? —gruñó Prosser—. Dentro de ciertos márgenes de error, ¿no? ¿Cómo está el generador? ¡Eh, Stoddard!

El técnico en cuestión contestó desde su puesto:

—El tubo 5 se ha fundido. Tardaremos dos días en reemplazarlo.

Prosser se giró satisfecho.

—Funcionó. Tal como pensábamos. Problema resuelto, caballeros. Adiós a las preocupaciones. Regresemos a mi despacho. Quiero comer. Y luego dormir.

No volvió a hablar del asunto hasta que estuvo una vez más detrás del escritorio de su despacho, y entonces habló mientras engullía un sándwich.

—¿Recuerda el trabajo sobre tensión espacial en junio? —le preguntó a Birnam—. Fallaba, pero insistimos. Finch obtuvo una pista la semana pasada y yo la desarrollé. Todo encajó de golpe. A la perfección. Nunca había visto nada semejante.

—Continúe —dijo Birnam, con calma, pues conocía bien a Prosser como para demostrar impaciencia.

—Usted vio lo que sucedió. Cuando un campo llega a 83,42 milímetros, se vuelve inestable. El espacio no soporta la tensión. Sufre un colapso y el campo estalla. ¡Bum!

Birnam abrió la boca, y los brazos del sillón de Orloff crujieron bajo una presión repentina. Birnam habló, temblándole la voz:

—¿Dice usted que los campos de fuerza más fuertes son imposibles?

—Son posibles. Se pueden crear. Pero cuanto más densos más inestables. Si yo hubiera activado el campo de doscientos cincuenta milímetros, habría durado una décima de segundo. Luego, ¡pum! ¡Habría volado la estación! ¡Conmigo incluido! Un técnico lo habría hecho, pero un científico se vale de la teoría. Trabaja con cuidado, como hice yo. Y no hay daños.

Orloff se guardó el monóculo en el bolsillo del chaleco.

—Pero si un campo de fuerza es lo mismo que las fuerzas interatómicas —apuntó tímidamente—, ¿por qué el acero está unido por una fuerza interatómica tan fuerte y no deforma el espacio? Algo falla ahí.

Prosser lo miró molesto.

—No falla nada. La fuerza crítica depende de la cantidad de generadores. En el acero, cada átomo es un generador de campos de fuerza. Eso significa trescientos mil millones de billones de generadores por cada treinta gramos de materia, si pudiéramos usar tantos. Siendo como es, el límite en la práctica sería de cien generadores, lo cual eleva el punto crítico a sólo noventa y siete, aproximadamente. —Se puso de pie y continuó con repentino fervor—: No. El problema ya no existe. No es posible crear un campo de fuerza capaz de albergar la atmósfera de la Tierra durante más de una centésima de segundo. Para qué hablar de la atmósfera joveana. Las frías cifras lo afirman, respaldadas por la experimentación. ¡El espacio no lo soporta! Que los joveanos se esfuercen. ¡No pueden salir! ¡Es definitivo! ¡Definitivo!

—Señor secretario —dijo Orloff—, ¿puedo enviar

un espaciograma desde la estación? Quiero informar a la Tierra de que regresaré en la próxima nave y de que el problema joveano está resuelto para siempre.

Birnam no contestó, pero el alivio transfiguraba los enjutos rasgos de su rostro mientras estrechaba la mano del delegado colonial. Y el doctor Prosser repitió, moviendo la cabeza como un pájaro:

—¡Definitivo!

Hal Tuttle miró al capitán Everett de la *Transparente*, la nave espacial más flamante de Líneas Cometa, cuando entró en la sala de observación de proa.

—Acaba de llegar un espaciograma de la central de Tucson —dijo el capitán—. Debemos recoger al delegado colonial Orloff en Jovópolis, Ganimedes, y llevarlo a la Tierra.

—Bien. ¿No hemos avistado ninguna nave?

—No, no. Estamos lejos de los itinerarios regulares. La primera noticia que el sistema tendrá de nosotros será cuando la *Transparente* descienda en Ganimedes. Esto va a ser lo más sensacional en viajes espaciales desde el primer viaje a la Luna. —De pronto bajó la voz—: ¿Qué ocurre, Hal? Este triunfo es tuyo, a fin de cuentas.

Hal Tuttle miró a la negrura del espacio.

—Supongo que sí. Diez años de trabajo, Sam. Perdí un brazo y un ojo en esa explosión, pero no lo lamento. La reacción fue lo que me dio impulso. El problema está resuelto. Es el fin del trabajo de toda mi vida.

—Y el fin de todas las naves de acero del sistema.

Tuttle sonrió.

—Sí. Cuesta comprenderlo, ¿eh? —Señaló hacia fuera—. ¿Ves las estrellas? Forman parte del tiempo, no hay nada entre ellas y nosotros. Me causa una cierta inquietud —dijo pensativo—. He trabajado nueve años para nada. No soy un teórico, así que no sabía adónde me dirigía; simplemente lo intentaba todo. Probé con demasiada fuerza y el espacio no lo resistió. Me costó un brazo y un ojo, y comencé de nuevo.

El capitán Everett asestó un puñetazo en el casco, a través del cual las estrellas brillaban sin obstáculos. Se oyó el golpe de la carne contra una superficie dura, pero la pared invisible no sufrió ninguna alteración.

Tuttle asintió con la cabeza y observó:

—Es bastante sólida, y eso que la intermitencia es de ochocientas mil veces por segundo. La lámpara estroboscópica me dio la idea. Ya sabes, relampaguean con tal rapidez que crean la ilusión de una iluminación fija. Lo mismo ocurre con el casco: no permanece en funcionamiento el tiempo suficiente para colapsar el espacio; no permanece quieto el tiempo suficiente para que haya filtración atmosférica. Y el efecto final es una fortaleza superior a la del acero. —Hizo una pausa y añadió lentamente—: Y es imposible predecir hasta dónde se puede llegar. Aceleraremos el efecto de intervalo. Haremos que la intermitencia del campo sea de millones de veces por segundo, de miles de millones de veces. Podemos obtener campos tan fuertes como para albergar una explosión atómica. ¡El trabajo de toda mi vida!

El capitán Everett le dio una palmada en el hombro.

—¡Anímate, hombre! Piensa en el descenso en Ganímedes. ¡Qué diablos! Habrá mucha publicidad. Piensa en el rostro de Orloff, por ejemplo, cuando descubra que será el primer pasajero de la historia que viaje en una nave espacial con un casco de campo de fuerza. ¿Cómo crees que se sentirá?

Hal Tuttle se encogió de hombros.

—Supongo que se sentirá complacido.

LA NOVATADA

La Universidad de Arcturus, en el segundo planeta de Arcturus, Erón, es un lugar tedioso durante las vacaciones de mitad de año y además hace calor, de modo que Myron Tubal, estudiante de segundo año, estaba aburrido e incómodo.

Por quinta vez ese día, echó un vistazo rápido a la sala de estar, en un desesperado intento de encontrar algún conocido, y se alegró de ver a Bill Sefan, un joven de piel verdosa, procedente del quinto planeta de Vega.

Sefan, como Tubal, había suspendido en biosociología y se quedaba durante las vacaciones con el fin de prepararse para un examen. Esas cosas crean fuertes lazos entre los estudiantes.

Tubal gruñó un saludo, dejó caer su cuerpo enorme y lampiño —era nativo del Sistema de Arcturus— en la silla más grande y dijo:

—¿Has visto a los nuevos?

—¿Ya? ¡Pero si faltan seis semanas para que comience el semestre!

Tubal bostezó.

—Estos estudiantes son especiales. Forman la primera tanda del Sistema Solariano. Son diez.

—¿Sistema Solariano? ¿Te refieres a ese nuevo sistema que se unió a la Federación Galáctica hace tres o cuatro años?

—El mismo. Creo que la capital es un mundo llamado Tierra.

—Bien, ¿y qué pasa con ellos?

—Pues nada, que están ahí, eso es todo. Algunos tienen pelo sobre el labio superior, y es bastante ridículo. Por lo demás, son como cualquiera de las otras doce, más o menos, razas de humanoides.

Se abrió la puerta y entró corriendo el pequeño Wri Forase. Era del único planeta de Deneb, y el vello corto y gris que le cubría la cabeza y el rostro se le erizaba agitado, mientras que sus grandes ojos rojos relucían por la excitación. Les dijo a media voz:

—Oye, ¿habéis visto a los terrícolas?

Sefan suspiró.

—¿Nadie piensa cambiar de tema? Tubal me estaba hablando de eso.

—¿De veras? —Forase parecía defraudado—. ¿Pero te ha dicho que ésta era esa raza anormal que causó tanto revuelo cuando el Sistema Solariano ingresó en la Federación?

—A mí me parecieron normales —señaló Tubal.

—No hablo en el sentido físico. Me refiero al aspecto mental. ¡Psicología! ¡Eso es lo importante!

Él pensaba ser psicólogo.

—¡Ah, eso! ¿Qué hay de malo?

—La psicología de masas de esa raza está totalmente trastocada —barbotó Forase—. En vez de volverse menos emocionales con el número, como ocurre con todos los humanoides conocidos, se vuelven más emocionales. En grupo, esos terrícolas son presa del pánico y enloquecen. Cuantos más hay, peor es. Lo juro, incluso inventamos una nueva notación matemática para abordar el problema. ¡Mirad!

Sacó la libreta y la pluma con un rápido movimiento, pero Tubal puso su mano encima, antes de que el otro llegara a escribir un solo trazo, y exclamó:

—¡Eh, se me ocurre una idea sensacional!

—Ya verás —masculló Sefan.

Tubal lo ignoró. Sonrió y se frotó pensativamente la calva con la mano.

—Escuchad —dijo con repentino entusiasmo, y su voz descendió a un susurro conspiratorio.

Albert Williams, natural de la Tierra, se agitó en sueños y sintió el contacto de un dedo entre la segunda y la tercera costilla. Abrió los ojos, movió la cabeza, miró con cara de tonto y se quedó boquiabierto, se incorporó y buscó el interruptor de la luz.

—No te muevas —dijo la figura fantasmal que había junto a la cama.

Se oyó un chasquido leve y el terrícola se encontró bañado por el haz perlado de una linterna de bolsillo. Parpadeó.

—¿Quién demonios eres?

—Levántate —le ordenó impasible la aparición—. Vístete y acompáñame.

Williams sonrió desafiante.

—Trata de obligarme.

No hubo respuesta, pero el haz de la linterna se desplazó ligeramente para alumbrar la otra mano del fantasma. Empuñaba un «látigo neurónico», esa pequeña arma tan agradable que paraliza las cuerdas vocales y estruja los nervios en nudos de dolor. Williams tragó saliva y se levantó de la cama.

Se vistió en silencio.

—De acuerdo, ¿qué hago ahora? —preguntó.

El reluciente «látigo» hizo un gesto y el terrícola se encaminó hacia la puerta.

—Sigue andando —dijo el desconocido.

Williams salió de la habitación, recorrió el pasillo y bajó ocho pisos sin atreverse a mirar atrás. Una vez en el campus se detuvo y sintió el contacto del metal en la espalda.

—¿Sabes dónde está el edificio Obel?

Asintió con la cabeza y echó a andar. Dejó atrás el edificio Obel, dobló por la avenida de la Universidad y casi un kilómetro después se apartó de la calzada y atravesó la arboleda. Una nave espacial se perfilaba en la oscuridad, con las compuertas cubiertas por cortinas y sólo una luz tenue donde la cámara de aire mostraba una rendija.

—¡Entra!

Fue empujado por un tramo de escalera hasta el interior de un cuarto pequeño. Parpadeó, miró en torno y contó en voz alta:

—... siete, ocho, nueve y diez. Nos tienen a todos, supongo.

—No es una suposición —gruñó Eric Chamberlain—. Es una certeza. —Se estaba frotando la mano—. Hace una hora que estoy aquí.

—¿Qué te pasa en la mano? —le preguntó Williams.

—Se me torció contra la mandíbula de esa rata que me trajo aquí. Es duro como el casco de una nave.

Williams se sentó en el suelo con las piernas cruzadas y apoyó la cabeza en la pared.

—¿Alguien tiene idea de qué significa esto?

—¡Secuestro! —exclamó el pequeño Joey Sweeney. Le castañeteaban los dientes.

—¿Para qué? —bufó Chamberlain—. Si alguno de nosotros es millonario no me he enterado. ¡Yo no lo soy, desde luego!

—Bien —los apaciguó Williams—, no perdamos la cabeza. El secuestro queda descartado. Estos tipos no pueden ser delincuentes. Cabe pensar que una civilización que ha desarrollado la psicología tanto como esta Federación Galáctica sería capaz de eliminar el delito sin esfuerzo.

—Son piratas —rezongó Lawrence Marsh—. No lo creo, pero es una sugerencia.

—¡Pamplinas! —rechazó Williams—. La piratería es un fenómeno de la frontera. Hace decenas de milenios que esta región del espacio está civilizada.

—No obstante, tenían armas —insistió Joe—, y eso no me gusta.

Se había dejado las gafas en su habitación y miraba en torno con la ansiedad del miope.

—Eso no significa mucho —replicó Williams—. Vamos a ver, he estado pensando. Aquí estamos todos; diez estudiantes recién llegados a la Universidad de Arcturus. En nuesta primera noche, nos sacan misteriosamente de nuestras habitaciones para traernos a esta extraña nave. Eso me sugiere algo. ¿Qué opináis?

Sidney Morton levantó la cabeza y dijo con voz somnolienta:

—Sí, yo también he pensado en ello. Me parece que nos espera una buena novatada. Señores, creo que los estudiantes locales se están divirtiendo a nuestra costa.

—Exacto —convino Williams—. ¿Alguien tiene otra idea? —Silencio—. Pues bien, entonces sólo nos queda esperar. Por mi parte trataré de seguir durmiendo. Que me despierten si me necesitan. —Se oyó un chirrido y Williams perdió el equilibrio—. Vaya, hemos despegado. Quién sabe hacia dónde.

Poco después, Bill Sefan vaciló un instante antes de entrar en la sala de control. Se encontró con un excitado Wri Forase.

—¿Cómo anda todo? —preguntó el denebiano.

—Fatal —contestó Sefan—. Si son presa del pánico que me cuelguen. Se están durmiendo.

—¿Durmiendo? ¿Todos? ¿Pero qué decían?

—¿Cómo saberlo? No hablaban en galáctico y yo no entiendo ni jota de esa infernal jerigonza extranjera.

Forase alzó las manos con disgusto.

—Escucha, Forase —intervino Tubal—, me estoy perdiendo una clase de biosociología, un lujo que no puedo permitirme. Tú garantizaste la psicología de esta travesura. Si resulta ser un fiasco, no me hará ninguna gracia.

—¡Bien, por el amor de Deneb! —vociferó Forase—. ¡Sois un bonito par de quejicas! ¿Esperabais que gritaran y patalearan en seguida? ¡Por el hirviente Arcturus! Esperad a que lleguemos al Sistema de Spica. Cuando los abandonemos por una noche... —Se echó a reír—. Será la mejor broma desde aquella Noche de Concierto en que ataron esos murciélagos-apestosos al órgano cromático.

Tubal sonrió, pero Sefan se reclinó en el asiento y comentó pensativo:

—¿Y qué ocurrirá si alguien se entera? El rector Wynn, por ejemplo.

El arcturiano, que manejaba los controles, se encogió de hombros.

—Es sólo una novatada. No se enfadarán.

—No te hagas el tonto, Tubal. Esto no es una chiquillada. El cuarto planeta de Spica, más aún, todo el sistema de Spica está vedado a las naves galácticas, y lo sabes. Se encuentra habitado por una raza subhumana. Se supone que deben evolucionar sin ninguna interferencia hasta que descubran el viaje interestelar por su cuenta. Ésa es la ley y se aplica con rigor. ¡Santísimo Espacio! Si se enteran de esto nos veremos en un gran aprieto.

Tubal se volvió en su asiento.

—¡Al demonio con el rector Wynn! ¿Cómo esperas que se entere? Ojo, no estoy diciendo que el rumor no se propague por el campus, porque la mitad de la diversión se iría al cuerno si tenemos que callarnos; pero ¿cómo se van a saber los nombres? Nadie nos delatará, y lo sabes.

—De acuerdo —admitió Sefan, encogiéndose de hombros.

—¡Preparados para el hiperespacio! —exclamó Tubal con voz estentórea

Pulsó las teclas y sintieron ese extraño tirón interno que indicaba que la nave abandonaba el espacio normal.

Los diez terrícolas no las tenían todas consigo y se les notaba. Lawrence Marsh miró de nuevo su reloj.

—Las dos y media. Ya han pasado treinta y seis horas. Ojalá terminen con esto.

—No es una novatada —gimió Sweeney—. Dura demasiado.

Williams se puso rojo.

—¿A qué viene ese abatimiento? Nos han alimentado regularmente, ¿verdad? No nos han maniatado, ¿verdad? Yo diría que es bastante evidente que nos están cuidando.

—O que nos están engordando para sacrificarnos —gruñó Sidney Morton.

No dijo más y todos se pudieron tensos. El tirón interno que acababan de sentir era inequívoco.

—¿Habéis sentido eso? —se sobresaltó Eric Chamberlain—. Estamos de vuelta en el espacio normal y eso significa que nos encontramos a sólo un par de horas de nuestro destino. Tenemos que hacer algo.

—Claro, claro —resopló Williams—. ¿Pero qué?

—Somos diez, ¿o no? —gritó Chamberlain, sacando pecho—. Bien, sólo he visto a uno de ellos hasta ahora. La próxima vez que entre, y pronto nos toca otra comida, trataremos de dominarlo.

Sweeney no parecía muy convencido.

—¿Y qué pasa con el látigo neurónico que lleva siempre?

—No nos matará. No puede acertarnos a todos antes de que lo tumbemos.

—Eric —dijo Williams sin rodeos—, eres un imbécil.

Chamberlain se sonrojó y luego cerró sus dedos rechonchos.

—Estoy de humor precisamente para practicar un poco de persuasión. Repite lo que has dicho.

—¡Siéntate! —Williams ni siquiera se dignó mirarlo—. Y no te empeñes en justificar mi insulto. Todos estamos nerviosos y alterados, pero eso no significa que tengamos que volvernos locos. Al menos no todavía. En primer lugar, aun dejando a un lado lo del látigo, no ganaremos nada con tratar de dominar a nuestro carcelero. Sólo hemos visto a uno, pero es nativo del Sistema de Arcturus. Tiene más de dos metros de altura y pesa casi ciento cincuenta kilos. Nos vencería a todos, a puñetazos. Creí que ya habías tenido un encontronazo con él, Eric. —Hubo un denso silencio—. Y aunque lográramos tumbarlo y liquidar a los otros que haya en la nave no tenemos la menor idea de nuestro paradero ni de cómo regresar y ni siquiera de cómo conducir la nave. —Una pausa—. ¿Y bien?

—¡Demonios!

Chamberlain desvió la cara, presa de una silenciosa furia.

La puerta se abrió y entró el gigante arcturiano. Con una mano vació el saco que llevaba, mientras empuñaba con la otra el látigo neurónico.

—Última comida —gruñó.

Todos se abalanzaron sobre las latas, aún tibias. Morton miró la suya con repugnancia.

—Oye —dijo, hablando con dificultad en galáctico—, ¿no puedes variar un poco? Estoy harto de este inmundo gulash. ¡Va la cuarta lata!

—¿Y qué? Es vuestra última comida —replicó el arcturiano, y se marchó.

Quedaron paralizados de horror.

—¿Qué ha querido decir con eso? —dijo alguien, tragando saliva.

—¡Van a matarnos! —gritó Sweeney, con los ojos muy abiertos.

Williams tenía la boca reseca y sintió exasperación contra el contagioso temor de Sweeney. Se contuvo, pues el chico tenía sólo diecisiete años.

—Calmaos —ordenó—. Comamos.

Dos horas después sintió la estremecedora sacudida que indicaba el aterrizaje y el fin del viaje. En todo ese tiempo nadie había hablado, pero Williams pudo sentir que el miedo era cada vez más sofocante.

Spica se había sumergido, teñido de carmesí, bajo el horizonte y soplaba un viento helado. Los diez terrícolas, apiñados en la loma pedregosa, observaban malhumorados a sus captores. El que hablaba era el enorme arcturiano, Myron Tubal, mientras que el vegano de piel verdosa, Bill Sefan, y el velludo y menudo denebiano, Wri Forase, guardaban silencio.

—Tenéis vuestra fogata y hay leña en abundancia para mantenerla encendida. Eso ahuyentará a las fieras. Os dejaremos un par de látigos antes de irnos, y os bastarán como protección si alguno de los aborígenes del planeta os molesta. Tendréis que recurrir a vuestro ingenio para buscar alimento, agua y refugio.

Dio media vuelta. Chamberlain embistió con un rugido y se lanzó sobre el arcturiano, que apenas tuvo que mover un brazo para derribarlo.

La compuerta se cerró y poco después la nave se elevaba y se alejaba. Williams rompió al fin el helado silencio.

—Nos han dejado los látigos. Yo cogeré uno y tú, Eric, el otro.

Uno a uno, se fueron sentando de espaldas al fuego, asustados. Williams se obligó a sonreír.

—Hay caza en abundancia y mucha madera en la zona. Venga, somos diez y ellos tienen que regresar en algún momento. Les demostraremos de qué están hechos los terrícolas. ¿Qué opináis, amigos?

Hablaba sin mucha convicción.

—¿Por qué no te callas? —replicó Morton—. No estás facilitando las cosas.

Williams desistió. Sentía frío en la boca del estómago.

El crepúsculo se diluyó en la noche y el círculo de luz de la fogata se redujo a una aureola trémula y rodeada de sombras. Marsh se sobresaltó y abrió mucho los ojos.

—¡Hay algo...! ¡Algo se acerca!

Se produjo un poco de jaleo que en seguida quedó congelado en posturas de máxima atención.

—Estás loco —murmuró Williams, pero se calló al oír el inequívoco y sigiloso sonido.

—¡Coge el látigo! —le gritó a Chamberlain.

Joey Sweeney se echó a reír histéricamente.

De pronto se oyeron unos alaridos y las sombras se abalanzaron sobre ellos.

También sucedían cosas en otra parte.

La nave de Tubal se alejó del cuarto planeta de Spica con Bill Sefan al mando de los controles. Tubal estaba en su estrecho cuarto, empinando una botella de licor denebiano.

Wri Forase lo observaba con tristeza.

—Me costó veinte créditos cada botella y ya sólo me quedan unas pocas.

—Bien, pues no permitas que me las beba yo todas —se mostró magnánimo Tubal—. Compártelas conmigo una a una. A mí no me importa.

—Si yo pegara un trago como ése, me quedaría inconsciente hasta los exámenes de otoño.

Tubal no le prestaba atención.

—Esto hará historia en la universidad como la novatada...

Y en ese instante se oyó un agudo sonido metálico, apenas sofocado por las paredes, y las luces se apagaron.

Wri Forase se sintió proyectado contra la pared. Recobró el aliento con esfuerzo y tartamudeó:

—¡Santísimo Espacio! ¡Estamos en plena aceleración! ¿Qué pasa con el ecualizador?

—¡Al cuerno con el ecualizador! —rugió Tubal, poniéndose en pie—. ¿Qué pasa con la nave?

Salió dando tumbos al corredor oscuro, con Forase detrás tambaleándose. Cuando irrumpieron en la sala de control se encontraron a Sefan rodeado por las tenues luces de emergencia, con la piel de su rostro brillando por el sudor.

—Un meteorito —les informó con la voz enronquecida—. Ha desajustado nuestros distribuidores de potencia. Todo se ha acelerado. Las luces, las unidades de calor y la radio están inutilizadas, los ventiladores apenas funcionan y la sección cuatro está perforada.

Tubal miró a su alrededor.

—¡Idiota! ¿Por qué no vigilaste el indicador de masa?

—Lo hice, gran pedazo de masilla —gruñó Sefan—, pero no registró nada. ¡No registró nada! ¿Qué esperabas de un cacharro de segunda mano y alquilado por doscientos créditos? Atravesó la pantalla como si fuera éter.

—¡Cállate! —Tubal abrió el compartimento de los trajes y refunfuñó—: Son todos modelos de Arcturus. Debí haberlo revisado. ¿Puedes ponerte uno, Sefan?

—Tal vez. -

El vegano se rascó la oreja dubitativamente.

Cinco minutos después Tubal entraba en la cámara de presión y Sefan lo seguía, tambaleante. Tardaron media hora en regresar.

Tubal se quitó el casco.

—¡Fin del trayecto!

Wri Forase se asustó.

—¿Quieres decir que... no hay nada que hacer?

El arcturiano sacudió la cabeza.

—Podemos repararlo, pero llevará tiempo. La radio está estropeada, así que no podemos conseguir ayuda.

—¡Ayuda! —exclamó Forase—. ¡Lo que nos faltaba! ¿Cómo explicaríamos nuestra presencia en el sistema de Spica? Llamar por radio sería como suicidarnos. Mientras podamos regresar sin ayuda, estaremos a salvo. Perdernos algunas clases no nos perjudicará tanto.

—¿Y qué hacemos con esos asustados terrícolas que dejamos en Spica Cuatro? —intervino Sefan.

Forase abrió la boca, pero no dijo una palabra. La cerró de nuevo. Si alguna vez un humanoide pareció trastornado, ése era Forase.

Y era sólo el principio.

Tardaron un día y medio en desmantelar las conexiones de potencia de la destartalada nave espacial. Tardaron dos días más en desacelerar hasta alcanzar un punto de inflexión seguro. Tardaron cuatro días en regresar a Spica Cuatro. Ocho días en total.

Cuando la nave descendió en el sitio donde habían abandonado a los terrícolas, era media mañana y Tubal puso cara larga mientras escudriñaba la zona por la pantalla. Poco después rompió un silencio que se había vuelto pegajoso.

—Creo que hemos metido la pata al máximo. Los dejamos en las inmediaciones de una aldea nativa. No hay rastros de los terrícolas.

Sefan sacudió la cabeza, acongojado.

—Esto me huele mal.

Tubal hundió la cabeza en sus largos brazos.

—Es el fin. Si no se murieron del susto, los pillaron los nativos. Introducirse en sistemas solares prohibidos es bastante grave, pero esto es homicidio.

—Lo que tenemos que hacer —opinó Sefan— es bajar para averiguar si aún están con vida. Al menos les debemos eso. Después...

Tragó saliva. Forase redondeó la frase:

—Después de eso, expulsión de la universidad, revisión psíquica... y trabajos manuales de por vida.

—¡Olvidaos de eso! —bramó Tubal—. Nos enfrentaremos a ello cuando llegue el momento.

La nave descendió lentamente y se posó en el claro rocoso donde ocho días antes habían dejado a los diez terrícolas.

—¿Cómo nos las arreglaremos con estos nativos? —Tubal se volvió hacia Forase, enarcando las cejas (que eran lampiñas, por supuesto)—. Vamos, hijo, enséñame algo de psicología subhumanoide. Sólo somos tres y no quiero problemas.

Forase se encogió de hombros y arrugó su rostro velludo en un gesto de perplejidad.

—Estaba pensando en eso, Tubal. No sé nada.

—¿Qué? —exclamaron Sefan y Tubal.

—Nadie lo sabe —añadió en seguida el denebiano—. Así están las cosas. A fin de cuentas, no permitimos que los subhumanoides ingresen en la Federación hasta que no están plenamente civilizados, y mientras los mantenemos en cuarentena. ¿Creéis que existen muchas oportunidades de estudiar su psicología?

El arcturiano se desplomó en el asiento.

—Esto va cada vez mejor. Piensa, cara velluda. ¡Sugiere algo!

Forase se rascó la cabeza.

—Bien..., esto..., lo mejor que podemos hacer es tratarlos como humanoides normales. Si nos acercamos despacio, con las palmas extendidas, sin hacer movimientos bruscos y conservando la calma, todo debería salir bien. Debería. No puedo tener ninguna certeza.

—En marcha, y al cuerno con la certeza —se impacientó Sefan—. Ya no importa, de todos modos. Si me liquidan aquí, no tendré que regresar a casa. —Su rostro adquirió una expresión compungida—. Cuando pienso en lo que dirá mi familia...

Salieron de la nave y olieron la atmósfera del cuarto planeta de Spica. El sol estaba en el meridiano y se erguía en el cielo como una gran pelota anaranjada. En los bosques graznó un pájaro. Los rodeó un absoluto silencio.

—¡Vaya! —dijo Tubal, los brazos en jarras.

—Es para dormir a cualquiera. No hay señales de vida. ¿Hacia dónde queda la aldea?

Hubo tres opiniones distintas, pero la discusión no duró mucho. El arcturiano, seguido con desgana por los otros dos, bajó por la cuesta y se dirigió hacia el bosque.

Se habían internado unos metros cuando los árboles cobraron vida y una oleada de nativos se descolgó silenciosamente de las ramas. Wri Forase cayó el primero bajo la avalancha.

Bill Sefan tropezó, resistió unos instantes y se derrumbó con un gruñido.

Sólo el corpulento Myron Tubal quedaba en pie. Con las piernas separadas y gritando roncamente daba puñetazos a diestro y siniestro. Los asaltantes nativos rebotaban en él como gotas de agua en un remolino. Organizando su defensa según el principio del molino de viento, Tubal retrocedió hasta un árbol.

Y ése fue su error. En la rama más baja de aquel árbol se encontraba acuclillado un nativo más cauto y más inteligente que sus compañeros. Tubal ya había notado que los nativos poseían colas robustas y musculosas. De todas las razas de la galaxia, sólo había otra que tuviera cola, el *homo gamma cepheus*. Pero lo que no notó fue que las colas eran prensiles.

Lo descubrió muy pronto, pues el nativo de la rama bajó la suya, rodeó el cuello de Tubal y la contrajo.

El arcturiano forcejeó ferozmente y el atacante cayó del árbol. Colgado cabeza abajo y meciéndose bruscamente, el nativo mantuvo su posición y apretó la cola con fuerza.

Tubal perdió el conocimiento. Estaba ya inconsciente antes de tocar el suelo.

Recobró el sentido lentamente, sintiendo una irritante rigidez en el cuello. Trató en vano de darse unas friegas y tardó unos segundos en comprender que se encontraba fuertemente maniatado. Eso lo despabiló. Primero notó que se hallaba de bruces, después oyó la espantosa algarabía que lo rodeaba, luego vio que Sefan y Forase estaban maniatados cerca de él y por último se dio cuenta de que no podía romper las ligaduras.

—¡Sefan, Forase! ¿Podéis oírme?

Sefan respondió con alegría.

—¡Vieja cabra draconiana! Pensamos que te habían liquidado.

—No es fan fácil acabar conmigo —gruñó—. ¿Dónde estamos?

Hubo una breve pausa.

—En la aldea nativa, supongo —contestó Wri Forase—. ¿Alguna vez habéis oído tanto estrépito? Ese tambor no ha callado un instante desde que nos arrojaron aquí.

—¿Habéis sabido algo de...?

Unas manos le hicieron dar la vuelta. Se encontró sentado, y el cuello le dolía más que nunca. Improvisadas chozas de bálago y troncos verdes relucían bajo el sol de la tarde. Los rodeaba un círculo de nativos de tez oscura y cola larga, que los observaban en silencio. Debían de ser centenares y todos usaban tocados de plumas y empuñaban lanzas cortas y de punta pérfidamente curva.

Los nativos miraban hacia las figuras que estaban misteriosamente acuclilladas en primera fila y Tubal volvió hacia ellas sus ojos airados. Era obvio que se trataba de los jefes de la tribu. Vestían prendas de piel mal curtida, llamativas y con flecos, y realzaban su aspecto bárbaro con altas máscaras de madera pintadas con caricaturas del rostro humano.

A pasos lentos, el horror enmascarado que estaba más cerca de los humanoides se aproximó.

—Hola —dijo, y se quitó la máscara—. ¿Ya habéis vuelto?

Tubal y Sefan se quedaron callados un buen rato, mientras Wri Forase sufría un ataque de tos. Finalmente, Tubal inspiró profundamente y pudo hablar:

—Eres uno de los terrícolas, ¿verdad?

—Así es. Me llamo Al Williams, pero podéis llamarme Al.

—¿Aún no te han matado?

Williams sonrió.

—No han matado a ninguno de nosotros. Por el contrario. —Y añadió, haciendo una reverencia exagerada—: Caballeros, os presento a los nuevos dioses de la tribu.

—¿Los nuevos qué? —se asombró Forase, que seguía tosiendo.

—Pues... dioses. Lo lamento, pero no sé cómo se dice dios en galáctico.

—¿Qué representáis los... dioses?

—Somos entidades sobrenaturales..., objetos de adoración. ¿Entendéis? —Los humanoides lo miraron de mal humor—. Sí, en efecto, somos personas con un gran poder.

—¿De qué estás hablando? —exclamó Tubal indignado—. ¿Por qué iban a atribuiros grandes poderes? Los terrícolas no tenéis un físico privilegiado.

—Se trata de una cuestión psicológica —explicó Williams—. Si nos ven descender en un gran vehículo reluciente, que viaja misteriosamente por el aire y luego desaparece escupiendo llamas, es lógico que nos consideren sobrenaturales. Psicología salvaje y de lo más elemental. —Forase miraba a Williams con ojos desorbitados—. A propósito, ¿qué os ha hecho tardar tanto? Nosotros supusimos que se trataba de una novatada. Y eso era, ¿o no?

—Oye —intervino Sefan—, creo que pretendes engañarnos. Si a vosotros os consideran dioses, ¿qué piensan de nosotros? También hemos llegado en la nave y...

—Ahí es donde empezamos a meter cizaña. Les explicamos, mediante dibujos y gestos, que vosotros erais demonios. Cuando al fin regresasteis, y vaya si nos alegró ver que volvíais, ellos sabían ya qué hacer.

—¿Qué significa demonios? —preguntó Forase, con un cierto temor.

Williams suspiró.

—¿Es que no sabéis nada?

Tubal movió lentamente el cuello dolorido.

—¿Qué te parece si nos soltáis? —rezongó—. Tengo el cuello entumecido.

—¿Qué prisa tienes? A fin de cuentas, os trajeron aquí para sacrificaros en nuestro honor.

—¡Sacrificarnos!

—Claro. Os cortarán con cuchillos.

Se hizo un horrorizado silencio.

—¡No nos vengas con pamplinas! —vociferó Tubal—. No somos terrícolas que se dejan vencer por el pánico.

—Oh, eso ya lo sabemos. Jamás intentaría engañaros. Pero la psicología simple y vulgar del salvaje siempre busca un pequeño sacrificio humano y...

Sefan se retorció dentro de sus ligaduras e intentó arrojarse contra Forase.

—¡Dijiste que nadie sabía nada de psicología subhumana! ¡Tratabas de justificar tu ignorancia, arrugado y velludo hijo de un mestizo lagarto vegano! ¡En buena nos has metido!

Forase se echó para atrás.

—¡Eh, un momento! Yo sólo...

Williams decidió que la broma había ido demasiado lejos.

—Calmaos. Vuestra ingeniosa novatada os ha estallado, y de qué modo, en toda la cara, pero no iremos tan lejos. Creo que ya nos hemos divertido bastante a costa vuestra. Sweeney está hablando en este momento con el jefe de los nativos para explicarle que nos marchamos y os llevamos con nosotros. Francamente, me alegrará salir de aquí. Esperad, Sweeney me llama.

Cuando Williams regresó dos segundos después, tenía una expresión rara y estaba un poco pálido. De hecho, se ponía cada vez más lívido.

—Parece ser —dijo, tragando saliva— que nuestra contranovatada nos ha estallado en el rostro a nosotros. El jefe nativo insiste en el sacrificio.

Se impuso un silencio mientras los tres humanoides reflexionaban sobre la situación.

Durante unos segundos nadie pudo articular palabra alguna.

—Le he pedido a Sweeney —añadió Williams, abatido— que advierta al jefe que si no hace lo que decimos le ocurrirá algo terrible a su tribu. Pero es una bravuconada y quizá no se la crea. Bien, lo lamento, amigos. Supongo que hemos ido demasiado lejos. Si las cosas se ponen feas, os liberaremos y lucharemos a vuestro lado.

—Libéranos ahora —gruñó Tubal, sintiendo un frío en la sangre—. ¡Terminemos con esto!

—¡Aguarda! —exclamó Forase—. Que el terrícola use su psicología. Vamos, terrícola. ¡Piensa en algo!

Williams pensó hasta dolerle el cerebro.

—Mirad —murmuró—, perdimos parte de nuestro prestigio divino cuando no pudimos curar a la esposa del jefe. Falleció ayer. —Movió la cabeza con aire abstraído—. Lo que necesitamos es un milagro que impresione. Esto... ¿No tenéis nada en los bolsillos?

Se arrodilló y los registró. Wri Forase tenía una pluma, una libreta, un peine de púas finas, unos polvos contra los picores, un fajo de billetes y algunos otros objetos diversos. Sefan llevaba una similar variedad de artículos.

Del bolsillo de Tubal, Williams logró extraer un objeto pequeño, muy parecido a un arma y con una enorme empuñadura y un cañón corto.

—¿Qué es esto?

Tubal frunció el ceño.

—¿En eso he estado sentado todo el tiempo? Es un soldador que usé para reparar un impacto de meteorito en la nave. No sirve de mucho; casi no tiene energía.

Los ojos de Williams se iluminaron. El cuerpo se le electrizó de entusiasmo.

—¡Eso crees tú! Los hombres de la galaxia no veis más allá de vuestras narices. ¿Por qué no visitáis la Tierra un tiempo para obtener una nueva perspectiva?

Echó a correr hacia sus cómplices en la conspiración.

—¡Sweeney —aulló—, dile a ese jefe con cola de mono que dentro de un segundo me enfadaré y el cielo le caerá en la cabeza! ¡Muéstrate severo!

Pero el jefe no esperó al mensaje. Hizo un gesto desafiante y todos los nativos atacaron al unísono. Tubal rugió, y sus músculos crujieron contra las ligaduras.

Williams encendió el soldador y la débil llama destelló.

La choza nativa más cercana estalló en llamas. Siguió otra, y otra, y una cuarta; y el soldador se apagó.

Pero era suficiente. No quedaba ningún nativo en pie. Todos estaban tendidos de bruces, gimiendo e implorando perdón. El jefe gemía e imploraba más que nadie.

—Dile al jefe —le indicó Williams a Sweeney— que ha sido apenas una insignificante muestra de lo que pensamos hacerle. —A los humanoides, mientras cortaba las ligaduras de cuero no curtido, les explicó con paternalismo—: Conocimiento elemental de la psicología de los salvajes.

Forase recobró su aplomo sólo cuando estuvieron de vuelta en la nave y en el espacio.

—Yo creía que los terrícolas no habíais desarrollado la psicología matemática. ¿Cómo sabías tanto sobre los subhumanoides? Nadie en la galaxia ha llegado tan lejos.

—Bien, bien —sonrió Williams—, tenemos cierto conocimiento práctico acerca del funcionamiento de la mente incivilizada. Venimos de un mundo donde la mayoría de la gente, por decirlo de algún modo, sigue estando incivilizada. ¡No nos queda otro remedio que saber!

Forase asintió con la cabeza.

—¡Terrícolas, estáis locos de atar! Al menos, este episodio nos ha enseñado algo a todos.

—¿Qué?

—Nunca te líes con un grupo de chalados —dijo Forase, recurriendo nuevamente a la lengua terrícola—. ¡Pueden estar más chalados de lo que piensas!*

* Al revisar mis cuentos para preparar este libro, me encontré con que *La novatada* era el único cuento publicado del cual yo no recordaba nada sólo por el título. Ni siquiera lograba acordarme al releerlo. Si me hubieran dado el cuento sin mi nombre y me hubieran pedido que lo leyera para adivinar el autor, creo que habría fracasado. Tal vez eso quiera decir algo.

Me parece, sin embargo, que la historia va dirigida contra la serie del *Homo Sol*.

Tuve mejor suerte con Frederick Pohl en el caso de otro cuento, *Superneutrón*, que escribí a finales del mismo mes de febrero en que escribí *Máscaras* y *La novatada*. Se lo presenté el 3 de marzo de 1941 y él lo aceptó el 5 de marzo.

En aquella época, menos de tres años después de presentar mi primer texto, me estaba impacientando con tanto rechazo. Al menos, la noticia de la aceptación de *Superneutrón* la consigno en mi diario con un «era hora de que vendiera un cuento, cinco semanas y media después del último».

SENTENCIA DE MUERTE

Brand Gorla sonrió incomodado.

—Es una exageración.

—¡No, no, no! —exclamó el hombrecillo albino y de ojos rosados y saltones—. Dorlis era grande cuando ningún humano había entrado en el sistema vegano. Era la capital de una confederación galáctica más vasta que la nuestra.

—Pues bien, digamos que era una antigua capital. Admitiré eso y dejaré el resto a un arqueólogo.

—Los arqueólogos no sirven. Lo que he descubierto necesita un especialista en su propio campo. Y tú estás en el Consejo.

Brand Gorla tenía dudas. Recordaba a Theor Realo de la universidad: una criaturilla blanca e inadaptada de expresión huraña.

Había pasado mucho tiempo, pero recordaba que el albino era raro. Eso resultaba fácil de recordar. Y seguía siendo raro.

—Trataré de ayudar —dijo Brand— si me explicas qué quieres.

Theor lo miró fijamente.

—Quiero que presentes ciertos datos ante el Consejo. ¿Lo prometes?

—Aunque decida ayudarte, Theor, te recuerdo que

sólo soy un miembro menor del Consejo de Psicólogos. No tengo mucha influencia.

—Debes intentarlo. Los datos hablarán por sí mismos —replicó el albino. Le temblaban las manos.

—Adelante.

Brand se resignó. El hombrecillo era un viejo compañero de universidad. Uno no podía ser tan arbitrario.

Se reclinó en el asiento y se relajó. La luz de Arcturus brillaba a través de las altas ventanas, diluida por el vidrio polarizador. Aun esa versión desleída de la luz solar resultaba excesiva para los ojos rosados del albino, que se hizo sombra en ellos mientras hablaba.

—He vivido en Dorlis durante veinticinco años, Brand. Me he internado en sitios cuya existencia nadie conocía y he descubierto cosas. Dorlis fue la capital científica y cultural de una civilización mayor que la nuestra. Sí, lo fue, y sobre todo en psicología.

—Las cosas pretéritas siempre parecen más grandes —sentenció Brand, con una sonrisa condescendiente—. Hay un teorema que encontrarás en cualquier texto elemental. Los estudiantes lo llaman el Teorema de DIOS. Ya sabes, se refiere a «Días Idos Óptimos Son». Pero continúa.

Theor se molestó con aquella digresión. Ocultó una sonrisa irónica.

—Siempre se puede desechar un dato inquietante con una designación peyorativa. Pero dime, ¿qué sabes de ingeniería psicológica?

Brand se encogió de hombros.

—No existe eso. Al menos, no en el sentido matemático riguroso. La propaganda y la publicidad constituyen una forma tosca de ingeniería psicológica, y a veces bastante efectiva. ¿A eso te refieres?

—En absoluto. Me refiero a experimentos reales,

con muchedumbres de personas, en condiciones controladas y durante un período de años.

—Se ha hablado de esas cosas, pero no es factible en la práctica. Nuestra estructura social no podría resistirlo y no sabemos lo suficiente para establecer controles efectivos.

Theor contuvo su excitación.

—Pero los antiguos sí sabían lo suficiente. Y establecieron controles.

Brand reflexionó, escéptico.

—Asombroso e interesante; pero ¿cómo lo sabes?

—Porque encontré los documentos. —Hizo una pausa—. Todo un planeta, Brand. Un mundo entero escogido, poblado con seres bajo estricto control desde todos los ángulos. Estudiados, clasificados y sometidos a experimentos. ¿Entiendes?

Brand no notaba ninguno de los síntomas del desequilibrio mental. Quizás una investigación más atenta...

—Tal vez lo hayas interpretado mal. Eso es totalmente imposible. No se puede controlar a humanos de ese modo. Demasiadas variables.

—De eso se trata, Brand. No eran humanos.

—¿Qué?

—Eran robots, robots positrónicos. Un mundo entero de ellos, Brand, con nada que hacer salvo vivir y reaccionar y ser observados por un equipo de psicólogos que sí eran reales.

—¡Es descabellado!

—Tengo pruebas..., porque ese mundo robótico aún existe. La Primera Confederación se hizo trizas, pero ese mundo robótico continuó. Aún existe.

—¿Y cómo lo sabes?

Theor Realo se levantó.

—¡Porque he pasado allí los últimos veinticinco años!

El presidente del Consejo se apartó la toga formal de borde rojo y metió la mano en el bolsillo buscando un puro largo, torcido e indudablemente extraoficial.

—Ridículo —gruñó— y totalmente descabellado.

—Exacto —dijo Brand—, y no puedo exponerlo ante el Consejo sin más. No escucharían. Primero tengo que explicárselo a usted y, luego, si me puede apoyar con su autoridad...

—¡Demonios! Nunca oí nada tan... ¿Quién es ese tipo?

Brand suspiró.

—Un chiflado, lo admito. Estudió conmigo en la Universidad de Arcturus y entonces era ya un albino excéntrico. Totalmente inadaptado, un fanático de la historia antigua, uno de esos especímenes que no se cansa de insistir cuando una idea se le mete en la mollera. Alega que pasó veinticinco años en Dorlis. Tiene la documentación completa sobre toda una civilización.

El presidente del Consejo lanzó una furiosa bocanada de humo.

—Sí, lo sé. En los seriales telestáticos el aficionado brillante es siempre quien hace los grandes descubrimientos. El independiente. ¡Demonios! ¿Ha consultado usted al Departamento de Arqueología?

—Por supuesto. Y con un resultado interesante. Nadie se preocupa de Dorlis. No es sólo historia antigua, sino un asunto de quince mil años, prácticamente un mito. Los arqueólogos prestigiosos no pierden el tiempo con eso. Se trata precisamente de lo que descubriría un ratón de biblioteca con una mente empecinada. Claro que si resulta que es correcto Dorlis se convertirá en el paraíso de los arqueólogos.

El presidente frunció el rostro en una mueca de asombro.

—Es muy poco halagüeño para el ego. Si hay alguna verdad en todo esto, la Primera Confederación debía de tener una comprensión de la psicología tan superior a la nuestra que apareceríamos como unos imbéciles apáticos. Además, hubieran tenido que construir robots positrónicos que estarían setenta y cinco órdenes de magnitud por encima de cualquier cosa que nosotros hayamos concebido. ¡Santa Galaxia! Piense usted en la matemática requerida.

—Mire, he consultado con todo el mundo. No le plantearía este problema si no estuviera seguro de haber verificado todos sus aspectos. Acudí a Blak primero, y él es asesor matemático de Robots Unidos. Dice que no hay límite para estas cosas. Dado el tiempo, el dinero y el avance en psicología, y subrayo esto, esos robots se podrían construir ahora mismo.

—¿Qué pruebas tiene él?

—¿Quién? ¿Blak?

—No, no. Ese amigo suyo. El albino. Usted dijo que tenía documentos.

—Sí, en efecto. Los traigo conmigo. Tiene documentos, y su antigüedad es innegable. Los he hecho revisar una y otra vez. Yo no sé leerlos, desde luego. Y no sé si alguien sabe, excepto el propio Theor Realo.

—Eso nos deja sin alternativas. Tenemos que creer en su palabra.

—Sí, en cierto modo. Pero según él sólo puede descifrar fragmentos. Dice que tienen relación con la antigua lengua de Centauro, así que he puesto lingüistas a trabajar en ello. Se puede descifrar. Si la traducción de Theor no es correcta lo sabremos.

—De acuerdo. Déjemelos ver.

Brand Gorla sacó los documentos forrados en plástico. El presidente del Consejo los puso a un lado y buscó la traducción. Soplaba volutas de humo mientras leía.

—¡Uf! —fue su comentario—. Y los demás detalles están en Dorlis, supongo.

—Theor sostiene que hay dos centenares de toneladas de proyectos en total sobre la configuración del cerebro de los robots positrónicos. Todavía están en el sótano original. Pero eso no es lo más importante. Él estuvo en el mundo robótico y tiene fotos, grabaciones y toda clase de detalles. No están unificados, y evidentemente es obra de un lego que no sabe casi nada sobre psicología. Aun así, se las ha apañado para conseguir datos suficientes que demuestran que el mundo donde estuvo no era..., bueno..., natural.

—Y usted tiene ese material.

—Todo. La mayor parte está microfilmado, pero he traído el proyector. Aquí tiene sus lentes.

Una hora después, el presidente del Consejo dijo:

—Mañana convocaré a una reunión y presentaré esto.

Brand Gorla sonrió.

—¿Enviaremos una comisión a Dorlis?

—Siempre y cuando la universidad nos otorgue fondos para semejante asunto —respondió en tono seco el presidente—. Déjeme este material, por favor. Deseo estudiarlo un poco más.

Teóricamente, el Departamento Gubernamental de Ciencia y Tecnología ejerce el control administrativo de toda la investigación científica. Sin embargo, los grupos de investigación pura de las grandes universidades son entidades plenamente autónomas y, como norma general, el Gobierno no cuestiona esa autonomía. Pero una norma general no es necesariamente una norma universal.

En consecuencia, aunque el presidente del Consejo gruñó, se enfureció y protestó, no hubo modo de negarle una entrevista a Wynne Murry. El título completo de Murry era el de subsecretario responsable de psicología, psicopatía y tecnología mental. Y era un psicólogo de reconocida trayectoria.

Así que el presidente del Consejo todo lo que podía hacer era lanzarle una mirada furibunda, pero nada más.

El subsecretario Murry ignoró con buen humor esa mirada, se frotó su larga barbilla y dijo:

—Se trata de un caso de información insuficiente. ¿Podemos expresarlo así?

—No entiendo qué información desea usted —respondió en un tono frío el presidente—. Lo que opina el Gobierno sobre las asignaciones universitarias tiene un carácter únicamente asesor, y debo decir que en este caso el consejo no es bien recibido.

Murry se encogió de hombros.

—No hay ningún problema con la asignación. Pero no se puede salir del planeta sin permiso del Gobierno. Ahí es donde entra en juego la información insuficiente.

—No hay más información que la que le he dado.

—Pero se han filtrado ciertos rumores. Y tanto secreteo me parece pueril e innecesario.

El viejo psicólogo se sonrojó.

—¡Secreteo! Si usted no conoce el modo de vida académica, no puedo ayudarle. Las investigaciones, sobre todo las de cierta importancia, no se hacen ni se pueden hacer públicas hasta que se hayan efectuado progresos irrebatibles. Cuando regresemos, le enviaré copias de los documentos que usted desee publicar.

Murry meneó la cabeza.

—No es suficiente. Usted va a ir a Dorlis, ¿verdad?

—De eso hemos informado al Departamento de Ciencias.

—¿Por qué?

—¿Por qué quiere saberlo?

—Porque se trata de algo importante o de lo contrario no iría el presidente del Consejo. ¿Qué es toda esa historia acerca de una civilización más antigua y un mundo de robots?

—Bueno, eso ya lo sabe usted.

—Sólo ciertas vaguedades que hemos podido reunir. Quiero los detalles.

—Ahora no conocemos ninguno. No los sabremos hasta que estemos en Dorlis.

—Entonces, iré con usted.

—¿Qué?

—Ya me entiende. Quiero saber los detalles.

—¿Por qué?

—Ah —dijo Murry, levantándose—, ahora es usted quien hace preguntas. En este momento no viene al caso. Sé que las universidades no simpatizan con la intervención gubernamental y sé que no puedo esperar colaboración voluntaria por parte del mundo académico; pero, por Arcturus, esta vez conseguiré apoyo, por mucho que usted se oponga. Su expedición no irá a ninguna parte a menos que yo vaya en ella representando al Gobierno.

Dorlis no es, desde luego, un mundo impresionante. Su importancia para la economía galáctica es nula, se encuentra lejos de las grandes rutas comerciales, sus nativos están atrasados y son incultos y posee una historia oscura. Sin embargo, entre las pilas de escombros que se amontonan en este mundo antiguo, hay vagos testimonios de una lluvia de fuego y destrucción que arrasó al Dorlis de otros tiempos, la gran capital de una gran federación.

Y en medio de esos escombros había hombres de un mundo más reciente que curioseaban e investigaban y trataban de entender.

El presidente del Consejo meneó la cabeza y se echó hacia atrás su cabello grisáceo. Hacía una semana que no se afeitaba.

—El problema es que no tenemos un punto de referencia —dijo—. Supongo que podemos descifrar el idioma, pero no se puede hacer nada con las anotaciones.

—A mí me parece que se ha avanzado mucho.

—¡Palos de ciego! Conjeturas basadas en las traducciones de su amigo albino. Me niego a basar mis esperanzas en eso.

—¡Pamplinas! Usted consagró dos años a la Anomalía Nimiana y hasta ahora le ha dedicado sólo dos meses a esto, que es mucho más importante. Lo que le preocupa es otra cosa. —Brand Gorla sonrió desagradablemente—. No hace falta ningún psicólogo para darse cuenta de que está hasta la coronilla de ese tipo del Gobienro.

El presidente del Consejo cortó la punta de un puro de una dentellada y la escupió a un metro de distancia.

—Hay tres cosas que me molestan en ese idiota sin cerebro. Primero, no me gusta que interfiera el Gobierno. Segundo, no me gusta que un extraño ande olisqueando cuando estamos al borde del mayor descubrimiento de la historia de la psicología. Tercero, ¿qué cuernos quiere?, ¿qué está buscando?

—No lo sé.

—¿Qué podría andar buscando? ¿Ha pensado usted en ello?

—Francamente, no me importa. Yo que usted lo ignoraría.

—¿Eso haría usted? ¿Usted cree que esta intromisión del Gobierno es algo que simplemente se debe ignorar? Supongo que ya sabrá que ese Murry se hace llamar psicólogo.

—Lo sé.

—Y supongo que sabe que ha mostrado un gran interés por todo lo que hacemos.

—Yo diría que eso es lógico.

—¡Oh! ¿Y sabe además...? —Bajó la voz de repente—: Murry está en la puerta. Ojo con lo que dice.

Wynne Murry saludó con una sonrisa, pero el presidente del Consejo se limitó a hacer un movimiento seco con la cabeza.

—Bien —dijo Murry con arrogancia—, ¿saben que he permanecido en vela cuarenta y ocho horas? Tienen ustedes aquí algo importante. Algo grande.

—Gracias.

—No, no. Hablo muy en serio. El mundo robótico existe.

—¿Usted creía que no?

El subsecretario se encogió de hombros afablemente.

—Uno profesa cierto escepticismo natural. ¿Cuáles son sus planes para el futuro?

El presidente del Consejo masticó las palabras una por una:

—¿Por qué lo pregunta?

—Para ver si concuerdan con los míos.

—¿Y cuáles son los suyos?

El subsecretario sonrió.

—No, no. Tiene usted prioridad. ¿Cuánto tiempo se propone permanecer aquí?

—Lo necesario para contar con un buen enfoque de los documentos involucrados.

—Eso no es una respuesta. ¿Qué significa «contar con un buen enfoque»?

—No tengo la menor idea. Podría llevar años.

—Oh, maldición.

El presidente del Consejo enarcó las cejas en silencio. El subsecretario se miró las uñas.

—Entiendo que sabe dónde está el mundo robótico.

—Naturalmente. Theor Realo estuvo allí. Hasta ahora su información ha resultado ser muy precisa.

—Correcto. El albino. Bien, ¿por qué no ir allí?

—¿Allí? ¡Imposible!

—¿Por qué?

—Mire —contestó el presidente del Consejo, conteniendo su impaciencia—, usted no está aquí invitado por nosotros ni le estamos pidiendo que nos diga qué debemos hacer, pero para demostrarle que no busco pelea le haré una exposición metafórica de nuestro caso. Suponga que nos dieran una enorme y compleja máquina, basada en principios y en materiales sobre los cuales no supiéramos nada. Es tan enorme que ni siquiera distinguimos la relación entre las partes, y mucho menos el propósito del todo. Ahora bien, ¿usted me aconsejaría que comenzara a atacar las delicadas y misteriosas piezas móviles de la máquina con un rayo detonador antes de saber de qué se trata?

—Entiendo a qué se refiere, pero actúa usted como un místico. La metáfora es rebuscada.

—En absoluto. Estos robots positrónicos se construyeron según unas pautas que aún desconocemos y para seguir unas pautas que ignoramos. Sólo sabemos que los robots estaban en total aislamiento, con el fin de que forjaran su destino por sí mismos. Destruir ese aislamiento sería destruir el experimento. Si vamos allá en tropel e introducimos factores nuevos y no previstos, provocando así reacciones inesperadas, todo se echará a perder. La menor perturbación...

—¡Pamplinas! Theor Realo ya estuvo allí.

El presidente del Consejo perdió los estribos:

—¿Cree que no lo sé? ¿Cree que eso habría ocurrido si ese maldito albino no hubiera sido un fanático ignorante sin el menor conocimiento de psicología? ¡La galaxia sabrá qué daños ha causado ese idiota!

Hubo un silencio. El subsecretario se dio unos golpecitos en los dientes con la uña.

—No sé..., no sé. Pero, realmente, debo averiguarlo. Y no puedo esperar años.

Se marchó, y el presidente del Consejo se volvió enfurecido hacia Brand.

—¿Y cómo le impediremos que vaya al mundo robótico si desea hacerlo?

—No sé cómo podrá ir si no se lo permitimos. Él no encabeza la expedición.

—¿Ah, no? Pues de eso iba a hablarle cuando él entró. Diez naves de la flota han descendido en Dorlis desde que llegamos.

—¿Qué?

—Lo que oye.

—¿Pero para qué?

—Eso, hijo, es lo que yo tampoco entiendo.

—¿Le molesta si entro? —preguntó amablemente Wynne Murry, y Theor Realo levantó alarmado la vista del fárrago de papeles que tenía sobre el escritorio.

—Entre. Le despejaré una silla.

Hecho un manojo de nervios, quitó los papeles de

un asiento. Murry se sentó y cruzó sus largas piernas.

—¿También usted cumple una tarea aquí?

Señaló el escritorio. Theor sacudió la cabeza y sonrió. Casi automáticamente juntó los papeles y los puso boca abajo.

En los últimos meses, desde que había regresado a Dorlis en compañía de un centenar de psicólogos con diversos grados de renombre, se sentía cada vez más excluido. Ya no había espacio para él. No cumplía ninguna función, salvo la de responder a preguntas sobre el mundo robótico que sólo él había visitado. Y hasta parecía molestarles que hubiera ido él en vez de un científico competente.

Era para estar resentido; aunque, de una forma u otra, así había sido siempre.

—¿Cómo dice?

No había prestado atención al siguiente comentario de Murry.

—Digo que es sorprendente que no le asignen una tarea —repitió el subsecretario—. Usted realizó el descubrimiento, ¿verdad?

—Sí, pero se me fue de las manos. Me superó.

—Sin embargo, estuvo usted en el mundo robótico.

—Dicen que fue un error. Que pude haberlo estropeado todo.

Murry hizo una mueca.

—Creo que están molestos porque consiguió mucha información de primera mano que ellos no tienen. No se deje amilanar por sus pomposos títulos. Un lego con sentido común es mejor que un especialista ciego. Usted y yo (y yo también soy un lego) tenemos que defender nuestros derechos. Tenga, tome un cigarrillo.

—No fum... Gracias, aceptaré uno. —El albino empezaba a cobrar simpatía por ese hombre esbelto. Puso los papeles boca arriba y encendió el cigarrillo, aunque con dificultades. Trató de contener la tos—. Veintincinco años —comentó lentamente.

—¿Me contestaría a unas cuantas preguntas sobre ese mundo?

—Supongo. Siempre me preguntan sobre eso. ¿Y no sería mejor que se lo preguntara a ellos? Ya deben de tener todo resuelto.

Sopló el humo a la mayor distancia posible.

—Francamente, ni siquiera han empezado, y yo quiero la información sin el añadido de una engorrosa traducción psicológica. Ante todo, ¿qué clase de gente, o qué clase de cosas, son estos robots? No tendrá una foto de alguno, ¿verdad?

—Pues no. No me agrada tomar fotos. Pero no son cosas. Son gente.

—¿De veras? ¿Tienen aspecto de personas?

—Sí..., en general. Externamente al menos. Conseguí algunos estudios microscópicos de la estructura celular. Los tiene el presidente del Consejo. Por dentro son distintos, muy simplificados. Pero uno jamás se enteraría. Son interesantes... y agradables.

—¿Son más simples que las otras formas de vida del planeta?

—Oh, no. Es un planeta muy primitivo. Y... —Se vio interrumpido por una tos espasmódica y apagó el cigarrillo tan disimuladamente como pudo—. Tienen una base protoplasmática. No creo que sepan que son robots.

—No, ya supongo que no. ¿Qué me dice de su nivel científico?

—No sé. Nunca tuve oportunidad de verlo. Y todo era tan diferente... Supongo que se necesitaría un experto para entenderlo.

—¿Tenían máquinas?

El albino se sorprendió.

—Pues claro. Muchas, de todo tipo.

—¿Ciudades grandes?

—¡Sí!

El subsecretario entornó los párpados.

—Y usted les tomó simpatía. ¿Por qué?

Theor Realo reaccionó bruscamente.

—Yo qué sé. Simplemente eran simpáticos. Nos entendíamos. No me fastidiaban. No sé la razón exacta. Quizá sea porque he tenido muchos problemas para relacionarme en mi mundo, y ellos no eran tan complicados como la gente de verdad.

—¿Eran más cordiales?

—No. No lo creo. Nunca me aceptaron del todo. Yo era un forastero, al principio no conocía el idioma..., esas cosas. Pero... —De pronto se le iluminó el rostro—. Pero los entendía mejor. Entendía cómo pensaban. Aunque no sé por qué.

—Ya. Bien... ¿Otro cigarrillo? ¿No? Ahora tengo que dormir. Se está haciendo tarde. ¿Quiere jugar al golf mañana? He preparado un campo pequeño. Servirá. Anímese, el ejercicio le renovará el aire de los pulmones.

Sonrió y se marchó.

—Parece una sentencia de muerte —murmuró para sus adentros, y silbó pensativamente mientras se dirigía a sus aposentos.

Se repitió esa frase cuando se enfrentó al presidente del Consejo al día siguiente, con su faja de funcionario en la cintura. No se sentó.

—¿Otra vez? —dijo el presidente con tono de fastidio.

—¡Otra vez! —asintió el subsecretario—. Pero esta vez se trata de algo urgente. Tal vez deba hacerme cargo de la expedición.

—¿Qué? ¡Imposible! ¡No escucharé semejante proposición!

—Tengo la autorización. —Wynne Murry le mostró un cilindro de metaloide, que se abrió con una presión del pulgar—. Tengo plenos poderes y plena discreción para usarlos. Como puede observar, está firmada por el presidente del Congreso de la Federación...

—De acuerdo... Pero ¿por qué? —Hizo un esfuerzo para respirar normalmente—. Al margen del despotismo arbitrario, ¿hay una razón?

—Y muy buena. Desde el principio hemos considerado esta expedición desde varias perspectivas. El Departamento de Ciencia y Tecnología no se interesa en el mundo robótico por mera curiosidad científica, sino porque podría interferir en la paz de la Federación. No creo que usted se haya detenido a pensar en el peligro inherente a ese mundo robótico.

—No veo ninguno. Está totalmente aislado y es absolutamente inofensivo.

—¿Cómo puede saberlo?

—¡Por la naturaleza misma del experimento! —exclamó irritado el presidente del Consejo—. Los planificadores originales buscaron un sistema cerrado. Allí siguen, alejados de las rutas comerciales y en una zona del espacio escasamente poblada. La idea era que los robots se desarrollaran libres de toda interferencia.

Murry sonrió.

—En eso disiento con usted. Mire, el problema es que usted es un teórico. Ve las cosas tal como deberían ser y yo, al ser un hombre práctico, las veo tal como son. No se puede organizar un experimento para que continúe indefinidamente por sí mismo. Se da por sentado que en alguna parte hay por lo menos un observador que introduce modificaciones según lo requieren las circunstancias.

—¿Y bien?

—Pues que los observadores de este experimento, los psicólogos originales de Dorlis, pasaron a la historia con la Primera Confederación y, durante quince mil años, el experimento ha continuado por sí mismo. Pequeños errores se fueron sumando, se acrecentaron e introdujeron factores extraños que indujeron a nuevos errores. Es una progresión geométrica. Y no hubo nadie para detenerla.

—Pura hipótesis.

—Tal vez. Pero usted se interesa sólo por el mundo robótico, y yo tengo que pensar en toda la Federación.

—¿Y qué peligro puede representar el mundo robótico para la Federación? No sé a qué demonios se refiere.

Murry suspiró.

—Lo diré con sencillez, pero no me culpe si parezco melodramático. Hace siglos que la Federación no tiene guerras internas. ¿Qué ocurrirá si entramos en contacto con estos robots?

—¿Tiene usted miedo de un solo mundo?

—Tal vez. ¿Qué me dice de su ciencia? Los robots pueden hacer cosas extrañas.

—¿Qué ciencia pueden tener? No son superhombres metálicos y eléctricos. Son débiles criaturas de protoplasma, una pobre imitación de los humanos, construidos en torno a un cerebro positrónico regulado por un conjunto de leyes psicológicas humanas simplificadas. Si la palabra «robot» le asusta...

—No, no me asusta, pero he hablado con Theor Realo. Es el único que los ha visto.

El presidente del Consejo lanzó una retahíla de insultos para sus adentros. Ésa era la consecuencia de permitir la intromisión de un anormal, un imbécil, un lego que sólo podía causar daño. Replicó:

—Tenemos la versión de Realo y la hemos evaluado íntegramente con pericia. Le aseguro que no pueden causarnos daño. El experimento es tan teórico que yo no le dedicaría dos días si no fuera por su magnitud. Por lo que vemos, la idea era construir un cerebro positrónico que contuviera modificaciones de uno o dos axiomas fundamentales. No hemos deducido los detalles, pero deben de ser menores, lo mismo que cuando se intentó el primer experimento de esta naturaleza, e incluso los grandes y míticos psicólogos de aquella época tenían que avanzar paso a paso. Esos robots, se lo aseguro, no son superhombres ni bestias. Se lo garantizo como psicólogo.

—¡Lo lamento! Yo también soy psicólogo. Un poco más práctico, me temo. Eso es todo. Pero aun las pequeñas modificaciones... Hablemos del espíritu combativo, por ejemplo. No es el término científico, pero no tengo paciencia para eso. Ya sabe a qué me refiero. Los humanos eran combativos, y ese rasgo se está eliminando de la raza. Un sistema político y económico estable no alienta el derroche de energías propio del combate. No es un factor de supervivencia. Pero supongamos que los robots sí son combativos. Supongamos que, como resultado de un giro erróneo durante los milenios que permanecieron sin ser observados, se hayan vuelto más combativos de lo que se proponían sus creadores. Serían bastante intratables.

—Y supongamos que todas las estrellas de la galaxia entraran en nova al mismo tiempo. Eso sí me preocuparía.

Murry ignoró el sarcasmo del otro.

—Y hay otra cosa. A Theor Realo le gustaban esos robots. Le gustaban más que la gente de verdad. Se sentía cómodo allí, y todos sabemos que ha sido un inadaptado en su propio mundo.

—¿Y adónde nos lleva eso?

—¿No lo comprende? —Wynne Murry enarcó las cejas—. Theor Realo simpatiza con los robots porque es como ellos, evidentemente. Le garantizo que un análisis psíquico completo de Theor Realo mostrará una modificación de varios axiomas fundamentales, los mismos que en los robots. Y Theor Realo trabajó durante un cuarto de siglo para demostrar algo, cuando todos los científicos se habrían desternillado de risa si lo hubieran sabido. Ahí tenemos fanatismo: una perseverancia tenaz, franca, inhumana. ¡Es muy probable que esos robots también sean así!

—No me está presentando ninguna argumentación lógica. Se limita a disparar frases como un maníaco, como un idiota delirante.

—No necesito pruebas matemáticas rigurosas. La duda razonable es suficiente. Tengo que proteger la Federación. Mire, es razonable. Los psicólogos de Dorlis no eran tan excepcionales. Tenían que avanzar paso a paso, como usted mismo señaló. Sus humanoides (no los llamemos robots) eran sólo imitaciones de seres humanos y no podían ser muy buenas. Los humanos poseen sistemas de reacción muy complejos y que no se pueden imitar; cosas como la conciencia social y la tendencia a crear sistemas éticos, u otras más vulgares, como la caballerosidad, la generosidad, el juego limpio y demás. No se pueden imitar. No creo que esos humanoides las tengan. Pero deben de tener perseverancia, lo cual implica en la práctica terquedad y agresividad, si mi opinión sobre Theor Realo es acertada. En resumen, si poseen algún conocimiento científico, no quiero que anden sueltos por la galaxia, aunque seamos miles o millones más que ellos. No pienso permitirlo.

El rostro del presidente del Consejo estaba rígido.

—¿Cuáles son sus intenciones inmediatas?

—Aún no lo he decidido. Pero creo que organizaré un aterrizaje a pequeña escala en ese planeta.

—Aguarde. —El viejo psicólogo se levantó y rodeó el escritorio. Tomó del codo al subscretario—. ¿Está seguro de lo que hace? Las posibilidades de este monumental experimento sobrepasan cualquier cálculo que podamos hacer usted o yo. No tiene ni idea de lo que va a destruir.

—Lo sé. ¿Acaso cree que me agrada lo que estoy haciendo? No es tarea para héroes. Soy psicólogo y sé lo que sucede, pero me han enviado aquí para proteger la Federación y haré lo posible para lograrlo, aunque sea un trabajo sucio. No puedo hacer otra cosa.

—Recapacite. ¡Qué sabe de los conocimientos que obtendremos sobre las ideas básicas de la psicología? Equivaldrá a la fusión de dos sistemas galácticos, lo que nos elevará a alturas que compensarán millones de veces, en conocimiento y en poder, el daño que pudiesen causar esos robots, en el supuesto de que fueran superhombres metálicos y eléctricos.

El subsecretario se encogió de hombros.

—Ahora es usted quien baraja posibilidades vagas.

—Escuche, hagamos un trato. Bloquéelos. Aíslelos con sus naves. Monte guardia. Pero no los toque. Denos más tiempo. Dénos una oportunidad. ¡Es preciso!

—He pensado en ello. Pero tendría que obtener la aprobación del Congreso y saldría muy caro, como sabe.

El presidente del Consejo se sentó bruscamente, presa de la impaciencia.

—¿De qué gastos está hablando? ¿Es que no se da cuenta de cuál sería la recompensa si tenemos éxito?

Murry reflexionó.

—¿Y si desarrollan el viaje interestelar? —preguntó, con una media sonrisa.

—Entonces, retiraré mis objeciones.

El subsecretario se levantó.

—Hablaré con el Congreso.

Brand Gorla observaba con rostro impasible la espalda encorvada del presidente del Consejo. Los joviales discursos ante los miembros de la expedición carecían de sustancia, y él ya estaba harto de escucharlos.

—¿Qué haremos ahora? —preguntó.

El presidente tensó los hombros y no se giró.

—Envié a buscar a Theor Realo. Ese hombrecillo tonto se fue al continente oriental la semana pasada...

—¿Por qué?

El hombre mayor se enfadó ante la interrupción.

—¿Cómo puedo entender lo que hace ese fanático? ¿No ve usted que Murry tiene razón? Es una anomalía psíquica. Fue un error no vigilarlo. Si yo lo hubiera mirado dos veces, no lo habría permitido. Pero ahora regresará y no volverá a irse. —Y añadió en un murmullo—: Debía haber regresado hace un par de horas.

—Es una situación imposible —dijo Brand, en un tono neutro.

—¿Eso cree usted?

—Vamos a ver, ¿piensa usted que el Congreso aprobará que se establezca una patrulla por tiempo indefinido ante el mundo robótico? Eso cuesta dinero, y los ciudadanos galácticos no lo considerarán digno de sus impuestos. Más aún, no entiendo por qué Murry aceptó consultárselo al Congreso.

—¿No? —El presidente del Consejo se giró hacia su discípulo—. Mire, ese tonto se considera un psicólogo, la Galaxia nos guarde, y ahí está su punto débil.

Se empeña en creer que no quiere destruir el mundo robótico, pero que es necesario por el bien de la Federación. Y acepta de buen grado toda solución intermedia. El Congreso no lo aceptará indefinidamente, no tiene usted que recordármelo. —Hablaba en un tono tranquilo y paciente—. Pero pediré diez años, dos años, seis meses..., lo que pueda obtener. Algo conseguiré. Mientras tanto, aprenderemos nuevos datos sobre ese mundo. De algún modo fortaleceremos nuestros argumentos y renovaremos el acuerdo cuando expire. Pondremos salvar el proyecto. —Hubo un breve silencio y añadió con amargura—: Y ahí es donde Theor Realo cumple una función crucial.

Brand aguardó en silencio.

—En ese aspecto —continuó el presidente del Consejo—, Murry fue más perspicaz que nosotros. Realo es un tullido psicológico, y también nuestra clave de todo el asunto. Si lo estudiamos a él, tendremos una imagen general de cómo son los robots. Una imagen distorsionada, por supuesto, pues él ha vivido en un entorno hostil. Pero eso podemos tenerlo en cuenta y evaluar su temperamento en un... ¡Bah! Estoy harto de este asunto.

La señal de llamada parpadeó y el presidente del Consejo suspiró.

—Bien, aquí está ya. Gorla, siéntese, que me pone nervioso. Echémosle un vistazo.

Theor Realo atravesó la puerta como una exhalación y se detuvo jadeando en el centro de la habitación. Los miró a ambos con sus ojos tímidos.

—¿Cómo sucedió todo esto?

—¿Todo qué? —replicó fríamente el presidente—. Siéntese. Quiero hacerle algunas preguntas.

—No. Respóndame primero.

—¡Siéntese!

Realo se sentó. Tenía los ojos inflamados.

—Van a destruir el mundo de los robots.

—No se preocupe por eso.

—Pero usted dijo que podrían hacerlo si los robots descubrían el viaje interestelar. Lo dijo. Es usted un necio. ¿No ve...?

Se estaba sofocando. El presidente frunció el ceño.

—¿Por qué no se calma y habla con sensatez?

El albino apretó los dientes y masticó las palabras:

—Pero tendrán el viaje interestelar dentro de poco.

Los dos psicólogos se volvieron hacia el hombrecillo.

—¿Qué?

—Bien..., bueno, ¿qué se creen? —Realo se irguió con la furia de la desesperación—. ¿Creen que aterricé en un desierto o en medio de un océano y que exploré un mundo por mi cuenta? ¿Creen que la vida es un libro de cuentos? Fui capturado en cuanto descendí y me llevaron a una gran ciudad. Al menos, creo que era una gran ciudad, aunque diferente de las nuestras. Tenía... No se lo contaré.

—¡No nos importa la ciudad! —exclamó el presidente del Consejo—. Le capturaron. Continúe.

—Me estudiaron. Estudiaron mi máquina. Y una noche me fui para contárselo a la Federación. No se enteraron de que me fui. No querían que me fuera. —Se le quebró la voz—. Y yo hubiera preferido quedarme, pero la Federación tenía que saberlo.

—¿Les habló usted de su nave?

—¿Qué podía decirles? No soy mecánico. No sé nada de la teoría ni de la construcción. Pero les enseñé a manejar los controles y les dejé mirar los motores. Eso es todo.

—Entonces no lo entenderán —comentó Brand Gorla en voz baja—. Eso no es suficiente.

El albino elevó la voz con triunfal estridencia:

—¡Oh, sí, claro que lo entenderán! Los conozco. Son máquinas. Estudiarán el problema. Trabajarán sin descanso. No cesarán jamás. Y lo conseguirán. Bastará con lo que yo les dije. Estoy seguro de que bastará.

El presidente del Consejo desvió la vista con fatiga.

—¿Por qué no nos lo contó?

—Porque ustedes me arrebataron mi mundo. Yo lo descubrí, yo solo, por mi cuenta. Y después de hacer todo el trabajo, los invité a participar y me excluyeron. Sólo recibí quejas de que había aterrizado en ese mundo y que quizá mi interferencia lo hubiera estropeado todo. ¿Por qué iba a contárselo? Averígüenlo ustedes, si son tan listos que pudieron permitirse el lujo de excluirme.

El presidente pensó amargamente: «¡Es un inadaptado! ¡Tiene complejo de inferioridad! ¡Manía persecutoria! ¡Qué bien! Todo encaja, una vez que nos molestamos en dejar de otear el horizonte para ver lo que teníamos bajo las narices. Y ahora todo está perdido.»

—De cuerdo, Realo —dijo—. Todos perdemos. Váyase.

—¿Todo ha terminado? —preguntó tensamente Brand Gorla—. ¿De veras?

—Así es. El experimento original ha terminado. Las distorsiones creadas por la visita de Realo serán tan grandes como para transformar en lengua muerta los planes que estamos estudiando. Y además... Murry tiene razón. Si poseen el viaje interestelar, son peligrosos.

—¡No los destruirán! —gritó Realo—. ¡No pueden destruirlos! ¡No han hecho daño a nadie!

No le replicaron, y él continuó:

—Regresaré para avisarlos. Estarán preparados. Los avisaré.

Reculaba hacia la puerta, con el cabello erizado y los ojos desencajados.

El presidente del Consejo no intentó detenerlo cuando salió de la habitación.

—Déjelo ir. Era su vida. Ya no me preocupa.

Theor Realo viajó hacia el mundo robótico a tal velocidad que casi lo asfixió.

En alguna parte lo esperaba una mota de polvo, un mundo aislado donde había imitaciones artificiales de la humanidad esforzándose en un experimento que había perecido; esforzándose en pos del viaje interestelar, una meta que sería su sentencia de muerte.

Theor Realo se dirigía a ese mundo, a la misma ciudad donde lo habían «estudiado» por primera vez. La recordaba bien. Las dos palabras de aquel nombre eran las primeras que había aprendido en el idioma de los robots.

¡Nueva York!

CALLEJÓN SIN SALIDA

Sólo una vez en la historia galáctica se descubrió una raza inteligente de no-humanos...
LIGURN VIER,
Ensayos sobre historia.

1

De: Agencia de Provincias Exteriores
A: Loodun Antyok, jefe de Administración Pública, A-8
Tema: Supervisor civil de Cefeo 18, Cargo administrativo de.
Referencias:

(a) Ley 2515 del Consejo, del año 971 del Imperio Galáctico, titulada «Designación de funcionarios del Servicio Administrativo, Métodos y revisión de la.»

(b) Directiva Imperial, Ja 2374, fechada 243/975 I.G.

1.   Por autorización de referencia (a), por la presente es usted designado para el citado puesto. La autoridad del antedicho cargo de supervisor civil de Cefeo 18 se extenderá sobre los súb-

ditos no-humanos del Emperador que vivan en el planeta según las condiciones de autonomía expuestas en referencia (b).

2. Los deberes de dicho puesto incluirán la supervisión general de todos los asuntos internos no-humanos, la coordinación de comisiones gubernamentales autorizadas para investigar e informar, y la preparación de informes semestrales en todas las fases de los asuntos no-humanos.

C. Morily, jefe, AgProvExt
12/977 I.G.

Loodun Antyok escuchó atentamente y sacudió su cabeza regordeta.

—Amigo, me gustaría ayudarle, pero no ha acudido a la persona indicada. Será mejor que presente esto ante la Agencia.

Tomor Zammo se reclinó en la silla, se frotó la punta de la nariz, se arrepintió de lo que iba a decir y contestó:

—Eso es lógico, pero no práctico. No puedo viajar ahora a Trantor. Usted es el representante de la Agencia en Cefeo 18. ¿No puede hacer nada?

—Bueno, incluso como supervisor civil debo trabajar dentro de los límites impuestos por la política de la Agencia.

—¡Bien, bien —exclamó Zammo—, entonces dígame cuál es esa política! Encabezo una comisión de investigación científica, bajo autorización imperial directa y supuestamente con amplios poderes. Pero a cada recodo del camino se me interponen autoridades civiles que se justifican graznando como loros: «¡Política de la Agencia!» ¿Cuál es la política de la Agencia? Aún no me han dado una descripción satisfactoria.

Antyok no se inmutó.

—A mi juicio, y esta opinión no es oficial, así que no le servirá como testimonio, la política de la Agencia consiste en tratar a los no-humanos con la mayor decencia posible.

—Entonces, ¿qué autoridad tienen para...?

—¡Calma! De nada sirve alzar la voz. Su Majestad Imperial es un filántropo y sigue la filosofía de Aurelión. Es bastante conocido que el Emperador mismo sugirió la creación de este mundo. Puede usted apostar a que la política de la Agencia se ceñirá a las ideas imperiales. Y puede usted apostar a que no podré remar contra esa corriente.

—Caramba, amigo —comentó el fisiólogo, moviendo repetidamente sus gruesos párpados—, si adopta esa actitud perderá su empleo. No, no es que yo vaya a hacer que le expulsen. No me refiero a eso. Pero su empleo dejará de existir, porque aquí no hay nada que realizar.

—¿De veras? ¿Por qué?

Antyok era bajo, rosado y regordete, y su rostro rechoncho tenía dificultades para expresar nada que no fuera una blanda y jovial cortesía, pero ahora manifestaba gravedad.

—Usted no lleva aquí mucho tiempo. Yo sí —rezongó Zammo—. ¿Le molesta si fumo? —Tenía en la mano un puro rugoso y fuerte y chupó hasta encenderlo—. Aquí no hay lugar para el humanitarismo, administrador. Ustedes tratan a los no-humanos como si fueran humanos, y no sirve de nada. De hecho, no me gusta el término de «no-humanos». Son animales.

—Son inteligentes —señaló Antyok.

—Bien, animales inteligentes, entonces. Supongo que ambos términos no se excluyen mutuamente. Las inteligencias extrañas no pueden compartir el mismo espacio.

—¿Propone usted exterminarlos?

—¡Santa Galaxia, no! —Gesticuló con el puro—. Propongo que los tomemos como objeto de estudio y nada más. Podemos aprender mucho de estos animales si nos lo permiten. Un conocimiento que se podría aprovechar en beneficio inmediato de la raza humana. Ahí tiene usted humanitarismo. Ahí tiene usted el bien de las masas, si tanto le preocupa ese insípido culto a Aurelión.

—¿A qué se refiere, por ejemplo?

—Por citar lo más evidente, ha oído hablar de su química, ¿no es cierto?

—Sí —admitió Antyok—. He hojeado la mayoría de los informes sobre los no-humanos que se publicaron en los diez últimos años. Estoy dispuesto a leer más.

—Bien, pues, sólo necesito decirle que la terapia química es bastante completa. Por ejemplo, he presenciado personalmente la curación de un hueso roto (o el equivalente de un hueso roto para ellos) mediante el uso de una píldora. El hueso sanó en quince minutos. Naturalmente, ninguna de sus drogas sirve para los humanos. La mayoría nos matarían al instante. Pero si averiguáramos cómo funcionan en los no-humanos..., en los animales...

—Sí, sí. Entiendo la importancia de lo que dice.

—Oh, lo entiende. Vaya, qué gratificante. Un segundo punto es que estos animales se comunican de un modo desconocido.

—¡Telepatía!

El científico hizo un gesto despectivo con la boca.

—¡Telepatía! ¡Telepatía! ¡Telepatía! Daría lo mismo decir un brebaje embrujado. Nadie sabe nada sobre la telepatía, excepto el nombre. ¿Cuál es su mecanismo? ¿Cuál es su fisiología, cuál su física? Me gustaría averiguarlo, pero no puedo. La política de la Agencia, por lo que usted me dice, lo prohíbe.

Antyok frunció los labios.

—Pero... Perdóneme, doctor, pero no le entiendo. ¿Qué impedimento hay? Sin duda, la Administración Civil no ha intentado obstruir la investigación científica de estos no-humanos. No puedo hablar en nombre de mi predecesor, pero yo...

—No ha habido interferencias directas. No hablo de eso. Pero, por la Galaxia, administrador, el obstáculo está en el espíritu mismo de la organización. Ustedes nos obligan a tratarlos como humanos. Les permiten contar con su propio dirigente y con autonomía interna. Los miman y les dan lo que la filosofía de Aurelión denomina «derechos». Yo no puedo tratar con su dirigente.

—¿Por qué no?

—Porque se niega a darme carta blanca. Se niega a permitir experimentos sin consentimiento del sujeto. Los dos o tres voluntarios que tenemos no son demasiado brillantes. Es una situación imposible.

Antyok se encogió de hombros.

—Además —continuó Zammo—, está claro que es imposible aprender nada valioso acerca del cerebro, de la fisiología y de la química de estos animales sin disección, sin experimentos dietéticos y sin drogas. La investigación científica, administrador, es un juego duro. No deja mucho margen para el humanitarismo.

Loodun Antyok se acarició la barbilla dubitativamente.

—¿Debe ser tan duro? Estos no-humanos son criaturas inofensivas. En fin, la disección... Quizá si usted lo enfocara de otro modo... Me da la impresión de que les tiene hostilidad. Tal vez la actitud de usted sea un poco autoritaria.

—¡Autoritaria! Yo no soy uno de esos plañideros psicológos sociales que están tan en boga en la actualidad. No creo que se pueda resolver un problema que requiere una disección enfocándolo con lo que la jerga de la época denomina la «actitud personal correcta».

—Lamento que piense así. El entrenamiento sociopsicológico es un requisito obligatorio para todos los administradores por encima del grado A-4.

Zammo se quitó el puro de la boca y lo volvió a morder tras una pausa desdeñosa.

—Entonces, será mejor que emplee sus técnicas con la Agencia. A fin de cuentas, tengo amigos en la corte imperial.

—Pues bien, yo no puedo tomar la iniciativa. La política básica es ajena a mis decisiones, y esas cosas sólo puede iniciarlas la Agencia. Pero podríamos intentar un enfoque indirecto. —Sonrió—. Una estrategia.

—¿De qué tipo?

Antyok lo apuntó con un dedo y con la otra mano acariciaba las hileras de informes encuadernados en gris que había en el suelo al lado de la silla.

—Mire, he leído la mayor parte de estos informes. Son tediosos, pero contienen algunos datos. Por ejemplo, ¿cuándo nació el último bebé no-humano en Cefeo 18?

Zammo dedicó poco tiempo a reflexionar.

—No lo sé ni me importa.

—Pero a la Agencia sí le importaría. No ha nacido ningún bebé no-humano en Cefeo 18 en los dos años transcurridos desde la fundación de este mundo. ¿Conoce usted la razón?

El fisiólogo se encogió de hombros y contestó:

—Demasiados factores posibles. Requeriría un estudio.

—Pues bien, suponga que escribe un informe...

—¡Informes! He escrito veinte.

—Escriba otro. Haga hincapié en los problemas no resueltos. Insista en que usted debe cambiar de método. Expláyese sobre el problema del índice de natalidad. La Agencia no se atreverá a ignorar eso. Si los no-humanos se extinguen, alguien tendrá que responder ante el emperador. Como ve...

Zammo miró fijamente con sus ojos oscuros.

—¿Eso funcionará?

—Hace veintisiete años que trabajo para la Agencia. Sé cuál es su modo de operar.

—Lo pensaré.

Zammo se levantó y salió de la oficina dando un portazo.

Posteriormente le comentó a un colaborador:

—Ante todo es un burócrata. No abandonará los convencionalismos del papeleo ni arriesgará el pellejo. Logrará poco por sí mismo, pero quizá consiga mucho si nos valemos de su mediación.

De: Jefatura Administrativa, Cefeo 18
A: AgProvExt
Tema: Proyecto Provincia Exterior 2563, Parte II - Investigaciones científicas de no-humanos de Cefeo 18, Coordinación de las.
Referencias:
(a) Carta AgProvExt Cef-N-CM/jg 100132, fechada 302/975 I.G.
(b) Carta JefAdmCef 18 AA-LA/m, fechada 140/977 I.G.
Anexo:
  1.   Grupo Científico 10, División Física y Bioquímica, informe titulado «Características fi-

siológicas de los no-humanos de Cefeo 18, Parte XI», fechado 172/977 I.G.

1.   Se adjunta el Anexo 1 para información de la AgProvExt. Nótese que la sección XII, parágrafos 1-16 del Anexo 1, concierne a posibles cambios en la actual política de la AgProvExt en cuanto a los no-humanos, con miras a facilitar las investigaciones físicas y químicas que actualmente se efectúan bajo la autorización de la referencia (a).

2.   Se señala a la AgProvExt que la referencia (b) ya comenta posibles cambios en los métodos de investigación y que es opinión de JefAdmCef 18 que dichos cambios aún son prematuros. Se sugiere, empero, que la cuestión de la tasa de natalidad de los no-humanos sea tema de un proyecto AgProvExt asignado a JefAdmCef 18, en vista de la importancia que el GruCient 10 atribuye al problema, como se evidencia en la sección V del Anexo 1.

L. Antyok, superv., JefAdm-Cef 18,
174/977

De: AgProvExt
A: JefAdm-Cef 18
Tema: Proyecto Provincia Exterior 2563 - Investigaciones científicas de no-humanos de Cefeo 18, Coordinación de las.
Referencia:
   (a) Carta JefAdmCef 18 AA-LA/mn, fechada 174/977 I.G.

1.   En respuesta a la sugerencia contenida en el parágrafo 2 de la referencia (a), se considera que la cuestión de la tasa de natalidad no-

humana no incumbe a JefAdm-Cef 18. En vista de que GruCient 10 ha informado de que dicha esterilidad quizá se deba a una deficiencia química en el suministro alimentario, GruCient 10 continuará siendo la autoridad responsable para todas las investigaciones en ese campo.

2. Los procedimientos de investigación de los diversos GruCient continuarán de acuerdo con las directivas actuales sobre el particular. No se prevén cambios de política.

C. Morily, jefe, AgProvExt,
186/977 I.G.

2

Con su físico enjuto, el reportero aparentaba tener una estatura imponente.

Era Gustiv Bannerd, cuya reputación se combinaba con su talento, dos cosas que no van invariablemente juntas a pesar de las máximas de moral elemental.

Loodun examinó a aquel hombre alto y dijo:

—No puedo negarle la razón. Pero el informe del GruCient era confidencial. No entiendo cómo...

—Se filtró. Todo se filtra —fue la indiferente explicación de Bannerd.

Antyok mostraba desconcierto y unas arrugas aparecieron en su rosado rostro.

—Entonces, tendré que taponar esa filtración. No puedo aprobar su artículo. Deberá eliminar toda alusión que comprometa al GruCient. Lo entiende, ¿verdad?

—No —respuso Bannerd con calma—. Es importante y tengo mis derechos, conforme a la orden imperial. Creo que el Imperio debería enterarse de lo que ocurre.

—Pero es que no ocurrre. Usted se equivoca. La Agencia no piensa cambiar su política. Ya le enseñé las cartas.

—¿Piensa que podrá habérselas con Zammo cuando él presione? —preguntó desdeñosamente el reportero.

—Lo haré, si creo que está equivocado.

—¿Si cree? Antyok, el Imperio se enfrenta con algo importante aquí, mucho más importante de lo que cree el Gobierno. Lo están destruyendo. Están tratando a estas criaturas como animales.

—Por favor... —protestó débilmente Antyok.

—No me hable de Cefeo 18. Es un zoológico. Un zoológico de primera, con científicos insensibles que azuzan a esas pobres criaturas metiendo sus palos a través de las rejas. Ustedes les arrojan trozos de carne, pero las mantienen encerradas. Lo sé. Hace dos años que escribo sobre el tema. Casi he vivido con ellas.

—Zammo dice...

—¡Zammo! ¡Zammo! —escupió despectivamente el reportero.

—Zammo dice —insistió Antyok con severidad— que los tratamos como si fueran humanos.

Las rectas y largas mejillas del reportero se endurecieron.

—Zammo se parece bastante a un animal. Es un adorador de la ciencia. Podríamos prescindir de tales personajes. —Y de pronto preguntó—: ¿Ha leído usted las obras de Aurelión?

—Pues sí. Entiendo que el emperador...

—El Emperador se inclina por nosotros. Eso es bueno, mejor que las jaurías del reinado anterior.

—No entiendo adónde quiere llegar.

—Estos alienígenas tienen mucho que enseñarnos. ¿Comprende? No se trata de nada que Zammo y su grupo científico puedan aprovechar, no es ni química ni telepatía. Es un modo de vivir, un modo de pensar. Los alienígenas no tienen criminales ni inadaptados. ¿Qué se está haciendo para estudiar su filosofía? ¿Y para encararlos como un problema de ingeniería social?

Antyok reflexionó, y su cara rechoncha se suavizó.

—Es una reflexión realmente interesante. Sería un asunto para los psicólogos...

—No sirven. La mayoría de ellos son unos charlatanes. Los psicólogos señalan los problemas, pero sus soluciones son falaces. Necesitamos partidarios de Aurelión. Hombres de la Filosofía...

—Pero no podemos transformar Cefeo 18 en..., en un estudio metafísico.

—¿Por qué no? Es fácil de hacer.

—¿Cómo?

—Olvídese de sus mezquinos tubos de ensayo. Permita que los alienígenas organicen una sociedad libre de humanos. Déles una independencia sin trabas y permita una mezcla de filosofías...

—Eso no se puede hacer en un día —objetó nerviosamente Antyok.

—Pero sí se puede comenzar en un día.

—Bien, no puedo impedirle que intente empezar —dijo lentamente el administrador, y adoptó un tono confidencial—. Pero echará a perder su propio juego si publica el informe del GruCient 10 y lo denuncia por razones humanitarias. Los científicos son poderosos.

—Los partidarios de la Filosofía también.

—Sí, pero hay un camino más fácil. No es preciso irritar. Simplemente señale que el grupo científico no está resolviendo los problemas. Exprésulo sin apasionamiento y permita que los lectores elaboren ese punto de vista. Tome el problema del índice de natalidad, por ejemplo. Ahí tiene algo importante. En una generación, los no-humanos podrían extinguirse, a pesar de todo lo que pueda hacer la ciencia. Señale que se requiere un enfoque más filosófico. O escoja otro punto obvio. Use su buen juicio. —Antyok sonrió afablemente al levantarse—. Pero, en nombre de la Galaxia, no enturbie el asunto.

En un tono seco e indiferente Bannerd dijo:

—Tal vez tenga razón.

Y más tarde le envió este mensaje a un amigo: «No es inteligente, de ningún modo. Está confuso y no cuenta con directivas que lo guíen en la vida. Sin duda es incompetente en su trabajo. Pero sabe recortar y pulir, sortea diplomáticamente las dificultades y prefiere hacer concesiones a atascarse en una postura inflexible. Quizá nos resulte valioso. Tuyo en Aurelión.»

De: JefAdm-Cef 18
A: AgProvExt
Tema: Tasa de natalidad de los no-humanos de Cefeo 18, Reportaje sobre la.
Referencias:
(a) Carta de JefAdm-Cef 18 AA-LA/mn, fechada 174/977 I.G.
(b) Orden Imperial, Ja2374, fechada 243/975 I.G.
Anexos:
1-G. Reportaje de Bannerd, fechado Cefeo 18, 201/977 I.G.
2-G. Reportaje de Bannerd, fechado Cefeo 18, 203/977 I.G.

1.   La esterilidad de los no-humanos de Cefeo 18, comunicada a la AgProvExt en referencia (a), se ha convertido en tema de reportajes en la prensa galáctica. Adjuntamos los reportajes en cuestión para información de la AgProvExt como Anexos 1 y 2. Aunque dichos reportajes se basan en material considerado confidencial y prohibido al público, el reportero en cuestión defendió su derecho a la libre expresión según los términos de la referencia (b).

2.   En vista de la inevitable publicidad y del malentendido que creará en la opinión pública, se requiere que la AgProvExt establezca políticas futuras respecto del problema de la esterilidad de los no-humanos.

L. Antyok, superv., JefAdm-Cef 18,
209/977 I.G.

De: AgProvExt
A: JefAdm-Cef 18
Tema: Tasa de natalidad de los no-humanos de Cefeo 18, Investigación de la.
Referencias:
(a) Carta JefAdmCef 18 AA-LA/mn, fechada 209/977 I.G.
(b) Carta JefAdmCef 18 AA-LA/mn, fechada 174/977 I.G.

1.   Proponemos investigar las causas y los medios para impedir la desfavorable tasa de natalidad mencionada en las referencias (a) y (b). Por ende, se establece un proyecto, titulado «Tasa de natalidad de los no-humanos de Cefeo 18, Investigación de la», al cual, en vista de la crucial importancia del tema, se asigna una prioridad AA.

2. El número otorgado al proyecto es 2910, y todos los gastos correspondientes se indicarán con el número de Asignación 18/78.

C. Morily, jefe, AgProvExt,
223/977 I.G.

3

Aunque el mal humor de Tomor Zammo disminuyó una vez en el interior de la estación experimental del grupo científico 10, no por ello su amabilidad había aumentado. Antyok se encontró a solas ante la ventana panorámica del principal laboratorio de campo.

El laboratorio era un ancho patio dispuesto según las condiciones ambientales de Cefeo 18, para incomodidad de los experimentadores y comodidad de los objetos de la experimentación. A través de la arena calcinada y del aire seco y rico en oxígeno, chispeaba el duro resplandor de un sol caluroso y blanco. Y debajo del resplandor los rojizos no-humanos, con su piel arrugada y su físico enclenque, adoptaban su posición de sosiego, en cuclillas y de uno en uno o de dos en dos.

Zammo salió del laboratorio. Se detuvo para beber agua y levantó el rostro, con el labio superior reluciente de humedad.

—¿Quiere entrar?

Antyok sacudió la cabeza.

—No, gracias. ¿Cuál es la temperatura actual?

—Más de cuarenta y ocho grados, a la sombra. Y se quejan de frío. Es hora de beber. ¿Quiere ver cómo lo hacen?

Un chorro de agua brotó de la fuente del centro del patio y las pequeñas figuras alienígenas se pusieron de pie y echaron a correr medio trotando de un

modo extraño. Giraban alrededor del agua, empuján-
dose unos a otros. Desde el centro del rostro proyec-
taban un largo y flexible tubo de carne que sorbía la
espuma y se retiraba goteando.

Duró varios minutos. Los cuerpos se hincharon y
las arrugas desaparecieron. Retrocedieron despacio, re-
culando, agitando el tubo de carne que al fin se redujo
a una masa rosada y rugosa encima de una boca ancha
y sin labios. Se durmieron en grupos en los lugares som-
breados, rechonchos y saciados.

—¡Animales! —exclamó Zammo con desprecio.

—¿Con cuánta frecuencia beben? —se interesó
Antyok.

—Con la frecuencia que desean. Pueden aguantar
una semana si es preciso. Les damos agua todos los días.
La almacenan bajo la piel. Comen de noche. Son vegetarianos.

Antyok sonrió afablemente.

—Es bueno tener información directa en ocasiones. No puedo estar leyendo informes todo el tiempo.

—¿No? ¿Y qué hay de nuevo? ¿Qué me cuenta de
esos muchachos con pantalones de encaje, los de
Trantor?

Antyok se encogió de hombros.

—Lamentablemente, es difícil conseguir que la
Agencia se comprometa. Como el emperador simpatiza con los aurelionistas, el humanitarismo está de moda,
como sabe. —Se mordió un labio, indeciso—. Pero ahora está este problema del índice de natalidad. Al fin
se lo han asignado a la Jefatura Administrativa, y con
prioridad doble A.

Zammo masculló algo para sí.

—Tal vez usted no lo comprenda —le explicó Antyok—, pero ese proyecto ahora será prioritario sobre
cualquier otro de Cefeo 18. Es importante. —Se vol-

vió hacia la ventana panorámica y preguntó pensativamente, sin preámbulos—: ¿Cree que estas criaturas pueden ser infelices?

—¡Infelices! —escupió el otro.

—Bien, pues inadaptadas. ¿Comprende? Es difícil preparar un entorno para una raza que conocemos tan poco.

—¿Alguna vez ha visto el mundo del que las recogimos?

—He leído los informes...

—¡Informes! ¡Yo lo he visto! Esto le parecerá un gran desierto, pero es un vergel para esos demonios. Tienen toda la comida y el agua que puedan desear. Tienen un mundo con vegetación y agua natural, en vez de un montón de sílice y granito, donde cultivaban hongos en cavernas y extraían agua del yeso por evaporación. En diez años, hasta la última de esas bestias habría muerto y las hemos salvado. ¿Infelices? Pues si lo son no tienen la decencia de la mayoría de los animales.

—Bien, quizá. Pero a veces tengo una sospecha.

—¿Una sospecha? ¿Cuál es su sospecha?

Zammo sacó uno de sus puros.

—Es algo que podría ayudarle. ¿Por qué no estudiar a las criaturas de un modo más integrado? Que utilicen su iniciativa. A fin de cuentas, poseían una ciencia muy desarrollada. Los informes de usted lo mencionan continuamente. Déles problemas para resolver.

—¿Por ejemplo?

—Oh... —Antyok agitó las manos—. Lo que usted considere mejor. Naves espaciales, por ejemplo. Métalos en la sala de control y estudie sus reacciones.

—¿Por qué? —preguntó Zammo con sequedad.

—Porque la reacción de sus mentes ante herramientas y controles adaptados al temperamento humano puede enseñarnos mucho. Además, será un soborno más efectivo, a mi entender, que todo lo que ha intentado hasta ahora. Conseguirá más voluntarios si creen que es para algo interesante.

—Bah, se le nota su formación psicológica. Suena mejor de lo que probablemente es. Lo meditaré. ¿Y cómo conseguiría el permiso, de todos modos, para permitirles manejar naves espaciales? No tengo ninguna a mi disposición y llevaría una eternidad realizar los trámites burocráticos para que nos asignaran una.

Antyoki reflexionó, arrugando la frente.

—No tienen que ser naves espaciales. Pero aun así... si usted redacta otro informe y presenta la propuesta, con cierta vehemencia, ya me entiende, tal vez yo encuentre un modo de vincularla con mi proyecto sobre el índice de natalidad. Una prioridad doble A puede obtener cualquier cosa, sin preguntas.

El entusiasmo de Zammo dejaba bastante que desear.

—Bien, quizás. Entre tanto, debo completar algunas pruebas de metabolismo basal y se hace tarde. Lo pensaré. Tiene sus puntos favorables.

De: JefAdm-Cef 18
A: AgProvExt
Tema: Proyecto Provincia Exterior 2910, Parte I - Tasa de natalidad de los no-humanos de Cefeo 18, Investigación de la.
Referencia:
(a) Carta AgProvExt Cef-N-CM/car, 115097, 223/977 I.G.
Anexos:
1. GruCient 10, informe de la División Física y Bioquímica, Parte XV, fechado 220/977 I.G.

1.   Se adjunta Anexo 1 para información de la AgProvExt.

2.   Se dirige especial atención a la sección V, parágrafo 3 del Anexo 1, donde se requiere que se asigne una nave espacial al GruCient 10 para utilizarla en acelerar las investigaciones autorizadas por la AgProvExt. JefAdm-Cef 18 considera que dichas investigaciones pueden contribuir decisivamente al progreso en dicho proyecto, autorizado por referencia (a). Se sugiere, en vista de la alta prioridad asignada por la AgProvExt a dicho proyecto, que se dé curso inmediato al requerimiento del GruCient.

L. Antyok, superv., JefAdm-Cef 18,
240/977 I.G.

De: AgProvExt
A: JefAdm-Cef 18
Tema: Proyecto Provincia Exterior 2910 - Tasa de natalidad de los no-humanos de Cefeo 18, Investigación de la.
Referencia:
(a) Carta JefAdm-Cef 18 AA-LA/mn, fechada 240/977 I.G.

1.   La nave de entrenamiento *AN-R-2055* quedará a disposición de JefAdm-Cef 18 para uso en la investigación de los no-humanos de Cefeo 18 respecto del proyecto mencionado y otros proyectos ProvExt autorizados, tal como se requiere en el Anexo 1 de la referencia (a).

2.   Se exhorta a que el trabajo sobre el citado proyecto se acelere por todos los medios disponibles.

C. Morily, jefe, AgProvExt,
251/977 I.G.

4

La criaturilla roja debía de sentirse mucho más incómoda de lo que dejaba ver su prestancia, aunque la temperatura ya estaba regulada de tal manera que sus acompañantes humanos sudaban con sus camisas abiertas.

—Lo encuentro húmedo, pero soportable a esta baja temperatura —dijo, hablando con cuidado y en un tono de voz agudo.

Antyok sonrió.

—Fuiste amable al venir. Quería visitarte yo, pero un análisis de tu atmósfera...

La sonrisa se convirtió en un gesto de pesar.

—No importa. Vosotros habéis hecho más por nosotros de lo que jamás pudimos hacer nosotros mismos. Es una obligación retribuida con imperfección por mi parte al soportar una mínima incomodidad.

Hablaba siempre en forma indirecta, como si abordara sus pensamientos de una forma oblicua, como si hablar sin rodeos atentara contra los buenos modales.

Gustiv Bannerd, sentado en un rincón de la habitación, con una larga pierna cruzada sobre la otra, hizo unas anotaciones y preguntó:

—¿No te molesta que registre todo esto?

El no-humano cefeida miró de soslayo al periodista.

—No tengo objeción.

Antyok insistió en su tono de disculpa:

—No se trata sólo de una cuestión social. No te habría sometido a ninguna incomodidad por eso. Hay cuestiones importantes que considerar y tú eres el dirigente de tu pueblo.

—Me satisface que tus propósitos sean cordiales. Continúa, por favor.

El administrador tenía grandes dificultades para volcar sus pensamientos en palabras.

—Es un tema delicado —dijo—, y nunca lo mencionaría si no fuera por la abrumadora importancia de la..., en fin, de la cuestión. Soy sólo el portavoz de mi Gobierno...

—Mi pueblo considera que el Gobierno de tu mundo es amable.

—Pues sí, lo es. Por esa razón, le preocupa que tu pueblo ya no se reproduzca.

Antyok hizo una pausa y aguardó una reacción que no se produjo. El rostro de cefeida permaneció inalterable, excepto por un suave temblor en la zona rugosa que era el tubo de beber desinflado.

—Es... es una cuestión que vacilábamos en mencionar —continuó Antyok— porque tiene aspectos muy personales. Mi Gobierno no desea entrometerse y hemos hecho lo posible para investigar el problema con discreción y sin molestar a tu gente. Pero, francamente, nosotros...

—¿Habéis fracasado? —concluyó el cefeida, cuando la pausa se prolongó.

—Sí. Al menos no hemos descubierto una incapacidad concreta para imitar el ámbito de vuestro mundo original, a excepción de algunas modificaciones necesarias con el fin de hacerlo más habitable. Naturalmente, se piensa que existe algún problema químico. Y por eso pido tu ayuda voluntaria en el asunto. Tu gente está avanzada en el estudio de la bioquímica que os es propia. Si no quieres, o prefieres...

—No, no. Puedo ayudar. —Parecía de buen humor. Arrugó los tersos y chatos rasgos de su cráneo lampiño, en la manifestación alienígena de una emoción incierta—. No se nos hubiera ocurrido pensar que esto os turbara. Es un indicio más de vuestra bien intencionada amabilidad. Este mundo nos resulta satisfactorio, un paraíso en comparación con el viejo. Las condiciones que prevalecen son propias de nuestras leyendas de la Edad de Oro.

—Bien...

—Pero hay algo, algo que quizá vosotros no entendáis. No podemos esperar que otras inteligencias piensen del mismo modo.

—Intentaré entenderlo.

La voz del cefeida se hizo más suave; los límpidos tonos graves, más pronunciados:

—En nuestro mundo natal agonizábamos, pero estábamos luchando. Nuestra ciencia, desarrollada a lo largo de una historia más antigua que la vuestra, llevaba las de perder, pero aún no estaba derrotada. Tal vez fuese porque nuestra ciencia era fundamentalmente biológica, no física como la vuestra. Vuestro pueblo descubrió nuevas formas de energía y llegó a las estrellas; el nuestro descubrió nuevas verdades en psicología y en psiquiatría y construyó una sociedad funcional libre de enfermedades y de delitos.

»No es preciso preguntarse cuál de ambos enfoques era el más loable, pero no hay dudas en cuanto a cuál tuvo mayor éxito al final. En nuestro mundo agonizante, sin medios de vida ni fuentes de energía, nuestra ciencia biológica sólo podía facilitar la muerte.

»Y aun así luchamos. Durante siglos hemos buscado a tientas los elementos de la energía atómica y lentamente se encendió la chispa de la esperanza que nos permitiría romper los límites bidimensionales de nuestra superficie planetaria para alcanzar las estrellas. En nuestro sistema no había otros planetas que nos sirvieran como escalas en el camino. Nada, salvo veinte años luz hasta la estrella más próxima y sin el conocimiento de la posibilidad de la existencia de otros sistemas planetarios, sino más bien lo contrario.

»Pero en toda vida hay algo que insiste en luchar, aunque la lucha sea inútil. En los últimos días quedábamos sólo cinco mil. Sólo cinco mil. Y nuestra nave estaba preparada. Era experimental y tal vez hubiera sido un fracaso, pero ya teníamos correctamente elaborados todos los principios de propulsión y navegación.

Hubo una larga pausa y los ojillos negros del cefeida parecieron cubrirse de nostalgia.

—¿Y entonces llegamos nosotros? —intervino el periodista.

—Y entonces llegasteis vosotros —asintió—. Eso lo cambió todo. Disponíamos de energía. Disponíamos de un nuevo mundo no sólo satisfactorio, sino ideal. Si nosotros habíamos resuelto nuestros problemas sociales tiempo atrás, vosotros resolvisteis repentina y completamente nuestros aún más difíciles problemas de medio ambiente.

—¿Y? —preguntó Antyok.

—Pues… de algún modo eso no estaba bien. Durante siglos nuestros ancestros habían luchado por llegar a las estrellas y de pronto las estrellas resultaban ser de propiedad ajena. Habíamos luchado por la vida y de pronto ésta se transformaba en un obsequio que otros nos hacían. Ya no hay razones para luchar, ya no hay nada que alcanzar, todo el universo es propiedad de vuestra raza.

—Este mundo es totalmente vuestro —dijo con afabilidad Antyok.

—Por consentimiento. Es un obsequio. No es nuestro por derecho.

—En mi opinión os lo habéis ganado.

El cefeida fijó la vista en el semblante de su interlocutor.

—Tienes buenas intenciones, pero dudo que lo entiendas. No tenemos adónde ir, salvo este mundo con el que nos habéis obsequiado. Estamos en un callejón sin salida. La función de la vida es luchar y se nos ha arrebatado. La vida ya no puede interesarnos. No tenemos descendencia voluntariamente. Es nuestro modo de quitarnos del medio.

Distraídamente, Antyok había retirado el fluoroglobo de la repisa de la ventana y lo hizo girar sobre la base. La llamativa superficie reflejó la luz al girar y su mole de un metro de altura flotaba en el aire con incongruente gracia y ligereza.

—¿Es vuestra única solución? —insistió Antyok—. ¿La esterilidad?

—Podríamos escapar —susurró el cefeida—, pero ¿en qué parte de la galaxia hay sitio para nosotros? Es toda vuestra.

—Sí, no hay lugar para vosotros más cercano que las Nubes Magallánicas, si buscáis independencia. Las Nubes Magallánicas...

—Y no nos dejaríais ir. Tenéis buenas intenciones, lo sé.

—Sí, tenemos buenas intenciones..., pero no podríamos dejaros partir.

—Es una amabilidad errada.

—Tal vez, pero ¿no podríais resignaros? Tenéis un mundo.

—Es algo que trasciende las explicaciones. Vuestra mentalidad es distinta. No podríamos resignarnos. Creo, administrador, que has pensado ya antes en todo esto. El concepto del callejón sin salida en que nos hallamos atrapados no es nuevo para ti.

Antyok se sobresaltó y detuvo el movimiento del fluoroglobo con una mano.

—¿Puedes leerme la mente?

—Es sólo una conjetura. Y creo que es válida.

—Sí..., pero ¿puedes leerme la mente? ¿Puedes leer las mentes humanas? Es interesante. Los científicos dicen que no podéis, pero a veces me pregunto si simplemente no queréis. ¿Podrías responderme? Tal vez te estoy retrasando más de la cuenta.

—No..., no. —Pero el menudo cefeida se arrebujó en su túnica y hundió el rostro en la almohadilla calefactora eléctrica del cuello—. Vosotros habláis de leer mentes. No es así en absoluto, pero sin duda es imposible de explicar.

Antyok murmuró el viejo proverbio:

—Es imposible explicar la visión a un ciego de nacimiento.

—En efecto. Este sentido que llamáis «lectura de mentes», muy erróneamente, no se aplica a nosotros. No es que no podamos recibir las sensaciones adecuadas, sino que vosotros no las transmitís, y no tenemos modo de explicaros cómo hacerlo.

—Ya.

—Hay ocasiones de gran concentración o de tensión emocional por parte de uno de vosotros, en que algunos de los que somos más expertos en este sentido (más observadores por así decirlo) detectamos algo. Es impreciso. Pero a veces me he preguntado...

Antyok hizo girar nuevamente el fluoroglobo. Sumido en sus pensamientos, miraba fijamente al cefeida. Gustiv Bannerd estiró los dedos y releyó sus notas, moviendo los labios en silencio.

El fluoroglobo giraba, y poco a poco el cefeida se fue poniendo tenso, a medida que sus ojos escrutaban el brillo de gran colorido de la frágil superficie del globo.

—¿Qué es eso? —preguntó.

Antyok se sobresaltó y su rostro cobró una expresión plácida.

—¿Esto? Una moda de hace tres años, lo cual significa que este año es una reliquia anticuada. Se trata de un artilugio inservible, pero bonito. Bannerd, ¿podría ajustar las ventanas para no-transmisión?

Se oyó el suave chasquido de un contacto y las ventanas se transformaron en oscuras zonas curvadas, mientras en el centro de la habitación el fluoroglobo se transformaba en el centro de una irradiación rosada que parecía brincar en llamas ondulantes. Antyok, una figura escarlata en una habitación escarlata, lo apoyó en la mesa y lo hizo girar con una mano teñida de rojo. Al girar, los colores cambiaban con creciente celeridad, fusionándose y descomponiéndose en los contrastes más extraordinarios.

Antyok se hallaba envuelto en la turbadora atmósfera de un arco iris fúlgido y cambiante.

—La superficie es de un material que exhibe una fluorescencia variable. Casi no tiene peso y es muy frágil, pero está giroscópicamente equilibrado y rara vez se cae. Es bastane bonito, ¿no crees?

—Extremadamente bonito —asintió el cefeida.

—Pero su momento ha pasado. Ya no está de moda.

—Es muy bonito.

El cefeida parecía abstraído. Antyok hizo un gesto, Bannerd encendió la luz y los colores se disiparon.

—Eso es algo que agradaría a mi gente —comentó el cefeida, mirando el globo con fascinación.

Antyok se puso de pie.

—Será mejor que te vayas. Si te quedas más tiempo, la atmósfera puede surtir malos efectos. Agradezco humildemente tu amabilidad.

—Yo agradezco humildemente la tuya.

El cefeida también se puso de pie.

—La mayoría de tu gente, por cierto —dijo Antyok—, ha aceptado el ofrecimiento de estudiar la configuración de nuestras naves modernas. Comprenderás, supongo, que el propósito era analizar sus reacciones ante nuestra tecnología. Confío en que eso no atente contra vuestro sentido del decoro.

—No es preciso que te disculpes. Yo tengo ahora los elementos necesarios para llegar a ser un piloto humano. Fue muy interesante. Evoca nuestros propios esfuerzos... y nos recuerda que andábamos por el camino correcto.

El cefeida se marchó, y Antyok frunció el ceño al sentarse.

—Bien —le dijo a Bannerd con brusquedad—. Espero que recuerde usted nuestro acuerdo. Esta entrevista no se puede publicar.

Bannerd se encogió de hombros.

—Muy bien.

Antyok acarició la estatuilla de metal que tenía sobre el escritorio.

—¿Qué piensa de todo esto, Bannerd?

—Lo lamento por ellos. Creo entender cómo se sienten. Deberíamos educarlos para que pensasen de otro modo, y la Filosofía puede hacerlo.

—¿Eso cree?

—Sí.

—Pero no podemos dejarles ir.

—Claro que no. Eso es impensable. Tenemos mucho que aprender de ellos. Ese sentimiento que experimentan es sólo una etapa pasajera. Ya pensarán de otro modo, especialmente cuando les concedamos la más plena independencia.

—Tal vez. ¿Qué piensa usted de los fluoroglobos, Bannerd? A él le han gustado. Quizá sea un gesto apro-

piado pedir varios miles. Es evidente que ahora se ven
den muy poco, así que están bastante baratos.

—Parece una buena idea.

—Pero la Agencia nunca lo aceptaría. Los conozco.

El reportero entornó los párpados.

—Pero podría ser apropiado. Necesitan interesar-
se en cosas nuevas.

—¿Sí? Bien, podríamos hacer algo. Si yo incluye-
ra su transcripción de la entrevista como parte de un
informe e hiciera hincapié en el asunto de los globos...
A fin de cuentas, usted es un prosélito de la Filosofía
y quizás ejerciera influencia sobre gente importante,
cuya palabra tendría mucho más peso que la mía en
la Agencia. ¿Entiende...?

—Sí —murmuró Bannerd—. Sí.

De: JefAdm-Cef 18
A: AgProvExt
Temas: Proyecto ProvExt 2910, Parte II: Tasa
de natalidad de los no-humanos de Cefeo 18, Investigación de la.
Referencia:
(a) Carta de AgProvExt Cef-N-CM/car, 115097,
fechada 223/977 I.G.
Anexo:

1. Transcripción de la conversación entre
L. Antyok, de JefAdm-Cef 18, y Ni-San, sumo
juez de los no-humanos de Cefeo 18.

1. Se adjunta en Anexo 1 para información
de la AgProvExt.

2. La investigación del proyecto emprendi-
do en respuesta a la autorización de referencia
(a) se efectúa según las nuevas líneas indicadas

en el Anexo 1. Aseguramos a la AgProvExt que utilizaremos todos los medios para combatir la nociva actitud psicológica que prevalece actualmente entre los no-humanos.

3. Nótese que el sumo juez de los no-humanos de Cefeo 18 manifestó interés en los fluoroglobos. Se ha iniciado una investigación preliminar sobre este dato de la psicología no-humana.

L. Antyok, superv., JefAdm-Cef 18,
272/977 I.G.

De: AgProvExt
A: JefAdm-Cef 18
Tema: Proyecto ProvExt 2910: Tasa de natalidad de los no-humanos de Cefeo 18, Investigación de la.
Referencia:
(a) Carta JefAdm-Cef 18 AA-LA/mn, fechada 272/977 I.G.

1. Con referencia al Anexo 1 de referencia (a), el Departamento de Comercio ha despachado una remesa de cinco mil fluoroglobos para Cefeo 18.

2. Se recomienda que JefAdm-Cef 18 utilice todos los métodos para mitigar la insatisfacción de los no-humanos, en conformidad con la necesidad de obediencia a las proclamas imperiales.

C. Morily, jefe, AgProvExt,
283/977 I.G.

5

La cena había concluido, se había servido vino y se habían encendido los puros. La gente conversaba en grupos y el capitán de la flota mercante ocupaba el centro del grupo más numeroso. Su brillante uniforme blanco deslumbraba a sus interlocutores.

—El viaje fue cosa de nada —manifestó con jactancia—. He estado al mando de más de trescientas naves, pero nunca transporté semejante cargamento. ¡Santa Galaxia! ¿Para qué quieren ustedes cinco mil fluoroglobos en este desierto?

Loodun Antyok rió suavemente.

—Para los no-humanos. Espero que no haya sido un cargamento difícil.

—Difícil no, pero sí voluminoso. Son frágiles, y no podía llevar más de veinte por nave, con tantas regulaciones gubernamentales concernientes al embalado y a las precauciones contra las rupturas. Pero supongo que es dinero del Gobierno.

Zammo sonrió torvamente.

—¿Es su primera experiencia con los métodos del Gobierno, capitán?

—¡Santa Galaxia, no! Procuro evitarlo, desde luego; pero a veces es imposible no verse enredado. Y es engorroso, a decir verdad. ¡Tantos trámites! ¡El papeleo! Es suficiente para atrofiarte el crecimiento y helarte la sangre en las venas. Es un tumor, un engendro canceroso en la galaxia. Yo lo borraría todo de un plumazo.

—Es usted injusto, capitán. No lo entiende.

—¿No? Y ya que es usted uno de esos burócratas —replicó, pronunciando la palabra con una sonrisa—, ¿por qué no explica su perspectiva de la situación?

—Pues bien —contestó Antyok, con cierta agitación—, el Gobierno es un asunto grave y complejo. Tenemos miles de planetas de que preocuparnos en este Imperio, y miles de millones de personas. Supervisar el arte de gobernar, sin una organización muy rigurosa, casi escapa a la capacidad humana. Creo que hay cuatrocientos millones de hombres tan sólo en el Servicio Administrativo Imperial y, para coordinar sus esfuerzos y amalgamar sus conocimientos, necesitamos esos trámites y ese papeleo. Cada elemento, aunque parezca insensato, tiene su utilidad. Cada papel es una hebra que enlaza la labor de cuatrocientos millones de humanos. Si aboliéramos el Servicio Administrativo, aboliríamos el Imperio, y con él la paz interestelar, el orden y la civilización.

—Vamos... —dijo el capitán.

—No, lo digo en serio. Las reglas y el sistema de la organización administrativa deben ser abarcadoras y rígidas para que los funcionarios incompetentes, que los hay... Pueden reírse, pero también hay científicos incompetentes, y reporteros, y capitanes... Para que los funcionarios incompetentes, decía, puedan causar poco daño. Porque, en el peor de los casos, el sistema no puede funcionar solo.

—Sí —gruñó el capitán—. ¿Y si nombran un administrador capaz? Entonces queda atrapado por esa rígida telaraña y se ve obligado a ser mediocre.

—En absoluto —replicó afablemente Antyok—. Un hombre capaz puede trabajar dentro de los límites de las reglas y lograr lo que se propone.

—¿Cómo? —preguntó Bannerd.

—Bueno... Bien... —Antyok se sentía repentinamente incómodo—. Un método consiste en obtener un proyecto con prioridad A o, si es posible, doble A.

El capitán echó la cabeza hacia atrás, para echarse a reír, pero no llegó a hacerlo, pues se abrió la puerta y entraron unos hombres asustados. Al principio, los gritos eran ininteligibles. Luego:

—¡Señor, las naves se han ido! ¡Esos no-humanos las tomaron por la fuerza!

—¿Qué? ¿Todos?

—¡Todos! ¡Naves y criaturas...!

A las dos horas, los cuatro volvieron a reunirse en el despacho de Antyok.

—No hay error —declaró fríamente Antyok—. No queda una sola nave, ni siquiera nuestra nave de entrenamiento, Zammo. Y no hay una sola nave del Gobierno disponible en esta mitad del sector. Para cuando organicemos una persecución estarán fuera de la galaxia, camino a las Nubes Magallánicas. Capitán, era responsabilidad suya mantener una guardia adecuada.

—¡Era nuestro primer día fuera del espacio! —exclamó el capitán—. ¿Quién iba a suponer...?

—Un momento, capitán —interrumpió Zammo—. Empiezo a entenderlo, Antyok. Usted tramó todo esto.

—¿Yo? —preguntó Antyok con aire de distante ingenuidad.

—Esta noche usted comentó que un administrador inteligente obtenía un proyecto de prioridad A para lograr lo que se proponía. Usted obtuvo ese proyecto con el propósito de ayudar a los no-humanos a escapar.

—¿Yo hice eso? Pero ¿cómo? Fue usted quien mencionó el problema de la decreciente tasa de natalidad en uno de sus informes. Fue Bannerd quien escribió esos artículos sensacionalistas que asustaron a la Agencia, convenciéndola de establecer un proyecto con prioridad doble A. Yo no tuve nada que ver.

—¡Usted sugirió que yo mencionara lo de la tasa de natalidad! —vociferó Zammo.

—¿De veras?

—¡Y fue usted quien sugirió que yo mencionara la tasa de natalidad en mis artículos! —rugió Bannerd.

Los tres lo cercaron. Antyok se reclinó en la silla.

—No sé adónde quieren ir. Si me están acusando, les ruego que se atengan a las pruebas legales. Las leyes del Imperio se rigen por material escrito, filmado o transcrito, o por declaraciones con testigos. Todas mis cartas como administrador figuran en este archivo, en la Agencia y en otros lugares. Yo jamás he pedido un proyecto de prioridad A. La Agencia me lo asignó, y Zammo y Bannerd son responsables de ello. Según los papeles, al menos.

La voz de Zammo fue un gruñido casi ininteligible:

—Usted me embaucó para que enseñara a esas criaturas a manejar una nave espacial.

—Fue sugerencia de usted. Tengo en archivo el informe donde propone estudiar la reacción de los no-humanos ante las herramientas humanas. También lo tiene la Agencia. Las pruebas legales son claras. Yo no tuve nada que ver.

—¿Ni con los globos? —inquirió Bannerd.

—¡Hizo traer mis naves a propósito! —exclamó el capitán—. ¡Cinco mil globos! Usted sabía que necesitaría cientos de naves.

—Yo nunca pedí los globos. Fue idea de la Agencia, aunque creo que los amigos de Bannerd partidarios de la Filosofía ayudaron bastante.

Bannerd se atragantó.

—¡Usted le preguntó al dirigente cefeida que si podía leer la mente! —escupió—. ¡Le estaba diciendo que expresara interés en los globos!

—Vamos, usted mismo preparó la transcripción de la conversación, y eso también consta en los archivos. No puede probarlo. —Antyok se levantó—. Tendrán ustedes que excusarme. Debo preparar un informe para la Agencia. —En la puerta, dio media vuelta—. En cierto modo, el problema de los no-humanos está resuelto; al menos, para satisfacción de ellos. Ahora procrearán y tendrán un mundo que se han ganado. Es lo que querían. Otra cosa: no me acusen de tonterías; hace veintisiete años que estoy en el Servicio, y les aseguro que mi papeleo es prueba suficiente de que he actuado correctamente en todo. Capitán, me alegrará continuar nuestra conversación de hoy cuando usted desee, para explicarle cómo un administrador capaz puede utilizar la burocracia con el objetivo de obtener lo que se propone.

Era notable que ese redondo rostro de bebé pudiera lucir una sonrisa tan socarrona.

De: AgProvExt
A: Loodun Antyok, administrador jefe, A-8
Tema: Servicio Administrativo, Permanencia en.
Referencia:
(a) Decisión Tribunal ServAd 22874-Q, fechada 1/978 I.G.
    1.   En vista de la opinión favorable vertida en referencia (a), queda usted absuelto de toda responsabilidad por la fuga de no-humanos de Cefeo. Se requiere que permanezca disponible para su próxima gestión.

R. Horpritt, jefe, ServAd,
15/978 I.G.

PRUEBAS CIRCUNSTANCIALES

—Pero tampoco fue eso —dijo pensativamente la doctora Calvin—. Claro que al fin esa nave y otras similares pasaron a manos del Gobierno. El salto hiperespacial se perfeccionó y ahora tenemos colonias humanas en los planetas de algunas estrellas cercanas, pero no fue eso. —Yo había terminado de comer y la miraba a través del humo del cigarrillo—. Lo que realmente cuenta es lo que le sucedió a la gente de la Tierra en los últimos cincuenta años. Cuando yo nací, cuando era pequeña, acabábamos de pasar por la última guerra mundial. Fue un mal momento en la historia, pero significó el final del nacionalismo. La Tierra era demasiado pequeña para las naciones, que comenzaron a agruparse en regiones. Se tardó un tiempo. Cuando yo nací, Estados Unidos de América aún constituía una nación y no formaba parte de la Región Norte. De hecho, el nombre de la compañía todavía es Robots de Estados Unidos... Y el tránsito de naciones a regiones, que ha estabilizado nuestra economía y creado algo que equivale a una Edad de Oro, si se compara este siglo con el anterior, también fue obra de nuestros robots.

—Usted se refiere a las máquinas —dije—. El cerebro de que usted hablaba fue la primera de las máquinas, ¿verdad?

—Sí, lo fue, pero no pensaba en las máquinas, sino

en un hombre. Falleció el año pasado. —De pronto se
le hizo un nudo en la garganta—. O al menos decidió
fallecer, porque sabía que ya no lo necesitábamos... Step-
hen Byerley.

—Sí, supuse que se refería a él.

—Inició su gestión en el año 2032. Usted era sólo
un niño, así que no recordará cuán extraño era todo. Su
campaña para la alcaldía fue sin duda la más rara de la
historia...

Francis Quinn era un político de la nueva escuela.
Claro que esta expresión, como muchas similares, no
significa nada. La mayoría de las «nuevas escuelas» poseen equivalentes en la vida social de la antigua Grecia, y tal vez hallaríamos cosas parecidas si conociéramos mejor la vida social de la antigua Sumeria y las
viviendas lacustres de la Suiza prehistórica.

Pero, para eludir lo que promete ser un comienzo
tedioso y complicado, quizá sea mejor apresurarse a aclarar que Quinn no era candidato ni solicitaba votos, no
pronunciaba discursos ni llenaba urnas. Así como Na-
poleón no apretó el gatillo en Austerlitz.

Y como la política da pie a extraños compañeros
de cama Alfred Lanning estaba sentado al otro lado
del escritorio, con las enérgicas cejas blancas enarcadas sobre unos ojos agudizados por una impaciencia
crónica. No se sentía a gusto.

Si Quinn lo hubiera sabido, no se habría inmuta-
do. Habló con voz cordial, casi profesionalmente afable:

—Entiendo que conoce a Stephen Byerley, doctor
Lanning.

—He oído hablar de él. Como mucha gente.

—Sí, también yo. Tal vez usted piensa votar por
él en las próximas elecciones.

—Lo ignoro —respondió Lanning con tono corrosivo—. No he seguido las tendencias políticas, así que no sé si se presentará como candidato.

—Quizá sea nuestro siguiente alcalde. Desde luego, ahora es sólo un abogado, pero todo roble...

—Sí —interrumpió Lanning—. Conozco el dicho. Todo roble ha sido bellota. Pero le pido que vayamos al grano.

—Estamos yendo al grano, doctor Lanning —dijo Quinn, en un tono de lo más afable—. Me interesa que el señor Byerley sea a lo sumo fiscal, y a usted le interesa ayudarme.

Lanning frunció el ceño.

—¿Me interesa? ¡Vamos!

—Digamos entonces que le interesa a la Compañía de Robots y Hombres Mecánicos de EE.UU. Acudo a usted como Director Emérito de Investigación, porque sé que para la compañía usted es una especie de anciano sabio. Le escuchan con respeto; pero su conexión no es tan estrecha como para no gozar de bastante libertad de acción, aunque la acción sea algo heterodoxa.

El doctor Lanning guardó silencio un instante, rumiando sus pensamientos.

—No le entiendo, señor Quinn —murmuró.

—No me sorprende, doctor Lanning. Pero es bastante sencillo. Excúseme. —Quinn encendió un delgado cigarrillo con un encendedor de exquisita simplicidad, y su rostro huesudo cobró una expresión de serena diversión—. Hemos hablado del señor Byerley, un personaje extraño y pintoresco. Era desconocido hace tres años. Hoy es famoso. Es un hombre enérgico y capaz y, por supuesto, el fiscal más apto e inteligente que he conocido. Lamentablemente no es amigo mío...

—Entiendo —dijo Lanning mecánicamente, mirándose las uñas.

—El año pasado tuve ocasión de investigar al señor Byerley, muy exhaustivamente —continuó Quinn—. Siempre es conveniente someter la vida pasada de los políticos reformistas a un examen inquisitivo. Si usted supiera cuánto me ha ayudado... —Hizo una pausa para sonreírle sin humor a la punta del cigarrillo—. Pero el pasado del señor Byerley es insípido. Vida tranquila en una ciudad pequeña, educación universitaria, una esposa que falleció joven, un accidente automovilístico seguido de una lenta recuperación, Facultad de Derecho, traslado a la metrópoli, abogado. —Sacudió lentamente la cabeza y añadió—: Excepto su vida actual. Esto sí que es notable. ¡Nuestro Fiscal no come nunca!

Lanning irguió la cabeza y aguzó sus viejos ojos.

—¿Cómo ha dicho?

—Nuestro fiscal nunca come —repitió Quinn, separando las sílabas—. Haré una pequeña corrección: nunca se le ha visto comer ni beber. ¡Nunca! ¿Comprende el peso de esta palabra? No rara vez, sino ¡nunca!

—Me parece increíble. ¿Puede usted confiar en sus investigadores?

—Puedo confiar en mis investigadores, y no me resulta increíble. Más aún, no sólo no le han visto beber, ya sea agua, ya sea alcohol; sino que no le han visto dormir. Hay otros factores, pero creo que he sido bastante claro.

Lanning se reclinó en el asiento. Hubo un silencio tenso, como en un duelo, y luego el viejo robotista sacudió la cabeza.

—No, usted sólo puede estar insinuando una cosa, dado que por algo me cuenta todo esto precisamente a mí, y lo que insinúa es absolutamente imposible.

—Pero ese hombre es inhumano, doctor Lanning.

—Si usted me dijera que es Satanás disfrazado, existiría una leve posibilidad de creerle.

—Le digo que es un robot, doctor Lanning.

—Le digo que es imposible, señor Quinn.

De nuevo ese silencio agresivo.

—No obstante —continuó Quinn, apagando el cigarrillo con afectación—, tendrá que investigar esa imposibilidad con todos los recursos de la compañía.

—Por supuesto que no haré semejante cosa, señor Quinn. No puede sugerir en serio que la compañía intervenga en política local.

—No tiene opción. Suponga que hago públicos estos datos... Al menos cuento con pruebas circunstanciales.

—Haga lo que le plazca.

—Pero no me place. Preferiría tener pruebas contundentes. Y tampoco le agradaría a usted, pues la publicidad sería muy perjudicial para la compañía. Supongo que usted está familiarizado con las estrictas reglas contra el uso de robots en mundos habitados.

—¡Por supuesto!

—Ya sabe que su compañía es el único fabricante de robots positrónicos en el sistema solar, y si Byerley resulta ser un robot será un robot positrónico. También sabe que los robots positrónicos se alquilan, no se venden, y que su empresa continúa siendo propietaria y administradora de todos los robots y, por lo tanto, es responsable de los actos de todos ellos.

—Es fácil, señor Quinn, demostrar que la compañía jamás ha manufacturado un robot humanoide.

—¿Es posible hacerlo? Sólo por comentar las posibilidades.

—Sí, es posible.

—Y es posible también hacerlo en secreto, supongo. Sin registrarlo en los libros.

—No en el caso de un cerebro positrónico. Hay demasiados factores involucrados y existe una rigurosa supervisión del Gobierno.

—Sí, pero los robots se gastan, se estropean, dejan de funcionar... y son desmantelados.

—Y los cerebros positrónicos se usan de nuevo o se destruyen.

—¿De veras? —preguntó Quinn con sarcasmo—. Y si, por accidente, claro está, uno no fuera destruido y hubiera una estructura humanoide aguardando un cerebro...

—¡Imposible!

—Usted tendría que probárselo al Gobierno y al público. ¿Por qué no a mí ahora?

—¿Pero cuál sería nuestro propósito? —quiso saber Lanning, exasperado—. ¿Dónde está nuestra motivación? Concédanos un poco de sensatez.

—Por favor, mi querido Lanning. La compañía se sentiría muy satisfecha si las diversas regiones permitieran el uso de robots positrónicos humanoides en los mundos habitados. Las ganancias serían suculentas. Pero el prejuicio de la opinión pública contra esa práctica es demasiado grande. Supongamos que ustedes la habituaran primero a dichos robots... Veamos, tenemos un hábil abogado, un buen alcalde... y es un robot. ¿Por qué no comprar mayordomos robot?

—Una fantasía. Un disparate ridículo.

—Me lo imagino. ¿Por qué no probarlo? ¿O prefiere probárselo al público?

La luz del despacho se desvanecía, pero aún no llegaba a oscurecer el rubor de frustración del rostro de Alfred Lanning. El robotista presionó un botón y los iluminadores de pared irradiaron una luz tenue.

—Pues bien —gruñó—, veámoslo.

No era fácil describir el rostro de Stephen Byerley. Tenía cuarenta años, según su certificado de nacimiento, y en efecto aparentaba cuarenta años, pero era un cuarentón saludable, bien alimentado y afable y que daba un mentís al lugar común acerca de «aparentar la edad que se tiene».

Esto se notaba muchísimo cuando reía, y en ese momento se estaba riendo. Era una risa estentórea y continua, que se apagaba y renacía...

El rostro de Alfred Lanning se contrajo en un amargo gesto de reprobación. Le hizo una seña a la mujer que tenía sentada al lado, pero ella apenas frunció los labios, pálidos y finos.

Byerley recobró la compostura.

—Por favor, doctor Lanning, por favor... ¿Yo...? ¿Yo, un robot?

—No soy yo quien lo afirma —barbotó Lanning—. Me sentiría muy satisfecho de que usted fuera humano. Como nuestra compañía no le ha fabricado, estoy casi seguro de que lo es; al menos, en un sentido legal. Pero como alguien alega seriamente que usted es un robot, y se trata de un hombre de cierto prestigio...

—No mencione su nombre, pues eso atentaría contra su férrea ética; pero supongamos que es Frank Quinn, para facilitar la argumentación, y continuemos.

Lanning resopló ante la interrupción e hizo una pausa, malhumorado, antes de continuar en un tono aún más glacial:

—Un hombre de cierto prestigio, con cuya identidad no me interesa hacer adivinanzas. Estoy obligado a pedirle que colabore para refutarlo. El mero hecho de que semejante afirmación se hiciese pública, a través de los medios de que dispone este hombre, asestaría un duro golpe a la compañía que represento, aunque la acusación jamás pudiera probarse. ¿Entiende?

—Oh, sí, entiendo la situación. La acusación es ridícula; el trance en que usted se encuentra no lo es. Le ruego que me disculpe si mi risotada le ha ofendido. Me reí de lo primero, no de lo segundo. ¿Cómo puedo ayudarle?

—Sería muy sencillo. Sólo tiene que comer en un restaurante y en presencia de testigos; hacerse tomar una foto y comer.

Lanning se reclinó en la silla. Lo peor de la entrevista había terminado. La mujer observaba a Byerley con expresión absorta, pero sin decir nada.

Stephen Byerley la miró un instante a los ojos, embelesado, y se volvió hacia el robotista. Acarició durante unos segundos el pisapapeles de bronce, que era el único adorno de su escritorio.

—No creo que pueda satisfacerle —murmuró, y alzó una mano—. Espere, doctor Lanning. Comprendo que este asunto le disgusta, que le han involucrado contra su voluntad, que se siente en un papel indigno e incluso ridículo; pero a mí me afecta de manera más íntima, así que sea tolerante. Primero, ¿qué le hace pensar que Quinn, ese hombre de cierto prestigio, no le estaba engatusando para que usted hiciera exactamente lo que está haciendo?

—Parece improbable que una persona distinguida se arriesgue de un modo tan ridículo si no está convencida de pisar terreno firme.

—Usted no conoce a Quinn —dijo Byerley con gravedad—. Podría pisar terreno firme en un reborde montañoso donde una oveja no se sostendría. Supongo que le mostró los detalles de la investigación que afirma haber hecho sobre mí.

—Lo suficiente para convencerme de que sería problemático que nuestra empresa intentara refutarlos, cuando usted podría hacerlo con mayor facilidad.

—De modo que le cree cuando afirma que nunca como. Usted es un científico, doctor Lanning. Piense en la lógica del asunto. Nunca me han visto comer; por consiguiente, nunca como. *Quot erat demostrandum.* ¡Vaya!

—Usa usted tácticas de fiscal para embrollar una situación muy simple.

—Por el contrario, trato de aclarar una situación que Quinn y usted están complicando. Verá, no duermo demasiado, eso es verdad, y, por supuesto, no duermo en público. Nunca me ha interesado comer en compañía; un rasgo inusitado, tal vez de origen neurótico, pero que no perjudica a nadie. Mire, doctor Lanning, permítame presentarle un caso hipotético. Supongamos que existe un político interesado en derrotar a un candidato reformista a cualquier coste y, al investigar su vida privada, se topa con rarezas como las que acabo de mencionar. Supongamos además que para manchar a ese candidato acude a usted como agente ideal. Tenga por seguro que no va a decirle: «Fulano es un robot porque nunca come en compañía y nunca le he visto dormirse en medio de un caso, y una vez cuando espié por su ventana en medio de la noche allí estaba, despierto y leyendo; y miré en su nevera y no había comida dentro.» Si él le dijera eso, usted mandaría pedir una camisa de fuerza. Pero, si le dice que nunca duermo y que nunca como, esa sorprendente declaración le impide a usted reflexionar que dichas afirmaciones son imposibles de demostrar. Usted le sigue el juego al contribuir el alboroto.

—No obstante —insistió Lanning—, al margen de lo que usted piense del asunto, sólo haría falta esa comida que le he mencionado para darlo por concluido.

De nuevo, Byerley se volvió hacia la mujer, que aún lo miraba inexpresivamente.

—Perdóneme. He entendido bien su nombre, ¿verdad? ¿Doctora Susan Calvin?

—Sí, señor Byerley.

—Usted es la psicóloga de la compañía, ¿verdad?

—Robopsicóloga, por favor.

—Ah. ¿Tan diferente es la mente robótica de la mente humana?

—Están a mundos de distancia. —La doctora sonrió glacialmente—. Los robots son esencialmente decentes.

El abogado contuvo una sonrisa.

—Vaya, qué afirmación tan incisiva. Pero sólo quería decir que, como usted es psicól..., robopsicóloga, y mujer, apuesto a que ha hecho algo en lo cual el doctor Lanning no ha pensado.

—¿A qué se refiere?

—A que se ha traído algo de comer en el bolso.

La estudiada indiferencia de los ojos de Susan Calvin se resquebrajó.

—Me sorprende usted, señor Byerley.

Abrió el bolso y sacó una manzana. Se la entregó en silencio.

El doctor Lanning, después de su sobresalto inicial, siguió el movimiento de una mano a la otra, con ojos alertas.

Stephen Byerley mordió tranquilamente un trozo de la manzana y tranquilamente lo tragó.

—¿Ve usted, doctor Lanning?

El doctor sonrió con un alivio tan evidente que hasta sus cejas irradiaron benevolencia. Pero ese alivio sólo duró un frágil segundo.

—Sentía curiosidad por ver si usted comería —manifestó Susan Calvin—, pero, desde luego, eso no demuestra nada.

Byerley sonrió.

—¿Ah, no?

—Claro que no. Es obvio, doctor Lanning, que si este hombre fuera un robot humanoide sería una imitación perfecta. Es demasiado humano para ser creíble. A fin de cuentas, hemos estado viendo y observando a los seres humanos toda nuestra vida. Un ejemplar ligeramente defectuoso no daría resultado. Tiene que ser convincente. Observe la textura de la tez, la calidad de los iris, la formación de los huesos de la mano. Si es un robot, espero que lo haya fabricado la compañía, porque es un buen trabajo. ¿Cree usted que alguien capaz de prestar atención a tales exquisiteces pasaría por alto un par de dispositivos para encargarse del comer, del dormir y de la eliminación? Sólo en caso de necesidad, tal vez; por ejemplo, para impedir estas situaciones. Así que una comida no prueba nada.

—Un momento —rezongó Lanning—. No soy tan tonto como ustedes creen. No me interesa el problema de la humanidad o inhumanidad del señor Byerley. Me interesa sacar a la empresa de un aprieto. Una comida en público acabaría con el problema, haga lo que haga Quinn. Podemos dejar los detalles más finos para los abogados y los robopsicólogos.

—Pero, doctor Lanning —intervino Byerley—, olvida usted el marco político de la situación. Yo estoy tan ansioso de ser elegido como Quinn de detenerme. A propósito, ¿ha notado que acaba de usar su apellido? Es uno de mis trucos de leguleyo. Sabía que terminaría por mencionarlo.

Lanning se sonrojó.

—¿Qué tienen que ver las elecciones?

—La publicidad funciona en ambos sentidos. Si Quinn quiere llamarme robot y tiene el descaro de hacerlo, yo tengo agallas para seguirle el juego.

Lanning se quedó estupefacto.

—¿Eso significa que usted...?

—Exacto. Eso significa que voy a permitirle continuar, elegir la soga, evaluar su resistencia, cortar la longitud adecuada, preparar el nudo, meter la cabeza dentro y sonreír. Yo me encargaré del resto, que es bien poco.

—Se siente usted muy confiado.

Susan Calvin se puso en pie.

—Vamos, Alfred. No conseguiremos que cambie de opinión.

—¿Ve usted? —le dijo Byerley con una sonrisa—. También es experta en psicología humana.

Pero quizá Byerley no se sintiera tan confiado como creía el doctor Lanning cuando esa noche aparcó el coche en las pistas automáticas que conducían al garaje subterráneo y se encaminó hacia su casa.

El hombre de la silla de ruedas lo recibió con una sonrisa. El rostro de Byerley se iluminó de afecto. Se le acercó.

La voz del lisiado era un susurro ronco y áspero que brotaba de una boca torcida en una mueca tallada sobre el rostro que era mitad tejido cicatrizado.

—Llegas tarde, Steve.

—Lo sé, John, lo sé. Pero hoy me he topado con un curioso e interesante problema.

—¿De veras? —Ni el rostro deforme ni la voz cascada podían comunicar expresiones, pero había ansiedad en los claros ojos—. ¿Algo que no puedes controlar?

—No estoy seguro. Tal vez necesite tu ayuda. Tú eres el chico brillante de la familia. ¿Quieres que te lleve a pasear por el jardín? Hace una noche maravillosa.

Dos fuertes brazos alzaron a John. Suavemente, casi con ternura, Byerley rodeó los hombros y las piernas arropadas del lisiado. Lenta y cuidadosamente, atravesó la habitación, bajó por la rampa destinada a la silla de ruedas y salió por la puerta trasera al jardín de detrás de la casa, rodeado por paredes y alambres.

—¿Por qué no me dejas usar la silla, Steve? Esto es tonto.

—Porque prefiero llevarte. ¿Tienes algo que oponer? Sabes que estás tan contento de apearte un rato de ese artilugio motorizado como yo de llevarte. ¿Qué tal te siéntes hoy?

Depositó a John en la hierba fresca.

—¿Cómo voy a sentirme? Pero háblame de tus problemas.

—La campaña de Quinn se basará en su afirmación de que soy un robot.

John abrió los ojos de par en par.

—¿Cómo lo sabes? Es imposible. No puedo creerlo.

—Te aseguro que es así. Ha hecho ir a uno de los grandes científicos de Robots y Hombres Mecánicos a mi despacho para que hablara conmigo.

John arrancó una brizna de hierba.

—Entiendo, entiendo.

—Pero nos podemos permitir que escoja el terreno —dijo Byerley—. Tengo una idea. Escucha y dime si podemos hacerlo...

La escena que se veía esa noche en el despacho de Lanning era un cuadro viviente de miradas. Francis Quinn miraba reflexivamente a Alfred Lanning, que miraba con furia a Susan Calvin, que miraba impávida a Quinn.

Francis Quinn rompió la tensión, procurando manifestar un poco de buen humor.

—Una bravuconada. Él improvisa sobre la marcha.

—¿Apostaría usted a eso, señor Quinn? —preguntó con indiferencia la doctora Calvin.

—Bien, en realidad es la apuesta de ustedes.

—Mire —dijo Lanning, ocultando su pesimismo con un tono brusco—, hemos hecho lo que usted pidió. Vimos a ese hombre comiendo. Es ridículo suponer que es un robot.

—¿Qué cree usted? —le preguntó Quinn a Calvin—. Lanning dijo que usted era la experta.

—Susan... —empezó Lanning, en un tono casi amenazador.

—¿Por qué no dejarla hablar? Hace media hora que está sentada ahí, como si fuera un poste.

Lanning se sintió acuciado. De las sensaciones que experimentaba a la paranoia incipiente sólo mediaba un paso.

—Muy bien. Habla, Susan. No te interrumpiremos.

Susan Calvin lo miró de soslayo y fijó sus fríos ojos en Quinn.

—Hay sólo dos modos de probar contundentemente que Byerley es un robot. Hasta ahora usted presenta pruebas circunstanciales, con las cuales puede acusar, pero no demostrar; y creo que el señor Byerley es suficientemente sagaz como para refutar ese material. Seguramente usted comparte esta opinión, pues de lo contrario no estaría aquí. Los dos métodos de prueba fehaciente son el físico y el psicológico. Físicamente, se le puede diseccionar o usar rayos X. Sería problema de usted cómo lograrlo. Psicológicamente, se puede estudiar su conducta, pues si es un robot positrónico se debe atener a las tres leyes de la robótica. Un cerebro positrónico no se puede construir sin ellas. ¿Conoce usted las leyes, señor Quinn?

Hablaba con claridad, citando palabra por palabra el famoso texto en negritas de la primera página del *Manual de robótica*.

—He oído hablar de ellas —respondió Quinn, indiferente.

—Entonces será fácil —prosiguió secamente la psicóloga—. Si el señor Byerley infringe una de esas leyes, no es un robot. Lamentablemente, este procedimiento funciona en una sola dirección. Si él respeta las leyes, no prueba nada en ningún sentido.

Quinn enarcó las cejas.

—¿Por qué no, doctora?

—Porque, si usted lo piensa bien, las tres leyes de la robótica constituyen los principios rectores esenciales de muchos sistemas éticos del mundo. Se supone que todo ser humano tiene el instinto de autopreservación. Ésa es la tercera ley para un robot. También se supone que todo ser humano «bueno», con conciencia social y sentido de la responsabilidad, debe respetar la autoridad oportuna; escuchar a su médico, a su jefe, a su Gobierno, a su psiquiatra, a su colega; obedecer las leyes, respetar los reglamentos, conformarse a las costumbres, aun cuando atenten contra su comodidad o su seguridad. Todo eso es la segunda de las leyes. Además, se supone que todo ser humano «bueno» ama a su prójimo como a sí mismo, protege a sus congéneres, arriesga la vida para salvar a otros. Y eso es la primera ley de un robot. Por decirlo con sencillez: si Byerley respeta las tres leyes de la robótica, puede que sea un robot, pero también puede ser sencillamente un buen hombre.

—Pero eso significa que nunca podremos probar que es un robot.

—Quizá podamos probar que no lo es.

—Esa prueba no es la que necesito.

—Obtendrá la prueba que exista. En cuanto a sus necesidades, usted es el único responsable.

La mente de Lanning reaccionó de pronto ante el estímulo de una idea.

—¿Alguien ha pensado que ser fiscal es una ocupación bastante extraña para un robot? Acusar a seres humanos, sentenciarlos a muerte, causarles un perjuicio infinito...

Quinn contraatacó de inmediato:

—No, no puede usted librarse del asunto tan fácilmente. Ser fiscal no lo vuelve humano. ¿No conoce su trayectoria? ¿No sabe usted que alardea de no haber acusado jamás a un inocente, que hay montones de individuos que no fueron juzgados porque las pruebas existentes no lo convencían, aunque tal vez hubiera podido persuadir a un jurado de que los atomizaran? Ésta es la situación.

Las delgadas mejillas de Lanning temblaron.

—No, Quinn, no. Las leyes de la robótica no dejan margen para culpabilizar a los humanos. Un robot no puede juzgar si un ser humano merece la muerte. No le corresponde decidirlo. No puede perjudicar a un ser humano ya sea un canalla, ya sea un ángel.

—Alfred —intervino Susan Calvin, con voz cansada—, no digas tonterías. ¿Y si un robot se topara con un demente dispuesto a incendiar una casa llena de gente? Detendría al demente, ¿verdad?

—Desde luego.

—Y si el único modo de detenerlo fuera matarlo...

Lanning emitió un sonido gutural. Nada más.

—La respuesta, Alfred, es que haría lo posible para no matarlo. Si el demente muriese, el robot necesitaría psicoterapia, pues podría enloquecer ante el conflicto al que se enfrenta: haber quebrantado la primera ley por ceñirse a ella en un grado superior. Pero un hombre estaría muerto, y un robot lo habría matado.

—Bien, ¿acaso Byerley está loco? —preguntó Lanning con sarcasmo.

—No, pero él no ha matado a nadie personalmente. Ha expuesto datos que presentaban a determinado ser humano como peligroso para la gran masa de seres humanos que denominamos sociedad. Protege al mayor número y así se ciñe lo más posible a la primera ley. Hasta ahí llega él. El juez, luego, condena al delincuente a muerte o a prisión, una vez que el jurado decide sobre su culpa o su inocencia. El carcelero lo encierra, el verdugo lo mata; y Byerley no ha hecho más que determinar la verdad y ayudar a la sociedad.

—Señor Quinn, he examinado la carrera del señor Byerley desde que usted nos llamó la atención sobre él. Encuentro que nunca exigió la pena de muerte en sus discursos finales ante el jurado. También encuentro que ha hablado a favor de la abolición de la pena capital y que ha realizado generosas contribuciones a instituciones que investigan la neurofisiología criminal. Aparentemente, cree más en la cura que en el castigo del delito. Eso me parece significativo.

—¿De veras? —Quinn sonrió—. ¿Significativo porque huele a robot encerrado?

—Tal vez. ¿Por qué negarlo? Tales actos sólo podrían provenir de un robot o de un ser humano muy honorable y decente. Pero es imposible diferenciar entre un robot y el mejor de los humanos.

Quinn se reclinó en la silla. La voz le tembló con impaciencia:

—Doctor Lanning, es posible crear un robot humanoide que pudiera imitar perfectamente a un humano en apariencia, ¿verdad?

Lanning carraspeó y reflexionó.

—Nuestra compañía lo ha hecho de un modo experimental —reconoció con desgana—, aunque sin el añadido de un cerebro positrónico. Usando óvulos humanos y controlando las hormonas, es posible generar carne y piel humanas sobre un esqueleto de plástico de silicona porosa, que desafiaría todo examen externo. Los ojos, el cabello y la tez serían realmente humanos, no humanoides. Y si insertamos un cerebro positrónico y los dispositivos que queramos obtendremos un robot humanoide.

—¿Cuánto se tardaría en fabricarlo?

—Teniendo todo el material, es decir, cerebro, esqueleto, óvulo, hormonas y radiaciones, unos dos meses.

El político se levantó de la silla.

—Entonces veremos cómo es por dentro el señor Byerley. Significará mala publicidad para Robots y Hombres Mecánicos, pero ya les di su oportunidad.

Lanning se volvió con impaciencia a Susan Calvin cuando estuvieron a solas.

—¿Por qué insistes...?

Ella respondió con aspereza y sin vacilaciones:

—¿Qué quieres? ¿La verdad, o mi renuncia? No voy a mentir por ti. Robots y Hombres Mecánicos puede cuidarse sola. No te acobardes.

—¿Y qué pasará si abre a Byerley y caen ruedas y engranajes?

—No lo abrirá —contestó Calvin, con desdén—. Byerley es por lo menos tan listo como Quinn.

La noticia cundió por la ciudad una semana antes de la designación de Byerley. Pero «cundió» no es el término adecuado; la noticia se arrastró penosamente por la ciudad, al son de risas y mofas. Y a medida que la mano invisible de Quinn ejercía una presión creciente las risas se volvieron forzadas, se despertó la incertidumbre y la gente empezó a hacerse preguntas.

La convención tuvo el aire de un potro inquieto. No se había previsto ninguna competencia. Una semana antes sólo se hubiera podido designar a Byerley. Ni siquiera existía un sustituto. Tenían que designarlo, pero reinaba una confusión total.

No habría sido tan grave si la gente común no hubiera vacilado entre la enormidad de la acusación, si era cierta, y su sensacionalista estupidez, si era falsa.

Al día siguiente de esa rutinaria designación, un periódico publicó la síntesis de una larga entrevista con la doctora Susan Calvin, «famosa experta internacional en robopsicología y positrónica».

A continuación se produjo lo que el lenguaje popular describe sucintamente como un «revuelo descomunal».

Era lo que esperaban los fundamentalistas. No constituían un partido político ni practicaban una religión formal. Esencialmente, se trataba de quienes no se habían adaptado a lo que otrora se llamaba la Era Atómica, cuando los átomos eran una novedad. Apologistas de la vida sencilla, añoraban una vida que quizá no les hubiera parecido tan sencilla a aquellos que la vivían y que, por consiguiente, también habían sido defensores de la vida sencilla.

Los fundamentalistas no necesitaban nuevas razones para odiar a los robots ni a sus fabricantes; pero una nueva razón, como la acusación de Quinn y el análisis de Calvin, bastaba para que ese odio se manifestara de forma audible.

Las enormes instalaciones de Robots y Hombres Mecánicos eran como una colmena con enjambres de guardias armados, dispuesta para la guerra.

En la ciudad, la casa de Stephen Byerley se hallaba erizada de policías.

La campaña política dejó de lado todos los otros temas y se parecía a una campaña sólo porque era algo que llenaba la pausa entre la designación y las elecciones.

Stephen Byerley no permitió que aquel hombrecillo quisquilloso lo distrajera. No se inmutó ante los uniformes. Fuera de la casa, más allá de la hilera de guardias, los reporteros y los fotógrafos aguardaban, según la tradición de su casta. Incluso una emisora de televisión enfocaba una cámara hacia la entrada del modesto hogar del fiscal, mientras un locutor excitado introducía comentarios exagerados.

Un hombrecillo quisquilloso se adelantó y le mostró un papel oficial.

—Señor Byerley, esta orden del tribunal me autoriza a registrar el edificio en busca de..., bueno..., de hombres mecánicos o robots ilegales.

Byerley tomó el papel, lo miró con indiferencia y lo devolvió sonriendo.

—Todo en orden. Adelante, cumpla con su deber. Señora Hoppen —se dirigió a su ama de llaves, que salió de mala gana de la habitación contigua—. Por favor, acompáñelos y ayúdelos en lo que sea.

El hombrecillo, que se llamaba Harroway, titubeó, se sonrojó, apartó la mirada de los ojos de Byerley y les murmuró a los dos policías:

—Vamos.

Regresó a los diez minutos.

—¿Ha terminado? —preguntó Byerley, con el tono de alguien que no está interesado ni en la pregunta ni en la respuesta.

Harroway se aclaró la garganta, empezó a hablar en un tono demasiado agudo y comenzó de nuevo, de mal humor.

—Mire, señor Byerley, tenemos instrucciones de investigar la casa exhaustivamente.

—¿Y no lo han hecho?

—Nos dijeron qué teníamos que buscar.

—¿Sí?

—En pocas palabras, señor Byerley, nos dijeron que le investigáramos a usted.

El fiscal sonrió.

—¿A mí? ¿Y cómo piensan hacerlo?

—Tenemos una unidad de radiación Penet...

—Así que van a hacerme una radiografía, ¿eh? ¿Tiene la autorización?

—Ya vio la orden.

—¿Puedo verla de nuevo?

Harroway, con la frente reluciendo por algo más que por el mero entusiasmo, se la entregó por segunda vez, y Byerley dijo en un tono neutro:

—Aquí veo la descripción de lo que deben investigar. Cito literalmente: «La vivienda perteneciente a Stephen Allen Byerley, situada en el 355 de Willow Grove, Evanstron, junto con cualquier garaje, almacén u otras estructuras o edificios anexos, junto con todos los terrenos correspondientes, etcétera.» Todo en orden. Pero, buen hombre, aquí no dice nada sobre investigar mi interior. Yo no formo parte del terreno. Puede investigar mi ropa, si cree que llevo un robot escondido en el bolsillo.

Harroway no tenía dudas acerca de sus metas laborales. No se proponía quedarse a la zaga cuando se le presentaba la oportunidad de obtener un empleo mejor, es decir, un empleo mejor pagado.

—Mire —dijo, en un tono vagamente amenazador—, tengo autorización para registrar los muebles de la casa y todo lo que encuentre en ella. Usted está en ella, ¿verdad?

—Una observación notable. Estoy en ella, pero no soy un mueble. Como ciudadano con responsabilidad adulta (y tengo el certificado psiquiátrico que lo demuestra) poseo ciertos derechos, según los artículos regionales. Si me investiga, estará usted violando mi derecho a la intimidad. No le basta con ese papel.

—Claro. Pero si resulta que es un robot no tiene derecho a la intimidad.

—Es verdad, sólo que ese papel no basta, pues me reconoce implícitamente como ser humano.

—¿Dónde?

Harroway se lo arrebató.

—Dónde dice «la vivienda perteneciente a...», etcétera. Un robot no puede poseer propiedades. Y dígale a quien le envía, señor Harroway, que si intenta aparecer con un papel similar, en el que no se me reconozca implícitamente como ser humano, se encontrará de inmediato con un requerimiento judicial y un pleito civil, donde tendrá que probar que soy un robot por medio de la información que posee ahora, o bien pagar una cuantiosa multa por intentar privarme indebidamente de los derechos que me otorgan los artículos regionales. Se lo dirá, ¿no?

Harroway se dirigió hacia la puerta y allí se volvió.

—Es usted un abogado astuto... —Tenía la mano en el bolsillo. Se quedó quieto un momento y, luego, salió, sonrió a la cámara de televisión, saludó a los reporteros y gritó—: ¡Tendremos algo mañana, muchachos! ¡De veras!

En su vehículo, se reclinó, sacó del bolsillo el aparatito y lo inspeccionó. Era la primera vez que tomaba una fotografía por reflexión de rayos X. Esperaba haberlo hecho correctamente.

Quinn y Byerley nunca se habían enfrentado a solas cara a cara. Pero el videófono se parecía bastante a eso. En realidad, tomada literalmente, la frase tal vez era precisa, aunque uno sólo fuese para el otro la imagen de luz y sombras de un banco de fotocélulas.

Fue Quinn quien hizo la llamada. Fue Quinn quien habló primero, y sin ceremonias:

—He pensado que le gustaría saber, Byerley, que me propongo difundir que usted usa un escudo protector antiradiación Penet.

—¿Ah, sí? En ese caso, tal vez ya lo haya difundido. Sospecho que nuestros emprendedores periodistas tienen intervenidas mis diversas líneas de comunicación. Sé que han llenado de agujeros las líneas de mi despacho, y por eso me he atrincherado en mi casa en estas últimas semanas.

Byerley había utilizado un tono amistoso, casi familiar. Quinn apretó ligeramente los labios.

—Esta llamada está totalmente protegida. La estoy efectuando con ciertos riesgos personales.

—Eso imaginaba. Nadie sabe que usted está detrás de esta campaña. Al menos, nadie lo sabe oficialmente. Y nadie lo sabe extraoficialmente. Yo no me preocuparía. ¿Conque uso un escudo protector? Supongo que lo averiguó el otro día, cuando la fotografía que tomó su inexperto sabueso resultó estar sobreexpuesta.

—Como comprenderá, Byerley, sería obvio para

todo el mundo que usted no se atreve a enfrentarse a un análisis de rayos X.

—Y también que usted o sus hombres intentaron violar ilegalmente mi derecho a la intimidad.

—Lo cual les importará un cuerno.

—Tal vez sí les importe. Es bastante simbólico de nuestras dos campañas. Usted se interesa poco por los derechos individuales del ciudadano; yo me intereso mucho. No me someto al análisis de rayos X porque deseo defender mis derechos por principio, tal como defenderé los derechos de otros cuando resulte elegido.

—Un discurso muy interesante, sin duda, pero nadie le creerá. Demasiado rimbombante para ser cierto. —Cambió bruscamente de tono—: Otra cosa, el personal de su casa no estaba completo la otra noche.

—¿En qué sentido?

Quinn movió unos papeles que estaban dentro del radio de visión de la cámara.

—Según el informe, faltaba una persona; un tullido.

—Como usted dice —le confirmó fríamente Byerley—, un tullido. Mi maestro, que vive conmigo y ahora está en el campo, desde hace dos meses. Un «necesitado descanso» es la expresión que se suele aplicar en estos casos. ¿Lo autoriza usted?

—¿Su maestro? ¿Un científico?

—Fue abogado, antes de ser un tullido. Tiene licencia gubernamental como investigador de biofísica con laboratorio propio y ha presentado una descripción total de la tarea que está realizando a las autoridades pertinentes, a las cuales le puedo remitir. Es un trabajo menor, pero representa una afición inofensiva y fascinante para un... pobre tullido. Como ve, brindo toda la colaboración posible.

—Lo he notado. ¿Y qué sabe ese... maestro... sobre manufacturación de robots?

—Yo no podría juzgar sus conocimientos en un campo con el cual no estoy familiarizado.

—¿No tiene acceso a cerebros positrónicos?

—Pregunte a sus amigos de Robots y Hombres Mecánicos. Ellos deberían de saberlo.

—Lo diré sin rodeos, Byerley. Su maestro lisiado es el verdadero Stephen Byerley. Usted es un robot de su creación. Podemos probarlo. Fue él quien sufrió el accidente automovilístico, no usted. Habrá modos de revisar la documentación.

—¿De veras? Pues hágalo. Le deseo lo mejor.

—Y podemos investigar el «retiro campestre» de su presunto maestro y ver qué encontramos allí.

—No crea, Quinn. —Byerley sonrió—. Para usted, mi presunto maestro es un hombre enfermo. Su retiro campestre es su lugar de descanso. Su derecho a la intimidad como ciudadano de responsabilidad adulta es aún más fuerte, dadas las circunstancias. No podrá obtener una orden para entrar en su propiedad sin demostrar una causa justa. No obstante, yo sería el último en impedir que lo intentara.

Hubo una pausa y, al fin, Quinn se inclinó hacia delante, de modo que la imagen de su rostro se expandió y las arrugas de la frente resultaron visibles.

—Byerley, no puede salir elegido.

—¿No?

—¿Cree que puede? ¿No comprende que al no intentar refutar la acusación, algo que podría hacer sencillamente rompiendo una de las tres leyes, no hace sino convencer al pueblo de que es un robot?

—Lo único que comprendo es que, de ser un oscuro abogado, he pasado a ser una figura mundial. Es un gran publicista, Quinn.

—Pero usted es un robot.

—Eso dicen, aunque no se ha demostrado.

—Está suficientemente demostrado para los votantes.

—Entonces, tranquilícese. Ha ganado usted.

—Adiós —dijo Quinn, con su primer toque de cólera, y la pantalla se apagó.

—Adiós —contestó el imperturbable Byerley a la pantalla en blanco.

Byerley llevó de vuelta a su «maestro» la semana previa a las elecciones. El aeromóvil descendió sigilosamente en una parte oscura de la ciudad.

—Te quedarás aquí hasta después de las elecciones —le indicó—. Será mejor que estés alejado si las cosas se ponen feas.

La voz ronca que salió con dificultad de la boca torcida de John parecía mostrar preocupación:

—¿Hay peligro de violencia?

—Los fundamentalistas amenazan con ello, así que supongo que teóricamente sí. Pero no lo creo. Los fundamentalistas no tienen verdadero poder. Son sólo un factor irritante y machacón, que podría provocar un disturbio al cabo de un rato. ¿No te molesta quedarte aquí? Por favor. No actuaré con soltura si he de estar preocupado por ti.

—Oh, me quedaré. ¿Crees que todo irá bien?

—Estoy convencido. ¿Nadie te molestó allí?

—Nadie. Estoy seguro.

—¿Y lo tuyo fue bien?

—Bastante. No habrá problemas.

—Entonces, cuídate y mañana mira la televisión, John.

Byerley le apretó la mano rugosa.

La frente de Lenton era una maraña de arrugas tensas. Tenía el poco envidiable trabajo de ser jefe de campaña de Byerley en una campaña que no era tal y para una persona que rehusaba revelar su estrategia y aceptar la de su jefe de campaña.

—¡No puedes! —Era su frase favorita. Se había transformado en su única frase—. ¡Te digo que no puedes, Steve! —Se plantó frente al fiscal, que hojeaba las páginas mecanografiadas del discurso—. Olvídalo, Steve. Mira, esa concentración la han organizado los fundamentalistas. No conseguirás que te escuchen. Lo más probable es que te tiren piedras. ¿Por qué tienes que echar un discurso en público? ¿Qué tiene de malo una grabación visual?

—Quieres que gane las elecciones, ¿verdad?

—¡Ganar las elecciones! No vas a ganar, Steve. Estoy tratando de salvarte la vida.

—Oh, no corro peligro.

—No corre peligro, no corre peligro —rezongó Lenyton—. ¿Quieres decir que saldrás a ese balcón ante cincuenta mil maniáticos y tratarás de hacerlos entrar en razón? ¿Desde un balcón, como un dictador medieval?

Byerley consultó su reloj.

—Dentro de cinco minutos, en cuanto estén libres las líneas de televisión.

La respuesta de Lenton no es reproducible.

La multitud abarrotaba una zona acordonada de la ciudad. Los árboles y las casas parecían brotar de un terreno que era una masa humana. Y el resto del mundo observaba por ultraonda. Aunque era una elección local, contaba con una audiencia mundial. Byerley pensó en eso y sonrió.

Pero la multitud no daba motivos para sonreír. Había letreros que proclamaban todas las acusaciones posibles, referentes a su presunta condición de robot. La hostilidad era cada vez más intensa y tangible.

El discurso funcionó mal desde el principio. Competía contra el rugido de la muchedumbre y los gritos rítmicos de las camarillas de fundamentalistas, que formaban islas de agitación dentro de la agitación. Byerley continuó hablando con voz lenta y pausada.

En el interior, Lenton gruñía, tirándose del cabello y esperando el derramamiento de sangre.

Hubo una conmoción en las filas delanteras. Un ciudadano enjuto, de ojos saltones y ropas demasiado cortas para su cuerpo larguirucho comenzó a abrirse paso a codazos. Un policía se lanzó hacia él, avanzando trabajosamente. Byerley le hizo señas de que no interviniera. El hombre enjuto se puso bajo el balcón. El rugido de la muchedumbre ahogó sus palabras.

Byerley se inclinó hacia delante.

—¿Qué dice? Si tiene una pregunta que hacer, la responderé. —Se volvió a uno de los guardias—. Traiga aquí a ese hombre.

La multitud se puso tensa. Los gritos de «silencio» se multiplicaron, transformándose en una algarabía que se acalló gradualmente. El hombre delgado, jadeando y con la cara roja, se enfrentó a Byerley.

—¿Tiene algo que preguntar? —repitió Byerley

El hombre delgado lo miró y dijo con voz cascada:

—¡Péegueme! —Con un gesto enérgico, le ofreció la mejilla—. ¡Péegueme! Usted dice que no es un robot. Demuéstrelo. No puede pegarle a un ser humano, so monstruo.

Se hizo un silencio. La voz de Byerley lo rompió:

—No tengo razones para pegarle.

El hombre delgado soltó una carcajada.

—No puede pegarme. No quiere pegarme. No es humano. Usted es un monstruo, un simulacro de hombre.

Y Stephen Byerley, con los labios tensos, frente a millares de individuos que miraban en persona y los millones que miraban por televisión, echó el puño atrás y le asestó un sonoro golpe en la barbilla. El hombre se desplomó, con el rostro demudado por la sorpresa.

—Lo lamento —se disculpó Byerley—. Llévelo dentro y procure que esté cómodo. Quiero hablar con él cuando haya terminado.

Y, cuando la doctora Calvin comenzó a alejarse en automóvil de su espacio reservado, sólo un reportero había recobrado la compostura como para seguirla y gritarle una pregunta.

—Es humano —respondió Susan Calvin por encima del hombro.

Eso fue suficiente.

El reportero echó a correr en dirección contraria. Nadie prestó atención al resto del discurso.

La doctora Calvin y Stephen Byerley se reunieron de nuevo una semana antes de que él prestara juramento como alcalde. Era más de medianoche.

—No parece cansado —dijo la doctora Calvin.

El alcalde electo sonrió.

—Puedo permanecer levantado un buen rato. Pero no se lo cuente a Quinn.

—No lo haré. De todos modos, la historia de Quinn era interesante, ya que la menciona. Es una lástima haberla estropeado. Supongo que usted conocía su teoría.

—En parte.

—Era bastante melodramática. Stephen Byerley era

un joven abogado, un elocuente orador, un gran idealista y tenía un cierto talento para la biofísica. ¿Le interesa la robótica, señor Byerley?

—Sólo en sus aspectos legales.

—A este presunto Stephen Byerley sí le interesaba. Pero ocurrió un accidente. La esposa de Byerley murió y él quedó desfigurado. Perdió las piernas, el rostro y la voz. Parte de su mente quedó... deformada. Se negó a someterse a la cirugía plástica. Se retiró del mundo, abandonó su carrera legal; sólo le quedaban la inteligencia y las manos. De algún modo pudo obtener cerebros positrónicos, incluso uno complejo, uno que tenía una enorme capacidad para formar juicios en problemas éticos, la función robótica más alta que se haya desarrollado hasta ahora. Generó un cuerpo para ese cerebro. Lo adiestró para ser todo lo que él había sido y ya no era. Lo envió al mundo como Stephen Byerley, y él se mantuvo como el viejo y lisiado maestro al que nadie veía nunca...

—Lamentablemente, eché abajo esa historia pegándole a un hombre. Los periódicos dicen que el veredicto oficial que usted dio es que soy humano.

—¿Cómo sucedió? ¿Le importará contármelo? No pudo haber sido accidental.

—No lo fue. Quinn hizo la mayor parte del trabajo. Mis hombres comenzaron a propagar la noticia de que yo jamás había pegado a un hombre, que no podía hacerlo, y que al no responder a la provocación probaría con certeza que era un robot. Así que preparé una absurda aparición en público, con mucha publicidad, y casi inevitablemente un tonto cayó en la trampa. En esencia es lo que yo llamo un truco de leguleyo; un truco en el que todo depende de la atmósfera artificial que se ha creado. Desde luego, los efectos emocionales me dieron una victoria segura, tal como me proponía.

La robopsicóloga asintió con la cabeza.

—Veo que invade usted mi campo, como todo político debe hacerlo, supongo. Pero lamento que resultara así. Me agradan los robots. Me agradan mucho más que los seres humanos. Si se pudiera crear un robot capaz de ser un funcionario público, creo que sería el mejor. Debido a las leyes de la robótica, sería incapaz de dañar a los humanos, ajeno a la tiranía, la corrupción, la estupidez y el prejuicio. Y después de haber realizado una gestión decente se marcharía, aunque fuera inmortal, porque le resultaría imposible dañar a los humanos permitiéndoles saber que un robot los había gobernado. Sería ideal.

—Sólo que un robot podría ser presa de los defectos congénitos de su cerebro. El cerebro positrónico nunca ha igualado las complejidades del cerebro humano.

—Tendría asesores. Ni siquiera un cerebro humano es capaz de gobernar sin ayuda.

Byerley examinó gravemente a Susan Calvin.

—¿Por qué sonríe, doctora Calvin?

—Sonrío porque el señor Quinn no pensó en todo.

—¿Se refiere a que podría añadirse algo más a esa historia de Quinn?

—Sólo un poco. Durante los tres meses previos a las elecciones, ese Stephen Byerley del que hablaba el señor Quinn, el tullido, estuvo en la campiña por alguna razón misteriosa. Regresó a tiempo para ese célebre discurso de usted. Y a fin de cuentas lo que el viejo lisiado hizo una vez pudo hacerlo una segunda, particularmente porque el segundo trabajo es muy simple en comparación con el primero.

—No entiendo.

La doctora Calvin se levantó y se alisó el vestido, disponiéndose a marcharse.

—Quiero decir que hay un solo caso en que un robot puede golpear a un ser humano sin violar la primera ley. Un solo caso.

—¿Cuándo?

La doctora Calvin estaba ya en la puerta.

—Cuando el humano a quien golpea es otro robot —dijo en un tono tranquilo y sonrió, con el rostro radiante. —Adiós, señor Byerley. Espero votarle dentro de cinco años... para coordinador.

Stephen Byerley se rió entre dientes.

—Debo decir a eso que, realmente, me parece una idea bastante rebuscada.

La doctora cerró la puerta.

La miré horrorizado.

—¿Es verdad?

—Totalmente —dijo ella.

—Así que el gran Byerley era simplemente un robot.

—Oh, no hay modo de averiguarlo. Yo creo que lo era. Pero cuando decidió morir se hizo atomizar, así que nunca tendremos pruebas legales fehacientes. Además, ¿cuál sería la diferencia?

—Bueno...

—Usted también tiene ese prejuicio contra los robots, que es muy irracional. Fue un excelente alcalde; cinco años después, llegó a coordinador regional. Y cuando las regiones de la Tierra formaron la Federación, en el año 2044, fue el primer coordinador mundial. Para entonces, las máquinas dirigían el mundo, de todas formas.

—Sí, pero...

—¡Sin peros! Las máquinas son robots y dirigen el mundo. Averigüé toda la verdad hace cinco años. Fue en el 2052, cuando Byerley completaba su segundo periodo como coordinador mundial...

LA CARRERA DE LA REINA ROJA

He aquí una adivinanza, si me permiten: ¿Es delito traducir un texto de química al griego?

O digámoslo de otro modo: Si una de las mayores plantas atómicas del país queda destrozada por un experimento no autorizado, ¿alguien que confiesa haber participado en ese acto es un delincuente?

Estos problemas surgieron gradualmente, por supuesto. Comenzaron con la planta atómica, que se agotó. Se agotó, literalmente. No sé cómo de grande era su fuente de energía fisionable, pero se fisionó en un par de microsegundos.

No hubo explosión ni densidad indebida de rayos gamma. Fue sólo que todas las piezas móviles de la estructura se fundieron. El edificio principal estaba muy caliente. La atmósfera estaba tibia en tres kilómetros a la redonda. Sólo quedaba un edificio muerto e inservible, cuyo reemplazo costaría cien millones de dólares.

Sucedió a eso de las tres de la madrugada, y encontraron a Elmer Tywood en la cámara central. Los hallazgos de las veinticuatro vertiginosas horas siguientes se pueden sintetizar rápidamente.

1. Elmer Tywood —doctor en filosofía, doctor en ciencias, catedrático de aquí y miembro honorario de allá, exparticipante juvenil en el proyecto Manhat

tan y profesor de física nuclear— no era un intruso. Tenía un pase de clase A: ilimitado. Pero no se halló ninguna documentación que justificara su presencia allí en ese momento. Una mesa sobre ruedecillas contenía utensilios no adquiridos oficialmente. Aquello también era una masa fusionada, aunque no se encontraba tan caliente como para no tocarla.

2. Elmer Tywood estaba muerto. Yacía junto a la mesa, con el rostro congestionado y casi negro. Sin efectos de radiación. Sin fuerzas externas de ninguna clase. El médico dictaminó apoplejía.

3. En la caja de caudales de la oficina de Elmer Tywood había dos cosas desconcertantes: veinte hojas grandes de papel con escritos matemáticos y unos folios encuadernados y redactados en un idioma extranjero, que resultó ser griego; la traducción reveló que se trataba de un texto de química.

El secreto que envolvió esa maraña era tan abrumador que mataba todo lo que tocaba. Es el único modo de describirlo. Veintisiete hombres y mujeres en total, entre ellos el ministro de Defensa, el ministro de Ciencias y un par de funcionarios tan importantes que eran totalmente desconocidos para el público, entraron en la planta durante la investigación. Todos los que habían estado esa noche en la planta, incluidos el físico que identificó a Tywood y el médico que lo examinó, se recluyeron en sus hogares en un virtual arresto domiciliario.

Ningún periódico recibió la historia. Ningún informador la consiguió. Pocos parlamentarios participaron en ella.

¡Y era lógico! Cualquier persona, grupo o país, que pudiera sorber toda la energía disponible del equivalente de unos cincuenta kilos de plutonio sin hacerlo estallar, tenía la industria y la defensa norteamericanas tan cómodamente en la palma de la mano que la luz y la vida de ciento sesenta millones de personas se podían extinguir en un santiamén.

¿Era Tywood? ¿Tywood y otros? ¿O sólo otros, con la mediación de Tywood?

¿Y mi trabajo? Yo fui un señuelo, el que ponía la cara. Alguien tenía que rondar por la universidad y hacer preguntas sobre Tywood. A fin de cuentas, el hombre había desaparecido. Podía ser amnesia, un asalto, un secuestro, un homicidio, una fuga, demencia, un accidente... Lo mismo podría yo trabajar en ello cinco años y atraer miradas hostiles, y tal vez hasta desviar la atención. Claro que no resultó así.

Pero no se crean que estuve en el centro del caso desde el comienzo. No fui una de las veintisiete personas que mencioné hace un momento, aunque mi jefe sí. Pero yo sabía algo; lo suficiente para empezar.

El profesor John Keyser también enseñaba física. No llegué a él en seguida. Primero tuve que efectuar muchas tareas rutinarias, y del modo más concienzudo posible. Absolutamente inútiles. Absolutamente necesarias. Pero me encontraba ya en el despacho de Keyser.

Los despachos de los profesores son inconfundibles. Nadie los limpia, excepto una mujer fatigada y que trajina de un lado a otro a las ocho de la mañana, y de todos modos el profesor nunca repara en el polvo. Muchos libros en desorden. Los que se hallan cerca del escritorio están muy usados, pues de allí se toman apuntes para las clases. Los más alejados se encuentran donde los dejó un estudiante después de pedirlos prestados. Luego, hay publicaciones especializadas que parecen baratas, pero son carísimas y aguardan el momento de ser leídas. Y muchos papeles en el escritorio, a veces plagados de garabatos.

Keyser era un hombre de edad. Pertenecía a la generación de Tywood. Tenía una nariz grande y roja y fumaba en pipa, y tenía también esa mirada plácida y afable que acompaña a un empleo académico, ya sea porque esa clase de trabajo atrae a esa clase de hombres o porque esa clase de trabajo forja esa clase de hombres.

—¿En qué trabajaba el profesor Tywood? —pregunté.

—Investigaba en física.

Esas respuestas me dejan impávido, pero hace años me sacaban de quicio.

—Eso ya lo sabemos, profesor —me limité a decir—. Pregunto por los detalles.

—Los detalles no le servirán de mucho, a menos que usted sea un investigador en física —replicó paternalmente—. ¿Importa eso, dadas las circunstancias?

—Tal vez no. Pero ha desaparecido. Si le ocurrió algo... —Hice un ademán significativo—. Si fue víctima de un delito, por ejemplo, tal vez su trabajo tuvo algo que ver. A no ser que sea rico y el motivo esté en el dinero.

Keyser se rió secamente.

—Los profesores universitarios nunca son ricos. La mercancía que vendemos está poco valorada, considerando que la oferta es grande.

Pasé por alto esa observación, pues sé que mi apariencia no me ayuda. Terminé la universidad con un «muy bien», traducido al latín para que el rector pudiera entenderlo, y nunca he jugado un partido de fútbol en mi vida. Pero aparento todo lo contrario.

—Entonces, nos queda su trabajo —sugerí.

—¿Se refiere usted a espías, a una intriga internacional?

—¿Por qué no? ¡Ha ocurrido antes! A fin de cuentas es físico nuclear, ¿o no?

—Lo es. Pero también lo son otros. También lo soy yo.

—Ah, pero tal vez él sepa algo que usted no sabe.

Se le endureció la mandíbula. Cuando los sorprenden desprevenidos, los profesores se comportan como personas.

—Por lo que recuerdo —dijo envaradamente—, Tywood ha publicado artículos sobre el efecto de la viscosidad líquida en las alas de la línea Raleigh, sobre ecuaciones de campo de órbita alta y sobre el acoplamiento de la órbita de rotación de dos nucleones; pero su trabajo principal trata de momentos del cuadripolo. Soy muy competente en esas materias.

—¿Está trabajando en momentos del cuadripolo ahora?

Intenté no pestañear y creo que lo conseguí.

—Sí, en cierto modo. —Y añadió con tono socarrón—: Tal vez esté llegando finalmente a la etapa experimental. Parece ser que ha dedicado toda la vida a elaborar las consecuencias matemáticas de una teoría suya.

—Como ésta —dije, arrojándole una hoja de papel.

Era una de las hojas que estaban en la caja de caudales de Tywood. Posiblemente ese fajo no significara nada, pues a fin de cuentas se trataba de la caja de caudales de un profesor. Muchos profesores guardan sus cosas sin pensarlo, sencillamente porque el cajón correspondiente está atiborrado de exámenes sin corregir. Y, por supuesto, nunca sacan nada.

En la caja habíamos encontrado redomas polvorientas, de cristal amarillento y una etiqueta apenas legible, algunos folletos mimeografiados que databan de la Segunda Guerra Mundial y en los que ponía «restringido», un ejemplar de un viejo anuario universitario, correspondencia concerniente a un posible puesto como director de investigaciones de American Electric, fechado diez años atrás, y, por supuesto, el texto de química en griego.

También estaban esas grandes hojas de papel; enrolladas como un diploma, sujetas con una goma elástica, sin etiqueta ni título; unas veinte hojas plagadas de marcas en tinta, meticulosas y pequeñas.

Yo tenía una de esas hojas. No creo que nadie en el mundo tuviera más de una hoja. Y estoy seguro de que ningún hombre en el mundo, salvo uno, sabía que las pérdidas de su hoja y de su vida serían tan simultáneas como el Gobierno pudiera lograr.

Le tiré la hoja a Keyser, como si me la hubiera encontrado volando por el recinto universitario.

La miró, examinó el dorso, que estaba en blanco, lo estudió de arriba abajo y volvió a darle la vuelta.

—No sé de qué se trata —comentó en tono cortante.

No dije nada. Doblé el papel y me lo guardé en el bolsillo interior de la americana.

—Es una falacia común entre los legos pensar que los científicos pueden echarle un vistazo a una ecuación y escribir un libro sobre ella —añadió Keyser, con petulancia—. La matemática no tiene existencia propia. Es sólo un código arbitrario, diseñado para describir observaciones físicas o conceptos filosóficos. Cada uno puede adaptarla a sus propias necesidades. Por ejemplo, no hay nadie capaz de mirar un símbolo y saber a ciencia cierta qué significa. Hasta ahora la ciencia ha usado todas las letras del alfabeto, en mayúscula, en minúscula y en bastardilla, cada una de ellas simbolizando muchas cosas diferentes. Ha usado negritas, góticas, letras griegas, tanto mayúsculas como minúsculas, subíndices, sobreíndices, asteriscos y hasta letras hebreas. Diferentes científicos usan diferentes símbolos para el mismo concepto, y el mismo símbolo para conceptos diferentes. Si se le muestra una página suelta como ésta a cualquier hombre, sin información ninguna sobre el tema que se investiga o sobre la simbología utilizada, no podrá entender ni jota.

—Pero usted dijo que él estaba trabajando en momentos del cuadripolo. ¿Eso le infunde sentido? —Y me toqué el lugar del pecho donde ese papel me estaba haciendo un agujero en la americana desde hacía dos días.

—Lo ignoro. No he visto ninguna de las relaciones estándar que esperaba. O no reconocí ninguna. Pero, obviamente, no puedo comprometerme. —Tras un breve silencio, añadió—: Le sugiero que consulte a su alumnos.

Enarqué las cejas.

—¿En sus clases?

—¡No, por amor de Dios! —exclamó con fastidio—. ¡Sus alumnos de investigación! ¡Sus candidatos al doctorado! Ellos han trabajado con él, conocerán los detalles de esa labor mejor que yo o que cualquier otro profesor.

—No es mala idea —dije, como sin darle importancia.

Y no era nada mala. No sé por qué, pero ni siquiera a mí se me hubiera ocurrido. Supongo que es natural pensar que un profesor sabe más que cualquier estudiante.

Keyser se cerró una solapa con la mano cuando me levanté para marcharme.

—Además —agregó—, creo que usted anda por mal camino. Se lo digo en confianza, entiéndame, y no lo diría si no fuera por estas inusitadas circunstancias, pero

Tywood no tiene mucho prestigio en su profesión. Sí, es un profesor aceptable, pero sus investigaciones nunca se han ganado el respeto. Subyace siempre una tendencia hacia las teorías vagas, no respaldadas por pruebas experimentales. Ese papel que me ha enseñado probablemente sea similar. Nadie querría... secuestrarlo por eso.

—¿De veras? Lo entiendo. ¿Tiene usted alguna idea de por qué ha desaparecido, o adónde ha ido?

—Nada concreto —respondió, frunciendo los labios—, pero todos saben que es un hombre enfermo. Hace dos años sufrió un ataque de apoplejía que le impidió dar clases durante un semestre. Nunca se repuso del todo. El lado izquierdo le quedó paralizado un tiempo, y todavía cojea. Otro ataque lo mataría. Podría ocurrir en cualquier momento.

—Entonces, ¿cree que está muerto?

—No es imposible.

—¿Pero dónde está el cuerpo?

—Bueno, mire... Creo que ése es su trabajo.

Así era, y me marché.

Entrevisté a cada uno de los cuatro estudiantes de Tywood en un reducto del caos, llamado laboratorio de investigación. Estos laboratorios suelen contar con dos estudiantes prometedores, que constituyen una población flotante, pues cada año son reemplazados alternativamente.

En consecuencia, el laboratorio tiene el equipo apilado en varios niveles. En los bancos de laboratorio se encuentra el equipo que se usa inmediatamente y, en tres o cuatro cajones que están a mano, se acumulan repuestos o suplementos que se usan con frecuencia. Los cajones más alejados, los que se hallan más cerca del techo y en los rincones, están abarrotados de vestigios de pasadas generaciones de estudiantes, rarezas nunca usadas y nunca desechadas. Se afirma que ningún estudiante conoció jamás todo el contenido de su laboratorio.

Los cuatro estudiantes de Tywood estaban preocupados; pero tres lo estaban principalmente por su propia situación, es decir, por el posible efecto de la ausencia de Tywood en la resolución de su «problema científico». Descarté a esos tres —quienes espero que ya se hayan graduado— y llamé al cuarto.

Era el más ojeroso y el menos comunicativo, lo cual me daba esperanzas. Permaneció sentado rígidamente en la silla de la derecha del escritorio mientras yo me reclinaba en una crujiente silla giratoria y me apartaba el sombrero de la frente. Se llamaba Edwin Howe y se graduó más tarde. Lo sé con certeza porque era un personaje importante en el Ministerio de Ciencias.

—Supongo que haces el mismo trabajo que los demás chicos —le dije.

—Todo es física nuclear.

—¿Pero no todo es igual?

Sacudió la cabeza.

—Tomamos diferentes aspectos. Es preciso tener algo bien definido, pues si no resulta imposible publicar. Tenemos que graduarnos.

Lo dijo como cualquier otro hubiera dicho: «Tenemos que ganarnos la vida.» Y tal vez sea lo mismo para ellos.

—De acuerdo. ¿Cuál es tu aspecto?

—Me encargo de la matemática. Con el profesor Tywood.

—¿Qué clase de matemática?

Y sonrió apenas, creando la misma atmósfera que yo había notado esa mañana en el despacho del profesor Keyser. Una atmósfera que decía: «¿Crees que puedo explicar todos mis pensamientos profundos a un zopenco como tú?» Pero en voz alta sólo dijo:

—Sería complicado explicarlo.

—Te ayudaré. ¿Se parece a esto?

Y le mostré la hoja de papel.

Ni siquiera le echó un vistazo. Lo agarró con la mano y dejó escapar un débil gemido.

—¿Dónde lo consiguió?

—En la caja de caudales de Tywood.

—¿También tiene el resto?

—Está a buen recaudo.

Se relajó un poco; sólo un poco.

—No se lo ha enseñado a nadie, ¿verdad?

—Se lo enseñé al profesor Keyser.

Howe gruñó con el labio inferior y los dientes frontales.

—¡Ese imbécil! ¿Qué dijo?

Alcé las palmas de las manos y Howe sonrió.

—Bien. —Utilizó un tono desenvuelto—. Eso es lo que hago.

—¿Y de qué se trata? Explícalo de modo que pueda entenderlo.

Titubeó.

—Mire, esto es confidencial. Ni siquiera lo saben los demás alumnos de Tywood. No creo que yo lo sepa todo. No ando sólo en busca de un título. Se trata del premio Nobel de Tywood, y para mí significará un puesto de profesor auxiliar en el Tecnológico de California. No conviene hablar de esto antes de publicarlo.

Moví la cabeza lentamente y hablé muy despacio:

—No, hijo. Es precisamente al revés. Conviene hablar de esto antes de publicarlo, porque Tywood ha desaparecido y tal vez esté muerto. Y si está muerto quizá lo asesinaron. Y cuando el departamento tiene una sospecha de asesinato todo el mundo habla. En una palabra, vas a quedar muy mal si tratas de guardar secretos.

Funcionó. Yo sabía que funcionaría, porque todos leen novelas policíacas y conocen los estereotipos. Él se levantó de la silla y soltó las palabras como si las estuviera leyendo.

—Pero no sospechará de mí... ni nada parecido... Vaya..., mi carrera...

Le hice sentarse de nuevo; en su frente empezaban a aparecer gotitas de sudor. Pasé a la línea siguiente:

—Aún no sospecho de nadie ni de nada. Y no te verás en apuros si hablas, compañero.

Estaba dispuesto a hablar.

—Todo esto es estrictamente confidencial —insistió.

Pobre muchacho. No conocía el significado de «estrictamente». No volvió a estar fuera de la vista de un agente desde aquel momento hasta que el Gobierno decidió enterrar el caso con un comentario final que decía: «?»; así, encerrado entre comillas. (No bromeo. Hoy el caso no está ni abierto ni cerrado. Es sólo una «?».)

—Supongo que sabe usted qué es el viaje en el tiempo —balbució.

Claro que lo sabía. Mi hijo mayor tiene doce años y se pasa la tarde entera mirando los programas de vídeo hasta que se hincha visiblemente con la bazofia que absorbe por los ojos y las orejas.

—¿Qué pasa con el viaje en el tiempo?

—En cierto sentido, podemos hacerlo. En realidad, sólo se trata de lo que se podría llamar traslación microtemporal...

Casi perdí los estribos. De hecho, creo que los perdí. Parecía evidente que ese badulaque trataba de hacerse el listo, y sin ninguna sutileza. Estoy habituado a que la gente me tome por tonto, pero no hasta ese punto. Me salió la voz de lo más hondo de la garganta:

—¿Vas a decirme que Tywood está en alguna parte del tiempo, como Ace Rogers, el Llanero Solitario del Tiempo?

Se trataba del programa favorito de mi hijo. Esa semana, Ace Rogers luchaba contra Gengis Khan sin ayuda de nadie.

Pero él se enfureció tanto como yo.

—¡No! —gritó—. ¡No sé dónde está Tywood! ¡Si usted me escuchara...! He dicho traslación microtemporal. Esto no es un programa de vídeo ni es magia; es ciencia. Por ejemplo, conocerá usted la equivalencia materia-energía, ¿verdad?

Asentí amargamente. Todo el mundo lo sabe, desde lo que pasó en Hiroshima durante la penúltima guerra.

—De acuerdo —continuó—, eso está bien para empezar. Si se toma una masa de materia y se le aplica traslación temporal, es decir, se la envía hacia atrás en el tiempo, se está creando materia en el punto del tiempo adonde se envía. Para ello, ha de utilizarse una cantidad de energía equivalente a la cantidad de materia creada. En otras palabras, para enviar un gramo de cualquier cosa hacia atrás en el tiempo, se debe desintegrar totalmente un gramo de materia, con el fin de suministrar la energía requerida.

—Ya. Eso es para crear el gramo de materia en el pasado; pero ¿no se destruye un gramo de materia al eliminarlo del presente? ¿Eso no crea una cantidad equivalente de energía?

Y aparentó tanto fastidio como alguien que se sentara sobre una abeja que no estuviese del todo muerta. Al parecer, los legos no deben cuestionar a los científicos.

—Yo trataba de simplificar para que usted lo entendiera. En realidad es más complicado. Sería sensacional si pudiéramos usar la energía de desaparición para hacerla aparecer, pero, créame, eso sería trabajar en círculos. Los requirimientos de la entropía lo impedirían. Por decirlo con mayor rigor, se requiere que la energía se transforme en inercia temporal, y resulta que la energía en ergios necesaria para enviar una masa en gramos equivale a esa masa al cuadrado de la velocidad de la luz en centímetros por segundo, que es la ecuación de equivalencia masa-energía de Einstein. Puedo darle los fundamentos matemáticos, si quiere.

—No, gracias. —Hice esfuerzos por contener esa inoportuna impaciencia—. ¿Pero todo esto se verificó experimentalmente, o sólo sobre el papel?

Obviamente, lo importante era dejarle hablar.

Los ojos le relucieron con ese extraño brillo, propio de todos los estudiantes de investigación, por lo que me han dicho, cuando se les pide que hablen de su problema científico. Lo comentan con cualquiera, incluso con un «lego ignorante», como en aquel momento.

—Verá usted —dijo, como un hombre que nos desliza datos confidenciales sobre una transacción dudosa—, todo comenzó con este asunto del neutrino. Tratan de encontrar ese neutrino desde fines de los años treinta y no lo han conseguido. Es una partícula subatómica, que no tiene carga y cuya masa es todavía más pequeña que la de un electrón. Naturalmente, resulta casi imposible de detectar y aún no ha sido detectada. Pero siguen buscando porque, sin suponer que existe el neutrino, no se pueden equilibrar los factores enérgicos de algunas reacciones nucleares. Así que el profesor Tywood tuvo hace veinte años la idea de que alguna energía estaba desapareciendo en forma de materia, retrocediendo en el tiempo. Nos pusimos a trabajar en eso; mejor dicho, él se puso a trabajar, y yo soy el primer estudiante que colabora en ello. Como es lógico, teníamos que trabajar en cantidades diminutas de materia y..., bien, fue un golpe de genio del profesor comenzar a usar vestigios de isótopos radiactivos artificiales. Se puede trabajar con pocos microgramos, siguiendo su actividad con contadores. La variación de actividad con el tiempo debería seguir una ley muy definida y simple que nunca ha sido alterada por ninguna condición de laboratorio conocida. Bueno, el caso es que enviábamos una partícula quince minutos hacia atrás, por ejemplo, y quince minutos antes (todo estaba dispuesto automáticamente, ya me entiende) la cuenta saltaba a casi el doble, descendía normalmente y bajaba bruscamente en el momento del envío, por debajo de donde debía haber estado normalmente. El material se superponía a sí mismo en el tiempo y, durante quince minutos, contábamos el material duplicado...

—Es decir que los mismos átomos exitían en dos sitios al mismo tiempo —interrumpí.

—Sí —concedió sorprendido—, ¿por qué no? Por eso usamos tanta energía; el equivalente de la creación de esos átomos. Ahora le diré en qué consiste mi trabajo. Si se envía el material quince minutos atrás, aparentemente se envía al mismo sitio en relación con la Tierra, a pesar de que en quince minutos la Tierra se ha desplazado veinticinco mil kilómetros alrededor del Sol, y el Sol, a su vez, mil quinientos kilómetros más y así sucesivamente. Pero hay ciertas discrepancias diminutas que he analizado y que posiblemente se deban a dos causas. La primera es que se da un efecto friccional, si se permite semejante término, de modo que la materia se desplaza un poco respecto a la Tierra según a qué distancia se la envíe en el tiempo y según la naturaleza del material. Otra parte de la discrepancia sólo se puede explicar suponiendo que el propio tránsito por el tiempo lleva tiempo.

—¿Cómo es eso?

—Quiero decir que parte de la radiactividad se propaga paralelamente por el tiempo de traslación, como si el material hubiera estado reaccionando durante el retroceso en el tiempo según una cantidad constante. Mis cifras muestran que si uno retrocede en el tiempo envejece un día cada cien años. O, por decirlo de otro modo, si se pudiera observar un mediador que registrase el tiempo externo de una «máquina del tiempo», un reloj avanzaría veinticuatro horas mientras el mediador retrocedería cien años. Es una constante universal, creo, porque la velocidad de la luz es una constante universal. Sea como fuere, ése es mi trabajo.

Tras unos minutos de rumiar todo aquello pregunté:

—¿Dónde se obtenía la energía necesaria para los experimentos?

—Había una línea especial desde la planta energética. El profesor tiene mucha influencia allí y logró ese acuerdo.

—Ya. ¿Cuál fue la mayor cantidad de materia que enviasteis al pasado?

—Oh... Creo que enviamos una centésima de miligramo una vez. Son diez microgramos.

—¿Alguna vez intentasteis enviar algo al futuro?

—Eso no funciona. No se puede cambiar de signo de ese modo, porque la energía requerida se vuelve más que infinita. Hay una sola dirección.

Me observé las uñas.

—¿Cuánta materia se podría enviar hacia atrás en el tiempo si se fisionaran... cincuenta kilos de plutonio?

Pensé que todo se estaba volviendo muy obvio.

—En fisión de plutonio —fue su rápida respuesta—, no más del uno o el dos por ciento de la masa se convierte en energía. Por tanto, el consumo de cincuenta kilos de plutonio enviaría un kilo atrás en el tiempo.

—¿Eso es todo? ¿Y se puede manipular tanta energía? Cincuenta kilos de plutonio causarían una tremenda explosión.

—Es relativo —replicó él pomposamente—. Si se toma toda esa energía y se la libera poco a poco, puede manipularse. Si se la libera de golpe, pero se usa tan rápidamente como se libera, aún se puede manipular. Al enviar materia hacia atrás en el tiempo, la energía se puede consumir mucho más rápidamente de lo que es posible liberarla aun mediante la fisión. Teóricamente, al menos.

—¿Pero cómo se deshace uno de ella?

—Se distribuye a través del tiempo, naturalmente. El tiempo mínimo, a través del cual se podría transferir materia, dependería así de la masa material. De lo contrario, se corre el riesgo de que la densidad de energía sea demasiado alta respecto del tiempo.

—Muy bien, chaval. Llamaré a jefatura y enviarán un hombre para acompañarte a casa. Te quedarás allí durante un tiempo.

—¿Pero por qué?

—No será mucho tiempo.

No lo fue, y luego le fue compensado.

Pasé la noche en jefatura. Allí teníamos una biblioteca, una biblioteca muy especial. La mañana posterior a la explosión, dos o tres agentes habían ido sigilosamente a las bibliotecas de química y física de la universidad. Expertos a su manera. Localizaron todos los artículos que Tywood había publicado en revistas científicas y arrancaron las páginas. No tocaron ninguna otra cosa.

Otros hombres registraron archivos de revistas y catálogos de libros. El resultado fue una habitación de jefatura convertida en biblioteca especializada en Tywood. No había un propósito definido en esto; representaba simplemente parte de la meticulosidad con que se aborda un problema de esta naturaleza.

Recorrí esa biblioteca. No los artículos científicos, pues sabía que allí no hallaría lo que buscaba. Pero Tywood había escrito una serie de artículos para una revista veinte años atrás, y los leí. Y eché mano de todas las cartas privadas que había disponibles.

Después de eso me senté a pensar, y me asusté.

Me acosté a las cuatro de la mañana y tuve pesadillas.

Pero, aun así, estuve en el despacho del jefe a las nueve de la mañana.

El jefe es un hombre corpulento, de cabello gris y lacio. No fuma, pero tiene una caja de puros sobre el escritorio y, cuando quiere guardar silencio durante segundos, toma uno, lo hace rodar, lo huele, se lo mete en la boca y lo enciende con sumo cuidado. Para entonces, ya tiene algo que decir o no tiene nada que decir. Entonces, abandona el puro y deja que se consuma.

Una caja le dura tres semanas y, cada Navidad, la mitad de sus paquetes de regalos contienen cajas de puros.

Pero no buscó un puro aquel día. Se limitó a entrelazar sus manazas sobre el escritorio y me miró arrugando el entrecejo.

—¿Qué pasa?

Se lo conté. Lentamente, porque la traslación microtemporal no le cae bien a nadie, especialmente cuando uno la llama viaje en el tiempo, como hice yo. Tan grave era la situación que sólo una vez me preguntó que si estaba chiflado.

Y cuando terminé nos miramos fijamente.

—¿Y crees que trató de enviar algo hacia atrás en el tiempo, algo que pesaba un kilo, y que por eso voló una planta entera?

—Concuerda —respondí.

Le dejé tranquilo un rato. Él estaba pensando y yo quería que siguiera pensando; quería que llegara a pensar lo mismo que yo pensaba, para no tener que decirle...

Porque odiaba tener que decirle...

Ante todo, porque era descabellado. Y demasiado espantoso, por otra parte.

Así que cerré el pico y él siguió pensando y, de vez en cuando, algunos de sus pensamientos afloraban a la superficie.

—Suponiendo que el estudiante, Howe, haya dicho la verdad... —dijo al cabo de un rato—. Aunque sería mejor que mirases sus notas, de las que espero que te hayas apropiado...

—Toda esa ala del edificio está cerrada, señor. Edwards tiene las notas.

—De acuerdo. Suponiendo que nos haya dicho toda la verdad, ¿por qué Tywood pasó de menos de un miligramo a medio kilogramo? —Me miró con dureza—. Tú te estás concentrando en el viaje temporal. Entiendo que para ti eso es lo crucial y que la energía involucrada es algo secundario, totalmente secundario.

—Sí, señor —murmuré—. Eso es lo que creo.

—¿Has pensado que quizá te equivoques, que quizá sea al revés?

—No le entiendo.

—Bien, escucha. Dices que has leído a Tywood. De acuerdo. Él pertenecía a ese puñado de científicos que después de la Segunda Guerra Mundial se opuso a la bomba atómica; propiciaban un estado mundial... Lo sabes, ¿verdad?

Asentí en silencio.

—Tenía un complejo de culpa —continuó el jefe—. Había ayudado a construir la bomba, y pasaba las noches en vela pensando en lo que había hecho. Convivió con ese temor durante años. Y, aunque la bomba no se usó en la Tercera Guerra Mundial, podrás imaginar lo que significaba para él cada día de incertidumbre. ¿Imaginas el paralizante horror en su alma, mientras aguardaba a que otros tomaran la decisión, en cada momento crucial, hasta el Tratado del Sesenta y Cinco? Tenemos un análisis psiquiátrico completo de Tywood y de otros individuos parecidos, realizados durante la última guerra. ¿Lo sabías?

—No, señor.

—Pues sí. Los interrumpimos después del 65, ya que, con el establecimiento del control mundial de la energía atómica, con la eliminación de la provisión de bombas atómicas de todos los países y con la creación de investigaciones conjuntas entre las diversas esferas de influencia del planeta, el conflicto ético dejó de preocupar a los científicos. De todos modos, por esa época hubo descubrimientos serios. En 1964, Tywood sentía un morboso odio subconsciente por el concepto mismo de energía atómica. Comenzó a cometer errores graves y, finalmente, tuvimos que retirarlo de todo proyecto de investigación. También a otros, aunque las cosas parecían ir bastante mal en aquellos tiempos, pues acabábamos de perder la India, como recordarás.

Considerando que yo estaba en la India en esa época, lo recordaba. Pero aún no entendía de qué iba.

—Ahora bien —continuó—, ¿qué ocurriría si vestigios de esa actitud permanecieran soterradas en

Tywood hasta el final? ¿No ves que el viaje en el tiempo es una espada de doble filo? ¿Por qué lanzar medio kilogramo de algo hacia el pasado? ¿Para demostrar qué? Demostró estar en lo cierto cuando envió una fracción de miligramo. Eso era suficiente para el Nobel. Pero con medio kilogramo de materia haría algo que no podía hacer con un miligramo: agotar una planta energética. Ése debía de ser su propósito. Había descubierto un modo de consumir cantidades inconcebibles de energía. Enviando cuarenta kilos de basura, podría eliminar todo el plutonio existente en el mundo, terminar con la energía atómica por un periodo indefinido.

La explicación me tenía sin cuidado, pero traté de no aparentarlo. Sólo dije:

—¿Cree que él pensaba que podía salirse con la suya más de una vez?

—Todo se basa en que no era un hombre normal ¿Cómo saber lo que creía que podía hacer? Además, puede ser que haya otros detrás, con menos conocimientos científicos y más seso, que estén dispuestos a continuar a partir de este punto.

—¿Se ha hallado a alguno de estos hombres? ¿Existen pruebas de que existen?

Hizo una pausa y tendió la mano hacia la caja de puros. Miró el puro y le dio la vuelta. Otra pausa. Fui paciente.

Luego, lo dejó resueltamente, sin encenderlo.

—No —contestó. Me miró a mí, miró a través de mí—. ¿Así que no te convence la idea?

Me encogí de hombros.

—Pues... no suena bien.

—¿Tienes otra explicación?

—Sí, pero me cuesta hablar de ella. Si estoy equivocado, soy el hombre más equivocado que ha existido. Pero si tengo razón nadie ha tenido más razón.

—Te escucho —dijo, y metió la mano bajo el escritorio.

Me había tomado en serio. Esa habitación era blindada, a prueba de sonidos y a prueba de radiación, excepto en el caso de una explosión nuclear. Y con esa pequeña señal encendida en el escritorio de la secretaria ni siquiera el presidente de Estados Unidos hubiera podido interrumpirnos.

Me recliné y dije:

—Jefe, ¿usted recuerda cómo conoció a su esposa? ¿Fue por una nimiedad?

Seguro que pensó que yo deliraba. ¿Qué otra cosa pudo pensar? Pero me siguió la corriente. Supongo que tenía sus razones.

—Estornudé y ella se dio la vuelta —respondió con una sonrisa—. Fue en una esquina.

—¿Por qué estaba en esa esquina en ese momento? ¿Por qué estaba ella? ¿Recuerda usted por qué estornudó? ¿Dónde cogió el resfriado? ¿O de dónde vino la mota de polvo? Imagínese cuántos factores tuvieron que converger en el sitio y el momento adecuados para que usted conociera a su esposa.

—Tal vez nos hubiéramos conocido en otra ocasión.

—Pero no puede saberlo. ¿Cómo saber a quién no conoció por no haberse girado cuando pudo hacerlo, por no haber llegado tarde cuando pudo hacerlo? La vida se enfrenta a una encrucijada a cada instante, y uno escoge determinado rumbo casi al azar, y lo mismo hacen los demás. Retroceda veinte años y encontrará que las bifurcaciones se desvían cada vez más. Usted estornudó y conoció a una chica y no a otra. En consecuencia, tomó ciertas decisiones, y lo mismo hizo la chica, y también la chica que usted no conoció y el hombre que la conoció a ella y la gente que todos conocieron después. Y la familia de usted, y la de ella, y la de ellos; y todos los hijos. Porque usted estornudó hace veinte años, cinco personas o cincuenta o quinientas podrían estar muertas cuando deberían estar vivas, o vivas cuando deberían estar muertas. Vaya doscientos años atrás; dos mil años atrás, y un estornudo, incluso el estornudo de alguien que no figura en ningún libro de historia podría significar que hoy no viviera nadie de los que viven.

El jefe se frotó la nuca.

—Ondas en expansión. Una vez leí un cuento...

—Yo también. La idea no es nueva; pero quiero que piense en ella por un momento, porque me gustaría leerle parte de un artículo publicado por el profesor Elmer Tywood en una revista de hace veinte años. Esto fue antes de la última guerra.

Yo tenía copias del filme en el bolsillo, y la blanca pared ofrecía una magnífica pantalla, pues para eso estaba. El jefe se dispuso a darse la vuelta; pero le indiqué que se quedara como estaba.

—No, señor. Quiero leerle esto. Quiero que lo escuche.

Se reclinó en la silla.

—El artículo —continué— se titula «El primer gran fracaso del hombre». Recuerde que esto fue antes de la guerra, cuando la amarga desilusión ante el fracaso de Naciones Unidas estaba en su punto culminante. Le leeré algunos párrafos de la primera parte del artículo. Dice así: «El fracaso del hombre, con su perfección técnica, para resolver los grandes problemas sociológicos de hoy es sólo la segunda gran tragedia que aflige a nuestra raza. La primera, y quizá la mayor, es que, en cierta ocasión, estos grandes problemas sociológicos se resolvieron y, sin embargo, las soluciones no fueron duraderas porque la perfección técnica de que hoy disponemos no existía.

»Era como tener pan sin mantequilla, o mantequilla sin pan. Nunca ambas cosas juntas (...).

»Pensemos en el mundo helénico, del cual derivan nuestra filosofía, nuestra ética, nuestro arte, nuestra literatura..., toda nuestra cultura. En tiempos de Pericles, Grecia, como nuestro propio mundo en un microcosmos, era un popurrí asombrosamente moderno de ideologías y modos de vida conflictivos. Pero luego vino Roma y adoptó la cultura, pero otorgando e imponiendo la paz. Desde luego, la *Pax Romana* duró sólo doscientos años, pero desde entonces no ha existido un periodo similar (...).

»La guerra fue abolida. El nacionalismo no existía. El ciudadano romano pertenecía al Imperio. Pablo de Tarso y Flavio José eran ciudadanos romanos. Españoles, norteafricanos e ilirios se sometían al Imperio. Existía la esclavitud, pero era una esclavitud indiscriminada, impuesta como castigo, resultante del fracaso económico o causada por los reveses de la guerra. Ningún hombre era esclavo natural por el color de su piel o por su lugar de nacimiento.

»La tolerancia religiosa era total. Si al principio se hizo una excepción en el caso de los cristianos, fue porque rehusaban aceptar el principio de la tolerancia e insistían en que sólo ellos conocían la verdad, una actitud detestable para el romano civilizado (...).

»Con toda nuestra cultura occidental bajo una sola *polis*, con la ausencia del cáncer del particularismo y del exclusivismo religioso y nacional, con la avanzada civilización existente, ¿por qué no pudo el ser humano conservar los beneficios conseguidos?

»Porque, tecnológicamente, el antiguo helenismo permaneció atrasado. Porque sin máquinas el precio del ocio, y, por ende, de la civilización y la cultura para una minoría, significaba esclavitud para la mayoría. Porque la civilización no podía hallar el modo de llevar confort y comodidad a toda la población.

»Por lo tanto, las clases oprimidas se volcaron hacia el más allá y hacia religiones que desdeñaban los beneficios materiales de este mundo, de modo que la ciencia en sentido cabal resultó imposible durante más de un milenio. Además, a medida que menguaba el ímpetu inicial del helenismo, el Imperio carecía de la potencia tecnológica para derrotar a los bárbaros. De hecho, sólo después del 1500 de nuestra era la guerra pasó a depender plenamente de los recursos industriales de una nación, lo cual permitía a los pueblos asentados desbaratar sin esfuerzo las invasiones de tribus y de nómadas (...).

»Imaginemos, pues, que los antiguos griegos hubieran aprendido una pizca de química y física moderna. Imaginemos que el crecimiento del Imperio hubiera ido acompañado por el crecimiento de la ciencia, la tecnología y la industria. Imaginemos un imperio donde la maquinaria reemplazara a los esclavos, donde todos los hombres compartieran equitativamente los bienes del mundo, donde la legión se transformara en una columna blindada a la que ningún bárbaro pudiera hacer frente. Imaginemos un imperio que, así, se extendiera por el mundo entero, sin prejuicios religiosos ni nacionales.

»Un imperio de todos los hombres; todos hermanos; al fin libres (...).

»Si se pudiera cambiar la historia, si ese primer gran fracaso se pudiera haber evitado...»

Me detuve en ese punto.

—¿Bien? —dijo el jefe.

—Bueno, creo que no es difícil conectar todo esto con el hecho de que Tywood hiciera estallar una planta energética en su afán de enviar algo al pasado, mientras que en la caja de caudales de su despacho encontramos párrafos de un libro de química traducidos al griego.

Le cambió la expresión mientras reflexionaba.

—Pero nada ha ocurrido —suspiró al fin.

—Lo sé. Pero el estudiante de Tywood me ha comentado que se tarda un día por siglo para desplazarse en el tiempo. Suponiendo que la antigua Grecia fuera el destino final, suman veinte siglos, es decir, veinte días.

—¿Y se puede detener?

—Lo ignoro. Tal vez Tywood lo supiera, pero está muerto.

La enormidad del asunto me abrumó de golpe, con más fuerza que la noche anterior...

Toda la humanidad estaba sentenciada prácticamente a muerte. Y aunque eso era sólo una horrenda abstracción cobraba su insoportable realidad por el hecho de que yo también estaba sentenciado. Y mi esposa, y mi hijo.

Más aún, se trataba de una muerte sin precedentes. Un cese de la existencia, y nada más. El momento de un suspiro. Un sueño que se esfuma. El tránsito de una sombra hacia la eternidad del no-espacio y del no-tiempo. A decir verdad, yo no estaría muerto en absoluto; simplemente, nunca habría nacido.

¿O sí? ¿Existiría yo..., mi individualidad..., mi ego..., mi alma, si se quiere? ¿Otra vida? ¿Otras circunstancias?

En aquel momento no pensé nada de esto con palabras. Pero si un frío nudo en el estómago pudiera hablar en esas circunstancias, creo que habría dicho algo parecido.

El jefe interrumpió mis cavilaciones:

—Entonces, sólo nos quedan dos semanas y media. No hay tiempo que perder. Ven.

Esbocé una sonrisa.

—¿Qué hacemos? ¿Perseguir el libro?

—No —repuso fríamente—. Pero hay dos líneas de acción que podemos seguir. La primera es que quizás estés equivocado por completo, pues todo este razonamiento circunstancial puede representar una pista falsa, tal vez puesta deliberadamente ante nosotros para ocultar la verdad; y tenemos que verificarlo. Y la segunda es que quizá tengas razón, pero debe de haber un modo de detener el libro, un modo que no implique perseguirlo en una máquina del tiempo; y, en tal caso, hemos de averiguar cuál es.

—Me gustaría aclarar, señor, que si es una pista falsa sólo un loco la consideraría creíble. Así que supongamos que tengo razón y que no hay manera de detenerlo.

—Entonces, joven amigo, estaré muy ocupado durante dos semanas y media y te aconsejaría que hicieras lo mismo. Así el tiempo pasará más deprisa.

Tenía razón, desde luego.

—¿Por dónde empezamos? —pregunté.

—Lo primero que necesitamos es una lista de todo funcionario o funcionaria que fuese subalterno de Tywood.

—¿Por qué?

—Razonamiento. Tu especialidad, ¿no? Supongo que Tywood no sabía griego, así que alguien debió de hacer la traducción. Es improbable que nadie realizara semejante trabajo por nada y es improbable que Tywood pagara con dinero propio, contando sólo con su sueldo de profesor.

—Tal vez le interesara guardar más secretos de los que permite un sueldo del Gobierno.

—¿Por qué? ¿Dónde estaba el peligro? ¿Es delito traducir un texto de química al griego? ¿Quién deduciría de ello una confabulación como la que acabas de describir?

Nos llevó media hora hallar el nombre de Mycroft James Boulder, que constaba como «asesor», descubrir que figuraba en el catálogo universitario como profesor auxiliar de filosofía y verificar por teléfono que, entre sus muchas cualidades, se contaba un cabal conocimiento del griego ático.

Lo cual fue una coincidencia, pues cuando el jefe estaba echando mano de su sombrero, el mensáfono interno se puso a funcionar y resultó que Mycroft James Boulder se encontraba en la antesala. Llevaba dos horas insistiendo en ver al jefe.

El jefe dejó el sombrero y abrió la puerta del despacho.

El profesor Mycroft James Boulder era un hombre gris. Tenía el cabello gris y ojos grises. Y su traje también era gris.

Pero, ante todo, tenía una expresión gris; gris y con una tensión que hacía que temblaran las arrugas de su delgado rostro.

—Hace tres días que estoy pidiendo una entrevista —murmuró— con alguien que sea responsable. No he podido ir más allá de usted.

—Tal vez sea suficiente —dijo el jefe—. ¿Qué sucede?

—Es muy importante que se me conceda una entrevista con el profesor Tywood.

—¿Usted sabe dónde está?

—Estoy seguro de que el Gobierno lo tiene bajo custodia.

—¿Por qué?

—Porque sé que planeaba un experimento que suponía la violación de las normas de seguridad. Por lo que puedo deducir, todo lo que ha ocurrido después deriva de la suposición de que, en efecto, se han violado dichas normas. Presumo, pues, que el experimento se ha intentado. He de saber si se llevó a cabo con éxito.

—Profesor Boulder, tengo entendido que usted sabe leer griego.

—Sí, sé griego.

—Y ha traducido textos de química para el profesor Tywood con dinero del Gobierno.

—Sí, como asesor contratado legalmente.

—Pero esa traducción, dadas las circunstancias, constituye un delito, pues le convierte en cómplice del delito de Tywood.

—¿Puede usted establecer una conexión?

—¿Usted no? ¿No ha oído hablar de las ideas de Tywood sobre el viaje en el tiempo o..., cómo lo llaman..., traslación microtemporal?

—Vaya. —Boulder sonrió—. Entonces, se lo ha contado él.

—No —masculló el jefe—. El profesor Tywood ha muerto.

—¿Qué? Entonces... No le creo.

—Murió de apoplejía. Mire esto.

En su caja de caudales tenía una de las fotografías tomadas esa noche. Tywood estaba desfigurado, pero reconocible; despatarrado y muerto.

Boulder jadeó como si se le hubieran atascado los engranajes. Estuvo mirando la foto durante tres minutos, según el reloj eléctrico de la pared.

—¿Dónde es esto? —preguntó.

—En la planta de energía atómica.

—¿Había concluido su experimento?

El jefe se encogió de hombros.

—Imposible saberlo. Estaba muerto cuando lo encontramos.

Boulder apretó los labios.

—Es preciso averiguarlo. Se debe crear una comisión de científicos y, de ser necesario, repetir el experimento...

Pero el jefe se limitó a mirarle y a tomar un puro. Nunca le he visto hacer una pausa tan larga. Cuando dejó el puro, envuelto en la humareda, dijo:

—Hace veinte años, Tywood escribió un artículo para una revista...

—¡Oh! —El profesor torció los labios—. ¿Eso les dio la pista? Pueden ignorarla. Él es físico y no sabe nada de historia ni de sociología. Sólo son sueños de estudiante.

—Entonces, usted no cree que enviar su traducción al pasado inaugurará una nueva Edad de Oro, ¿verdad?

—Claro que no. ¿Cree usted que puede injertar los desarrollos de dos mil años de dura labor en una sociedad infantil e inmadura? ¿Cree que un gran invento o un gran principio científico nace ya completo en la mente de un genio, divorciado del entorno cultural? Newton tardó veinte años en enunciar la ley de la gravitación porque la cifra entonces vigente para el diámetro de la Tierra tenía un error del diez por ciento. Arquímedes estuvo a punto de descubrir el cálculo, pero falló porque los números arábigos, inventados por algún hinduista anónimo, le eran desconocidos. Más aún, la mera existencia de una sociedad esclavista en la Grecia y la Roma antiguas significaba que las máquinas no se consideraban muy atractivas, pues los esclavos eran más baratos y adaptables, y los hombres de genuino intelecto no perdían sus energías en aparatos destinados al trabajo manual. Incluso Arquímedes, el más grande ingeniero de la antigüedad, se negaba a dar a conocer sus inventos prácticos; sólo mostraba abstracciones matemáticas. Y cuando un joven le preguntó a Platón de qué servía la geometría le expulsaron de la Academia, como hombre de alma mezquina y poco filosófica. Es decir, la ciencia no avanza en una embestida, sino que da cortos pasos en las direcciones permitidas por las grandes fuerzas que moldean la sociedad y que, a su vez, son moldeadas por ésta. Y ningún hombre avanza si no es sobre los hombros de la sociedad que le rodea...

El jefe le interrumpió.

—Díganos, pues, cuál fue su participación en el trabajo de Tywood. Aceptaremos su palabra de que no se puede cambiar la historia.

—Bueno, sí se puede, pero no intencionadamente... Cuando Tywood solicitó mis servicios para traducir ciertos pasajes al griego, acepté por dinero. Pero él quería la traducción en un pergamino; insistió en el uso de la terminología griega antigua (el lenguaje de Platón, por citar sus palabras), por mucho que yo tuviera que forzar el significado literal de los pasajes, y lo quería manuscrito en rollos. Sentí curiosidad. Yo también vi ese artículo. Me costó llegar a la conclusión obvia, pues los logros de la ciencia moderna trascienden en gran medida las especulaciones de la filosofía, pero al fin supe la verdad, y de inmediato resultó evidente que la teoría de Tywood sobre el cambio de la historia era pueril. Hay veinte millones de variables para cada instante del tiempo y no se ha desarrollado ningún sistema matemático (ninguna psicohistoria matemática, por acuñar una expresión) para manipular esa enorme cantidad de funciones variables. En síntesis, cualquier variación de los acontecimientos de hace dos mil años cambiaría toda la historia subsiguiente, pero no de un modo previsible.

El jefe sugirió, con falsa calma:

—Como el guijarro que inicia el alud, ¿verdad?

—Exacto. Veo que comprende la situación. Reflexioné profundamente antes de actuar y, luego, comprendí cómo actuar, cómo debía actuar.

El jefe rugió, se levantó y tumbó la silla. Rodeó el escritorio y apoyó una de sus manazas en la garganta de Boulder. Intenté detenerlo, pero me indicó con un gesto que me estuviera quieto...

Sólo le estaba apretando un poco la corbata. Boulder aún podía respirar. Se había puesto muy blanco y mientras el jefe hablaba se limitó a eso, a respirar.

—Claro —dijo el jefe—, ya sé por qué decidió que debía actuar. Conozco a muchos filósofos trasnochados que creen que hay que arreglar el mundo. Ustedes quieren arrojar los dados de nuevo para ver qué resulta. Tal vez ni siquiera les importe si vivirán o no en la nueva configuración, ni que nadie pueda averiguar lo que han hecho. Pero están dispuestos a crear, a pesar de todo; a darle a Dios otra oportunidad, como si dijéramos. Pero tal vez sea sólo porque quiero vivir, pero creo que el mundo podría ser peor. De veinte millones de maneras podría ser peor. Un tipo llamado Wilder escribió una obra titulada *Por un pelo*. Tal vez la haya leído. La tesis es que la humanidad sobrevivió apenas por un pelo. No, no le echaré un discurso sobre el peligro de extinción en la Era Glacial; no sé lo suficiente. Ni siquiera le hablaré de la victoria griega en Maratón, de la derrota árabe en Tours ni de los mongoles retrocediendo en el último momento sin siquiera ser derrotados, pues no soy historiador. Pero tomemos el siglo veinte. Los alemanes fueron detenidos dos veces en el Marne durante la Primera Guerra Mundial. La retirada de Dunkerque fue durante la Segunda Guerra Mundial, y a los alemanes se los detuvo en Moscú y en Estalingrado. Pudimos haber usado la bomba atómica en la última guerra y no lo hicimos, y cuando parecía que ambos bandos iban a hacerlo llegamos al Gran Tratado, y únicamente porque el general Bruce sufrió una demora en la pista aérea de Ceilán y pudo recibir el mensaje inmediatamente. Una vez tras otra, a lo largo de toda la historia, tan sólo golpes de suerte. Por cada probabilidad que no se concretó y que nos habría transformado en seres maravillosos, hubo veinte probabilidades que no se concretaron y que habrían acarreado un desastre para todos. Ustedes juegan con esa probabilidad de uno contra veinte y juegan con todas las vidas de la Tierra. Y, además, lo han conseguido, ya que Tywood envió ese texto.

Escupió la última frase abriendo la manaza, de modo que Boulder cayó en la silla.

Y Boulder se echó a reír.

—Necio —dijo, jadeante—. Anda muy cerca, pero está muy equivocado. ¿Así que Tywood envió el texto? ¿Está seguro?

—No se encontró ningún texto de química en griego en el lugar —masculló el jefe— y habían desaparecido millones de calorías de energía; lo cual no cambia el hecho de que tenemos dos semanas y media para que... las cosas resulten interesantes.

—¡Pamplinas! Sin melodramatismos, por favor. Escúcheme y procure entenderlo. Los filósofos griegos Leucipo y Demócrito desarrollaron una teoría atómica. Toda la materia, afirmaban, está compuesta por átomos. Las variedades de átomos habrían de ser distintas e inmutables y, mediante diferentes combinaciones, cada una formaría las diversas sustancias halladas en la naturaleza. La teoría no fue resultado del experimento ni de la observación, sino que de algún modo surgió madurada ya. El poeta didáctico romano Lucrecio, en su *De rerum natura*, «Acerca de la naturaleza de las cosas», afinó esa teoría, que parece asombrosamente moderna. En los tiempos helenísticos, Herón construyó una máquina de vapor y las armas de guerra se mecanizaron. Se ha considerado ese periodo como una era mecánica abortada, que no llegó a nada porque no trascendió su entorno social y económico ni congeniaba con él. La ciencia alejandrina fue una rareza inexplicable. Podríamos mencionar también la vieja leyenda romana sobre los libros de la Sibila, que contenían misteriosa información transmitida directamente por los dioses... En otras palabras, caballeros, aunque ustedes tienen razón al pensar que cualquier alteración del pasado, por nimia que sea, podría acarrear consecuencias incalculables, y aunque comparto la opinión de que cualquier cambio aleatorio puede empeorar las cosas en vez de mejorarlas, debo señalar que se equivocan en su conclusión final. Es éste el mundo desde el que el texto de química en griego se ha enviado al pasado. Ha sido una carrera de la Reina Roja. Tal vez ustedes recuerden *A través del espejo*, de Lewis Carroll. En el país de la Reina Roja había que correr a toda prisa para permanecer en el mismo lugar. ¡Y eso es lo que ocurrió en este caso! Tywood habrá pensado que estaba creando un mundo nuevo, pero fui yo quien preparé las traducciones, y me ocupé de que se incluyeran sólo esos pasajes que dieran cuenta de los raros jirones de conocimiento que los antiguos aparentemente obtuvieron de la nada. Y mi única intención en toda esa carrera fue la de permanecer en el mismo lugar.

Transcurrieron tres semanas, tres meses, tres años. No ocurrió nada. Y cuando nada ocurre no existen pruebas. Desistimos de las explicaciones, y el jefe y yo también terminamos por dudar.

El caso nunca se cerró. Boulder no podía ser considerado un delincuente sin que se lo considerara también el salvador del mundo, y viceversa. Se le ignoró, y finalmente el caso ni se resolvió ni se cerró; simplemente, se guardó en un archivo designado «?» y fue sepultado en el sótano más profundo de Washington.

El jefe está en Washington ahora y es una persona influyente. Y yo soy jefe regional del FBI.

Pero Boulder sigue siendo profesor auxiliar. En la universidad se tarda mucho en ascender.

EL DÍA DE LOS CAZADORES

Comenzó la misma noche en que terminó. No fue gran cosa. Simplemente me molestó; aún me molesta.

Joe Bloch, Ray Manning y yo estábamos sentados en nuestra mesa favorita del bar de la esquina, con una velada por delante y ganas de charlar. Ése es el principio.

Joe Block se puso a hablar de la bomba atómica, de lo que había que hacer con ella, y dijo que nadie se lo habría imaginado cinco años atrás. Yo comenté que mucha gente lo había imaginado cinco años atrás y escribió historias sobre eso y ahora tendría dificultades para llevar la delantera a los periódicos. Todo esto derivó finalmente en divagaciones sobre todas las cosas raras que podían volverse ciertas, con gran cantidad de ejemplos.

Ray contó que alguien le había hablado de un científico insigne que había enviado un bloque de plomo al futuro durante dos segundos o dos minutos o dos milésimas de segundo, no estaba seguro. Según él, el científico no le decía nada a nadie porque pensaba que nadie le creería.

Le pregunté con sarcasmo cómo se había enterado. Ray tendrá muchos amigos, pero yo tengo los mismos y nadie conoce a ningún científico insigne. Ray respondió que no importaba cómo se había enterado, que no estaba obligado a creerle.

Y luego pasamos inevitablemente a las máquinas del tiempo y nos preguntamos qué pasaría si alguien volvía al pasado y mataba a su abuelo, y que por qué nadie regresaba del futuro y nos comunicaba quién ganaría la siguiente guerra o si habría o no otra guerra o si quedaría un lugar habitable en la Tierra, ganara quien ganase.

Ray se conformaba con saber el nombre del ganador de la séptima carrera antes del final de la sexta.

Pero Joe pensaba de otro modo:

—Vuestro problema es que sólo pensáis en guerras y en carreras. Yo, en cambio, siento curiosidad. ¿Sabéis qué haría si tuviera una máquina del tiempo?

—Desde luego que queríamos saberlo, dispuestos a tomarle el pelo en cuanto nos diera la menor oportunidad—. Si tuviera la máquina, retrocedería dos, cinco o cincuenta millones de años para averiguar qué pasó con los dinosaurios.

Lo cual fue malo para Joe, porque Ray y yo pensábamos que eso no tenía sentido. Ray dijo que a quién cuernos le importaban los dinosaurios y yo afirmé que sólo servían para dejar esqueletos descoyuntados para esos tíos que perdían su tiempo gastando el suelo de los museos, y que era una suerte que hubieran desaparecido para dejar sitio a los seres humanos. Joe observó que, teniendo en cuenta a ciertos seres humanos que conocía, y nos miró con dureza, hubiera preferido los dinosaurios; pero no le prestamos atención.

—Sois unos zopencos. Podéis reíros y alardear de que sabéis algo, pero no tenéis nada de imaginación. Esos dinosaurios eran algo digno de ver. Millones de especies, grandes como casas y estúpidos como casas, por todas partes. Y, de pronto, ¡zas! —Chascó los dedos—. Dejaron de existir.

Le preguntamos que cómo.

Pero Joe estaba terminando una cerveza y pidiéndole por gestos otra a Charlie con una moneda, para demostrar que tenía con qué pagarla. Se encogió de hombros.

—No lo sé. Pero eso es lo que averiguaría.

Ya está. Ahí debió terminar. Yo podría haber comentado algo y Ray habría dicho alguna chorrada y todos hubiéramos vaciado otra cerveza y nos habríamos puesto a hablar del clima y de los Dodgers de Brooklyn y nunca más hubiéramos pensado en dinosaurios.

Sólo que no fue así, y ahora sólo pienso en dinosaurios, y siento náuseas.

Porque el borrachín de la mesa contigua miró hacia nosotros y exclamó:

—¡Eh!

No lo habíamos visto. Por lo general no buscamos borrachines desconocidos en los bares; ya cuesta bastante habérselas con los borrachines conocidos. Ese tío tenía una botella medio vacía en la mesa y un vaso medio lleno en la mano.

Dijo «¡eh!» y todos lo miramos.

—Pregúntale qué quiere, Joe —dijo Ray.

Joe era el que estaba más cerca. Inclinó la silla hacia atrás y preguntó:

—¿Qué quiere?

—¿Hablaban ustedes de dinosaurios?

Le temblaba un poco el cuerpo, tenía los ojos sanguinolentos y había que esforzarse para imaginar que la camisa había sido blanca; pero la voz llamaba la atención, pues no hablaba como un típico borrachín.

De todos modos, Joe pareció relajarse y le dijo:

—Claro. ¿Hay algo que quiera saber?

Nos sonrió. Era una sonrisa rara. Empezaba en la boca y terminaba debajo de los ojos.

—¿Ustedes querían construir una máquina del tiempo y averiguar qué pasó con los dinosaurios?

Noté que Joe pensaba que le estaban tendiendo una trampa para embaucarlo. Yo sospechaba lo mismo.

—¿Por qué? —se mostró suspicaz Joe—. ¿Pretende ofrecerse para construirme una?

El borrachín exhibió su dentadura calamitosa y contestó:

—No, señor. Podría, pero no lo haré. ¿Sabe por qué? Porque hace un par de años construí una máquina del tiempo y regresé a la Era Mesozoica y averigüé qué pasó con los dinosaurios.

Más tarde busqué cómo se escribía mesozoica (por eso lo he puesto bien, si es que a alguien le llama la atención) y descubrí que la Era Mesozoica fue la época en que los dinosaurios hacían lo que sea lo que hicieran los dinosaurios. Pero en aquel momento no entendía ni jota, y pensé que se trataba de un lunático. Joe afirmó luego que él sí sabía lo del mesozoico, pero tendría que decir mucho más para convencernos a Ray y a mí.

Lo cierto es que así empezó todo. Le pedimos al borrachín que se acercara a la mesa. Supongo que pensé que podríamos escucharle un rato y beber unos sorbos de su botella, y los demás debieron de pensar lo mismo. Pero el tipo agarró la botella con la mano derecha y no la soltó.

—¿Dónde construyó una máquina del tiempo? —le preguntó Ray.

—En la Universidad del Medio Oeste. Mi hija y yo trabajábamos allí.

En efecto, tenía aire de universitario.

—¿Dónde la tiene ahora? —pregunté yo—. ¿En el bolsillo?

Ni siquiera parpadeó; no reaccionaba ante nuestras bromas. Seguía hablando en voz alta, como si el whisky le hubiera soltado la lengua y no le importara si nos quedábamos o no.

—La destrocé —contestó—. No la quería. Ya me tenía harto.

No le creímos. No le creímos ni una palabra. Será mejor que lo aclare: es lógico, porque si un tío inventara una máquina del tiempo podría ganar millones, podría ganar todo el dinero del mundo con sólo saber qué pasaría en la Bolsa, en las carreras y en las elecciones. No desperdiciaría todo eso, fueran cuales fuesen sus razones. Además, ninguno de nosotros estaba dispuesto a creer en el viaje por el tiempo, porque ¿y si matabas a tu abuelo?

Bien, qué más da.

—Claro, hombre, la destrozó —se burló Joe—. Claro que sí. ¿Cómo se llama usted?

Pero no respondió a esa pregunta. Se lo preguntamos varias veces más y terminamos por llamarlo «profesor».

Vació de nuevo el vaso y lo volvió a llenar muy despacio. No nos ofreció, así que seguimos con nuestras cervezas.

—Bien, siga —lo animé—. ¿Qué pasó con los dinosaurios?

Pero no nos lo contó en seguida. Bajó la vista y le habló a la mesa.

—No sé cuántas veces me envió Carol, durante minutos o durante horas, antes de efectuar el gran salto. No me interesaban los dinosaurios. Sólo quería ver hasta dónde me llevaría la máquina con la energía de que disponía. Supongo que era peligroso, pero ¿acaso la vida es tan maravillosa? Era la época de la guerra. Qué importaba una vida más. —Se puso a mimar el vaso, como si estuviera pensando en cosas en general, y luego pareció saltarse una parte de sus pensamientos y continuó hablando—: Hacía sol. El ambiente era soleado y brillante, seco y duro. No había pantanos ni helechos, ni ninguno de los adornos del cretáceo que asociamos con los dinosaurios...

Al menos, eso creo que dijo. No siempre pescaba las palabras largas, así que a partir de ahora me atendré a lo que pueda recordar. Verifiqué cómo se escribían todos los términos y debo conceder que el profesor los pronunciaba sin tartamudear, a pesar de todo lo que había bebido.

Tal vez era eso lo que nos molestaba, que pareciese tan familiarizado con todo y tuviese tanta labia.

—Era una época tardía, desde luego el cretáceo. Los dinosaurios ya estaban a punto de extinguirse; todos menos los pequeños, con sus cinturones de metal y sus armas.

Creo que Joe prácticamente hundió la nariz en la cerveza. Se bebió medio vaso cuando el profesor soltó esa frase con aire melancólico.

Joe se enfureció.

—¿Qué pequeños, con qué cinturones de metal y qué armas?

El profesor lo miró un instante y desvió los ojos.

—Eran reptiles pequeños, de un metro veinte de

altura. Se erguían sobre las patas traseras, con una cola gruesa detrás, y tenían antebrazos pequeños con dedos. Llevaban anchos cinturones de metal colgados de la cintura, de donde pendían armas. Y no eran pistolas que disparasen cápsulas, sino proyectores de energía.

—¿Eran qué? —pregunté—. Oiga, ¿cuándo fue eso? ¿Hace millones de años?

—En efecto. Eran reptiles. Tenían escamas, carecían de párpados y probablemente ponían huevos. Pero usaban armas energéticas. En total eran cinco. Se abalanzaron sobre mí en cuanto bajé de la máquina. Debía de haber millones en toda la Tierra, millones, esparcidos por doquier; debían de ser los reyes de la creación.

Fue entonces cuando Ray pensó que lo había pillado, pues puso esa expresión de listo que da ganas de partirle la crisma con una jarra de cerveza vacía, porque usar una llena sería un desperdicio de cerveza.

—Mire, profesor, millones de años, ¿eh? ¿No hay fulanos que sólo se dedican a descubrir huesos viejos y los analizan hasta imaginar qué aspecto tenía un dinosaurio? Los museos están llenos de esos esqueletos, ¿o no? Bien, ¿dónde hay uno que lleve un cinturón de metal? Si había millones, ¿qué fue de ellos? ¿Dónde están los huesos?

El profesor suspiró. Fue un suspiro genuino y triste. Quizá comprendió por primera vez que sólo estaba en un bar hablando con tres tipos vestidos con mono. O quizá no le importaba.

—No se encuentran muchos fósiles —nos explicó—. Piensen en cuántos animales vivían en la Tierra. Piensen en cuántos billones de animales. Y piensen en qué pocos encontramos. Y estos lagartos eran inteligentes, no lo olviden. No los sorprendería una ventisca ni el lodo ni se caerían en la lava, a no ser por una gran fatalidad. Piensen en qué pocos fósiles humanos hay, incluso de esos homínidos subinteligentes de hace un millón de años. —Miró el vaso medio lleno y lo agitó—. ¿Y qué demostrarían los fósiles? A los cinturones de metal los carcome la herrumbre y no dejan rastros. Esos lagartos eran de sangre caliente. Yo lo sé, pero nadie podría demostrarlo con huesos petrificados. ¡Qué diablos, dentro de un millón de años nadie sabrá qué aspecto tenía Nueva York a partir de un esqueleto humano! ¿Podrían ustedes diferenciar un humano de un gorila por los huesos y deducir cuál de ellos construyó una bomba atómica y cuál comía bananas en el zoológico?

—Oiga —objetó Joe—, cualquiera puede distinguir un esqueleto de gorila de uno humano. El del hombre tiene un cerebro de mayor tamaño. Cualquier tonto sabría cuál era el inteligente.

—¿De veras? —El profesor se rió para sus adentros, como si todo eso resultase tan simple y obvio que fuera una vergüenza perder el tiempo con ello—. Usted lo juzga todo por el tipo de cerebro que han desarrollado los seres humanos. La evolución tiene varios modos de hacer las cosas. Las aves vuelan de un modo, los murciélagos de otro. La vida tiene muchas tretas para todo. ¿Qué proporción usa usted de su cerebro? Una quinta parte. Eso es lo que dicen los psicólogos. Por lo que ellos saben, por lo que cualquiera sabe, el ochenta por ciento del cerebro no se usa. Todo el mundo trabaja al mínimo, excepto quizás unos cuantos nombres históricos. Leonardo da Vinci, por ejemplo. Arquímedes, Aristóteles, Gauss, Galois, Einstein...

Yo nunca había oído esos nombres, salvo el de Einstein, aunque me lo callé. Mencionó algunos más, pero he puesto todos los que recuerdo.

—Esos pequeños reptiles tenían un cerebro diminuto, pero lo usaban todo, hasta el último elemento. Tal vez sus huesos no lo mostrarían, y, sin embargo, eran inteligentes; tan inteligentes como los humanos. Y dominaban toda la Tierra.

Entonces, Joe tuvo una ocurrencia realmente sensacional. Por un momento pensé que había pillado al profesor, y me sentí orgulloso de él.

—Oiga, profesor, si esos lagartos eran tan listos, ¿por qué no dejaron nada? ¿Dónde están sus ciudades, sus edificios y todas esas cosas que han dejado los cavernícolas, como los cuchillos de piedra y demás? Demonios, si los seres humanos desaparecieran de la Tierra, imagínese la de cosas que dejarían. Nadie podría recorrer un kilómetro sin tropezar con una ciudad. Y las carreteras y todo eso.

Pero no había quien detuviera al profesor. Ni siquiera se inquietó. Se limitó a insistir en lo mismo:

—Usted sigue juzgando otras formas de vida según pautas humanas. Nosotros construimos ciudades, carreteras, aeropuertos y todo lo demás; pero ellos no. Estaban configurados de otra manera. Su modo de vida era totalmente distinto. No vivían en ciudades. No tenían nuestra clase de arte. No sé qué tenían, porque era tan extraño que no pude entenderlo; excepto lo de las armas, que sí eran parecidas. Es extraño, ¿no? Tal vez tropezamos con sus reliquias todos los días y ni siquiera sabemos lo que son.

Eso me sacaba de quicio. No había modo de pillarlo. Cuanto más lo acorralabas, más escurridizo se volvía.

—Oiga —le dije—, ¿cómo sabe tanto sobre esos bichos? ¿Qué hizo, vivir con ellos? ¿O hablaban nuestro idioma? ¿Acaso usted habla en lagarto? Díganos algo en lagarto.

Supongo que estaba perdiendo los estribos. Ya se sabe lo que pasa: un tío te cuenta algo en lo que no crees porque suena exagerado, pero no logras que admita que está mintiendo.

Sin embargo, el profesor no perdía los estribos. Llenó de nuevo el vaso, con mucha lentitud.

—No —me contestó—. Ni yo hablé ni ellos hablaron. Sólo me miraron con esos ojos fríos, duros, penetrantes, ojos de víbora; y supe lo que estaban pensando y noté que sabían lo que estaba pensando. No me pregunten cómo ocurrió. Ocurrió, y punto. Supe que estaban en una expedición de caza y que no permitirían que me fuese sin más.

Y dejamos de hacer preguntas. Nos quedamos mirándolo. Luego, Ray dijo:

—¿Qué pasó? ¿Cómo se escapó?

—Eso fue fácil. Pasó un animal por la loma. Tenía tres metros de longitud, era estrecho y corría pegado al suelo. Los lagartos se alborotaron. Sentí su excitación a oleadas. Fue como si se olvidaran de mí en un arrebato de sed de sangre... y se fueron. Me metí en la máquina, regresé y la destrocé.

Fue el final más decepcionante que se ha oído jamás. Joe soltó un gruñido y preguntó:

—Bueno, y ¿qué pasó con los dinosaurios?

—¿No lo entiende? Creí que estaba claro. Fueron esos lagartos los que acabaron con ellos. Eran cazadores, por instinto y por elección. Era su afición en la vida. No buscaban alimento, sino diversión.

—¿Y liquidaron a todos los dinosaurios de la Tierra?

—Todos los que vivían en esa época al menos; todas las especies contemporáneas. ¿Cree que no es posible? ¿Cuánto tardamos nosotros en exterminar manadas de bisontes por millones? ¿Qué le pasó al dodó en pocos años? Si nos lo propusiéramos, ¿cuánto durarían los leones, los tigres y las jirafas? Miren, en el momento en que vi a esos lagartos no quedaban presas grandes, no había reptiles de más de cinco metros de longitud. Esos diablillos cazaban a los pequeños, y tal vez lloraban de añoranza por los viejos tiempos.

Nos callamos, miramos nuestras botellas de cerveza vacías y pensamos en ellos. Todos esos dinosaurios, grandes como casas, exterminados por pequeños lagartos con armas. Por pura diversión.

Joe se inclinó, apoyó la mano en el hombro del profesor y lo sacudió suavemente.

—Oiga, profesor, pero, entonces, ¿qué pasó con los pequeños lagartos con armas? ¿Eh? ¿Alguna vez regresó para averiguarlo?

El profesor irguió la cabeza, con la mirada extraviada.

—¿Aún no lo entiende? Ya comenzaba a ocurrirles. Lo vi en sus ojos. Se estaban quedando sin presas grandes, se estaban quedando sin diversión. ¿Qué podían hacer? Buscaron otra presa, la mayor y más peligrosa, y se divirtieron de veras. Cazaron esa presa hasta exterminarla.

—¿Qué presa? —preguntó Ray. Él no había captado, pero Joe y yo sí.

—¡Ellos mismos! —exclamó el profesor—. ¡Liquidaron a los demás y comenzaron a cazarse entre ellos hasta que no quedó ninguno!

Y de nuevo nos pusimos a pensar en esos dinosaurios —grandes como casas— liquidados por pequeños lagartos, que tuvieron que seguir usando las armas, aunque sólo pudieran dispararse entre ellos.

—Pobres y tontos lagartos —comentó Joe.

—Sí —añadió Ray—, pobres e imbéciles lagartos.

Y lo que ocurrió entonces nos asustó de veras, porque el profesor se levantó de un brinco, clavó en nosotros sus ojos desorbitados y gritó:

—¡Necios! ¿Por qué se ponen a llorar por unos reptiles que murieron hace cien millones de años? Ésa fue la primera inteligencia de la Tierra y así fue como terminó. Eso ya está hecho. Pero nosotros somos la segunda inteligencia... ¿y cómo demonios creen que terminaremos?

Empujó la silla y se dirigió hacia la puerta. Pero antes de salir se detuvo un segundo y dijo:

—¡Pobre y tonta humanidad! Lloren por eso.

EN LAS PROFUNDIDADES

1

Al final el planeta debe morir. Puede sufrir una muerte rápida, cuando su sol estalla. Puede sufrir una muerte lenta, mientras su sol envejece y sus océanos se solidifican en hielo. En el segundo caso, al menos, la vida inteligente tiene una oportunidad de sobrevivir.

La dirección que tome la supervivencia puede seguir un camino hacia el exterior, a un planeta más próximo al sol agonizante o a algún planeta de otro sol. Este camino queda cerrado si el planeta tiene el infortunio de ser el único cuerpo importante que rota en torno de su primario y si no hay otra estrella a menos de quinientos años luz.

La dirección de la supervivencia puede también ser hacia el interior, a la corteza del planeta. Esto es siempre accesible. Se puede construir un nuevo hogar bajo tierra y se puede aprovechar la energía del núcleo del planeta para obtener calor. La tarea puede llevar milenios, pero un sol moribundo se enfría despacio.

Sólo que también el calor del planeta muere con el tiempo. Se deben cavar refugios a creciente profundidad, hasta que el planeta esté totalmente muerto.

El momento se aproximaba.

En la superficie del planeta soplaban ráfagas de neón, que apenas agitaban los charcos de oxígeno que se formaban en las tierras bajas. En ocasiones, durante el largo día, el viejo sol irradiaba un fulgor rojo, breve y opaco, y los charcos de oxígeno burbujeaban un poco.

Durante la larga noche, una azulada escarcha de oxígeno cubría los charcos y la roca desnuda, y un rocío de neón perlaba el paisaje.

A más de doscientos kilómetros bajo la superficie existía una última burbuja de calor y vida.

2

La relación de Wenda con Roi era muy íntima, más íntima de lo que su propio pudor le aconsejaba.

Le habían permitido entrar en el ovarium una vez en toda su vida y le dejaron bien claro que sería sólo por esa vez.

El raciólogo había dicho:

—No cumples con los requisitos, Wenda, pero eres fértil y probaremos una vez. Quizá funcione.

Ella quería que funcionara. Lo quería con desesperación. A temprana edad supo ya que su inteligencia era deficiente, que siempre sería una manual. Se sentía avergonzada de defraudar a la raza y anhelaba una oportunidad para contribuir a crear otro ser. Acabó convirtiéndose en una obsesión.

Secretó su huevo en un ángulo del edificio y luego regresó para observar. Por suerte, el proceso de mezcla aleatoria que desplazaba suavemente los huevos durante la inseminación mecánica (para asegurar una distribución pareja de los genes) sólo hacía que el huevo se bamboleara un poco.

Wenda mantuvo su vigilia durante el periodo de

maduración, observó al pequeño que surgía del huevo, reparó en sus rasgos físicos y lo vio crecer.

Era un niño saludable, y el raciólogo lo aprobó.

En una ocasión, Wenda dijo, como sin darle importancia:

—Mire al que está sentado allí. ¿Se encuentra enfermo?

—¿Cuál? —preguntó el raciólogo, sobresaltado, pues los bebés que aparecían visiblemente enfermos en esa etapa arrojaban serias dudas sobre su propia competencia—. ¿Te refieres a Roi? ¡Tonterías! ¡Ojalá todos nuestros pequeños fueran así!

Al principio se sintió satisfecha consigo misma; luego, horrorizada. Seguía sin cesar al pequeño, interesándose por su educación y viéndole jugar. Se sentía feliz cuando él estaba cerca, y abatida cuando estaba lejos. Nunca había oído hablar de algo así, y estaba avergonzada.

Tendría que haber visitado al mentalista, pero no le pareció prudente. No era tan obtusa como para ignorar que no se trataba de una leve aberración que se pudiera curar estirando una célula cerebral. Era una manifestación psicótica, de eso estaba segura. Si la descubrían, la encerrarían. Tal vez la sometieran a la eutanasia, por considerarla un desperdicio inútil de la limitada energía disponible para la raza. Incluso podrían aplicar la eutanasia a su vástago si averiguaban quién era.

Luchó contra la anormalidad a lo largo de los años y, en cierta medida, tuvo éxito. Luego, se enteró de que Roi había sido escogido para el largo viaje y se sintió desdichada.

Lo siguió hasta uno de los corredores vacíos de la caverna, a varios kilómetros del centro de la ciudad. ¡*La ciudad*! Había sólo una.

Esa caverna se encontraba cerrada desde que Wenda tenía memoria de ello. Los ancianos la habían recorrido, analizaron su población y la energía necesaria para alimentarla y decidieron oscurecerla. Los pobladores, que no eran muchos, se habían trasladado más cerca del centro y se recortó el cupo para la siguiente sesión en el ovarium.

Wenda descubrió que el nivel coloquial de pensamiento de Roi era superficial, como si la mayor parte de su mente estuviera retraída en la contemplación.

—¿Tienes miedo? —le preguntó con el pensamiento.

—¿Porque he venido aquí a pensar? —Roi titubeó un poco; luego, con palabras dijo—: Sí, tengo miedo. Es la última oportunidad de la raza. Si fracaso...

—¿Temes por ti mismo? —Él la miró asombrado, y los pensamientos de Wenda palpitaron de vergüenza ante su impudor—. Ojalá pudiera ir yo en tu lugar —añadió con palabras.

—¿Crees que puedes hacerlo mejor?

—Oh, no. Pero si yo fracasara y no regresara, sería una pérdida menor para la raza.

—La pérdida es la misma, vayas tú o vaya yo. La pérdida es la existencia de la raza.

Wenda no pensaba precisamente en la existencia de la raza. Suspiró.

—Es un viaje muy largo.

—¿Cómo de largo? —preguntó él, sonriendo—. ¿Lo sabes?

Titubeó. No quería parecer estúpida.

—Se comenta que llega hasta el primer nivel —contestó con timidez.

Cuando Wenda era pequeña y los corredores con calefacción se extendían a mayor distancia de la ciudad, ella había ido a explorar por ahí, como cualquier otro niño. Un día, muy lejos, donde se sentía el frío cortante del aire, llegó a un corredor ascendente que estaba bloqueado por un tapón.

Posteriormente se enteró de que al otro lado y hacia arriba se encontraba el nivel setenta y nueve, más arriba el setenta y ocho y así sucesivamente.

—Iremos más allá del primer nivel, Wenda.

—Pero no hay nada después del primer nivel.

—Tienes razón. Nada. La materia sólida del planeta termina.

—¿Y cómo puede haber algo que no es nada? ¿Te refieres al aire?

—No, me refiero a la nada, al vacío. Sabes qué es el vacío, ¿no?

—Sí. Pero los vacíos se deben bombear y mantener herméticos.

—Eso se hace en mantenimiento. Pero más allá del primer nivel sólo hay una cantidad indefinida de vacío, que se extiende hacia todas partes.

Wenda reflexionó.

—¿Alguien ha estado allá?

—Claro que no. Pero tenemos los archivos.

—Tal vez los archivos estén equivocados.

—Imposible. ¿Sabes cuánto espacio cruzaré? —Los pensamientos de Wenda indicaron una abrumadora negativa—. Supongo que sabes cuál es la velocidad de la luz.

—Desde luego —respondió ella. Era una constante universal. Hasta los bebés lo sabían—. Mil novecientas cincuenta y cuatro veces la longitud de la caverna, ida y vuelta, en un segundo.

—Correcto. Pero si la luz atravesara la distancia que yo voy a recorrer tardaría diez años.

—Te burlas de mí. Intentas asustarme.

—¿Por qué iba a querer asustarte? —Se levantó—. Pero ya he remoloneado bastante por aquí...

Apoyó en ella una de sus extremidades, con una amistad objetiva e indiferente. Un impulso irracional incitó a Wenda a agarrarle con fuerza e impedirle que se marchara.

Por un instante sintió pánico de que él le sondeara la mente más allá del nivel coloquial, de que sintiera náuseas y no volviera a verla nunca, de que la denunciara para que la sometiesen a tratamiento. Luego, se relajó. Roi era normal, no un enfermo como ella. A él jamás se le ocurriría penetrar en la mente de una persona amiga más allá del nivel coloquial, fuera cual fuese la provocación.

Estaba muy guapo al marcharse. Sus extremidades eran rectas y fuertes; sus vibrisas prensiles, numerosas y delicadas; y sus franjas ópticas, las más bellas y opalescentes que ella había visto jamás.

3

Laura se acomodó en el asiento. Qué mullidos y cómodos los hacían. Qué agradables y acogedores eran por dentro y qué diferentes del lustre duro, plateado e inhumano del exterior.

Tenía el moisés al lado. Echó una ojeada debajo de la manta y de la gorra. Walter dormía. La carucha redonda tenía la blandura de la infancia, y los párpados eran dos medias lunas con pestañas.

Un mechón de cabello castaño claro le cruzaba la frente, y Laura se lo colocó bajo la gorra con infinita delicadeza.

Pronto sería hora de alimentarlo. Laura esperaba que no fuese tan pequeño como para asustarse de lo extraño del entorno. La azafata era muy amable; incluso guardaba los biberones de Walter en una pequeña nevera. ¡Qué cosas, una nevera a bordo de un avión!

La mujer sentada al otro lado del pasillo la miraba, dando a entender que sólo buscaba una excusa para dirigirle la palabra. Llegó el momento en que Laura levantó a Walter del moisés y se lo puso en el regazo, un terroncito de carne rosada envuelta en un blanco capullo de algodón.

Un bebé siempre es buena excusa para iniciar una conversación entre extraños. La mujer del otro lado se decidió al fin (y lo que dijo era previsible):

—¡Qué niño tan encantador! ¿Qué edad tiene, querida?

Laura contestó, sujetando unos alfileres en la boca (se había tendido una manta sobre las rodillas para cambiar a Walter):

—La semana que viene cumplirá cuatro meses.

Walter tenía los ojos abiertos y miró a la mujer, abriendo la boca en una sonrisa húmeda (siempre le agradaba que lo cambiasen).

—Mira esa sonrisa, George —dijo la mujer.

El esposo sonrió y agitó sus dedos regordetes.

—Bu bu —saludó al niño.

Walter se rió como si hipara.

—¿Cómo se llama, querida? —preguntó la mujer.

—Walter Michael. Como su padre.

Se había roto el hielo. Laura se enteró de que se llamaban George y Eleanor Ellis, de que estaban de vacaciones y de que tenían tres hijos, dos mujeres y un varón, todos crecidos. Las dos mujeres estaban casadas y una tenía dos hijos.

Laura escuchaba con expresión complacida. Walter (el padre, claro está) siempre le decía que se interesó por ella porque sabía escuchar muy bien.

Walter se estaba poniendo inquieto. Laura le liberó los brazos para que se desfogara moviendo los músculos.

—¿Podría calentar el biberón, por favor? —le pidió a la azafata.

Sometida a un riguroso, aunque afable interrogatorio, Laura explicó cuántas veces debía alimentar a Walter, qué fórmula utilizaba y si los pañales le provocaban ronchas.

—Espero que hoy no ande mal del estómago. Por el movimiento del avión.

—Oh, cielos —exclamó la señora Ellis—. Es demasiado pequeño para molestarse por eso. Además, estos aviones grandes son maravillosos. A menos que mire por la ventanilla no creería que estamos en el aire. ¿No opinas lo mismo, George?

Pero el señor Ellis, un hombre brusco y directo, dijo:

—Me sorprende que suba a un bebé de esa edad en un avión.

La señora Ellis se volvió hacia él de mal talante.

Laura se apoyó a Walter en el hombro y le palmeó la espalda. Walter se calmó, metió los deditos en el cabello lacio y rubio de su madre y comenzó a escarbar en el mechón que le cubría la nuca.

—Vamos a ver a su padre. Walter aún no ha visto a su hijo.

El señor Ellis se quedó perplejo e inició un comentario, pero la señora Ellis se apresuró a intervenir:

—Supongo que su esposo está en el servicio militar.

—Sí, así es. —El señor Ellis abrió la boca en un mudo «oh» y se calmó—. Lo han destinado cerca de Davao. Nos reuniremos en Nichols Field.

Antes de que la azafata volviera con el biberón se enteraron de que Walter era sargento del Servicio de Intendencia, de que llevaba en el Ejército cuatro años, de que se habían casado hacía dos, de que estaban a punto de licenciarlo y de que pasarían una larga luna de miel allí antes de regresar a San Francisco.

Luego, Laura acunó a Walter en el brazo izquierdo y le ofreció el biberón. Se lo puso entre los labios y las encías se cerraron sobre la tetilla. La leche empezó a burbujear, mientras las manitas acariciaban el biberón tibio y los ojos azules lo miraban fijamente.

Laura estrujó ligeramente al pequeño Walter y pensó que, a pesar de todas las dificultades y molestias, era maravilloso tener un bebé.

4

Teoría, siempre teoría, pensó Gan. La gente de la superficie, un millón de años antes o más, podían ver el universo, podían sentirlo directamente. Ahora, con mil doscientos kilómetros de roca encima de la cabeza, la raza sólo podía hacer deducciones a partir de las trémulas agujas de su instrumental.

Era sólo teoría que las células cerebrales, además de sus potenciales eléctricos comunes, irradiasen otra clase de energía; una energía que no era electromagnética y, por tanto, no estaba condenada al lento avance de la luz; una energía que sólo se asociaba con las funciones más elevadas del cerebro y, por tanto, sólo era característica de criaturas inteligentes y racionales.

Sólo una aguja oscilante detectaba que un campo de esa energía se filtraba en la caverna, y otras agujas indicaban que el origen de ese campo estaba en determinada dirección a diez años luz de distancia. Al menos una estrella se debía de haber acercado en ese ínterin, pues la gente de la superficie afirmaba que la más cercana se encontraba a quinientos años luz. ¿O estaban en un error?

—¿Tienes miedo? —interrumpió Gan de improviso en el nivel coloquial del pensamiento e invadió bruscamente la zumbona superficie de la mente de Roi.

—Es una gran responsabilidad —contestó éste.

«Otros hablan de responsabilidad», pensó Gan. Durante generaciones los jefes técnicos habían trabajado en el resonador y en la estación receptora, pero a él le correspondía el paso final. ¿Qué sabían de responsabilidad los demás?

—Lo es —le corroboró—. Hablamos de la extinción de la raza con vehemencia, pero siempre entendemos que llegará algún día, no ahora, no en nuestra época. Pero llegará, ¿entiendes? Llegará. Lo que vamos a hacer hoy consumirá dos tercios de nuestra provisión total de energía. No quedará suficiente para intentarlo de nuevo. No quedará suficiente para que esta generación viva su vida entera. Pero eso no importará si cumples las órdenes. Hemos pensado en todo; nos hemos pasado generaciones pensando en todo.

—Haré lo que me digan —afirmó Roi.

—Tu campo mental se enlazará con los que vienen del espacio. El campo mental es una característica del individuo y, por lo general, es muy baja la probabilidad de que exista un duplicado. Pero los campos que vienen del espacio suman miles de millones, según nuestras estimaciones. Es muy probable que tu campo sea igual al de uno de ellos y, en ese caso, se configurará una resonancia mientras nuestro resonador esté en funcionamiento. ¿Conoces los principios?

—Sí.

—Entonces, sabes que durante la resonancia tu mente estará en el planeta X, en el cerebro de la criatura cuyo campo mental sea idéntico al tuyo. Ese proceso no consume energía. En resonancia con tu mente, también trasladaremos la masa de la estación receptora.

El método para transferir masa de esa manera fue la última fase del problema que resolvimos y requerirá toda la energía que la raza usaría normalmente en cien años. —Tomó el cubo negro que era la estación receptora y lo miró sombríamente. Tres generaciones atrás, se consideraba imposible fabricar un aparato, que reuniera todas las propiedades necesarias, en un espacio menor a quince metros cúbicos. Ya lo tenían, y era del tamaño de un puño—. El campo mental de las células cerebrales inteligentes sólo puede seguir unas pautas bien definidas. Todas las criaturas vivientes, sea cual fuere su planeta, deben poseer una base proteínica y una química basada en agua de oxígeno. Si su mundo es habitable para ellas, es habitable para nosotros. —Teoría, siempre teoría, pensó en un nivel más profundo—. Eso no significa que el cuerpo donde te encuentres —continuó— y su mente y sus emociones no sean totalmente extraños. Así que hemos dispuesto tres métodos para activar la estación receptora. Si estás fuerte, sólo tendrás que ejercer doscientos cincuenta kilos de presión en cualquier cara del cubo. Si estás débil, lo único que necesitas es pulsar un botón, al que llegarás mediante esta abertura del cubo. Si no tienes extremidades, si tu organismo huésped está paralizado, puedes activar la estación con la propia energía mental. Una vez que la estación se active, tendremos dos puntos de referencia, no sólo uno, y la raza se podrá transferir al planeta X mediante teleportación normal.

—Eso significará que usaremos energía electromagnética.

—En efecto.

—La transferencia tardará diez años.

—No tendremos conciencia de la duración.

—Lo sé, pero eso quiere decir que la estación permanecerá en el planeta X durante diez años. ¿Y si la destruyen mientras tanto?

—También hemos pensado en ello. Hemos pensado en todo. Una vez que se active la estación, generará un campo de paramasa. Se desplazará en la dirección de la atracción gravitatoria, deslizándose a través de la materia común hasta que un medio de densidad relativamente alta ejerza suficiente fricción para detenerla. Se necesitarán seis metros de roca para ello; cualquier densidad menor no tendrá ningún efecto. Permanecerá a seis metros bajo tierra durante diez años, y en ese momento un contracampo la elevará a la superficie. Luego, uno a uno, cada miembro de la raza aparecerá.

—En ese caso, ¿por qué no automatizar la activación de la estación? Ya tiene muchas características automáticas...

—No lo has pensado bien, Roi. Nosotros sí. Quizá no todos los puntos de la superficie del planeta X sean adecuados. Si los habitantes son poderosos y están avanzados, tal vez haya que encontrar un lugar discreto para la estación. No nos convendría aparecer en la plaza de una ciudad. Y tendrás que asegurarte de que el entorno inmediato no es peligroso en otros sentidos.

—¿En qué otros sentidos?

—No lo sé. Los antiguos archivos de la superficie registran muchas cosas que ya no entendemos. No las explican porque las daban por conocidas pero llevamos lejos de la superficie casi cien mil generaciones y estamos desconcertados. Nuestros técnicos ni siquiera se ponen de acuerdo en cuanto a la naturaleza física de las estrellas, y eso es algo que en los archivos se menciona y se comenta a menudo; pero ¿qué significa «tormentas», «terremotos», «volcanes», «tornados», «celliscas», «aludes», «inundaciones», «rayos» y demás? Son términos que aluden a peligrosos fenómenos de superficie cuya naturaleza ignoramos. No sabemos cómo protegernos de ellos. A través de la mente de tu huésped podrás aprender lo necesario y actuar en consecuencia.

—¿Cuánto tiempo tendré?

—El resonador no puede funcionar continuamente durante más de doce horas. Yo preferiría que terminases tu tarea en dos. Regresarás aquí automáticamente en cuanto la estación esté activada. ¿Estás preparado?

—Lo estoy.

Gan lo condujo hasta el gabinete de vidrio ahumado. Roi se sentó, acomodó las extremidades en las cavidades y hundió las vibrisas en mercurio para establecer un buen contacto.

—¿Y si me encuentro en un cuerpo agonizante? —preguntó.

—El campo mental se distorsiona cuando la persona está a punto de morir —le explicó Gan mientras ajustaba los controles—. Un campo normal como el tuyo no se hallaría en resonancia.

—¿Y si está cerca de una muerte accidental?

—También hemos pensado en ello. No podemos protegerte contra eso, pero se estima que las probabilidades de una muerte tan rápida que no te dé tiempo de activar la estación mentalmente son menos de una en veinte billones, a no ser que los misteriosos peligros de la superficie sean más mortíferos de lo que pensamos... Tienes un minuto.

Por alguna extraña razón, Wenda fue la última persona en quien Roi pensó antes de la traslación.

5

Laura despertó sobresaltada. ¿Qué ocurría? Era como si la hubieran pinchado con un alfiler.

El sol de la tarde le brillaba en la cara y el resplandor la hizo parpadear. Bajó la cortina y miró a Walter.

Se sorprendió al verle los ojos abiertos. No era su hora de estar despierto. Miró el reloj. No, no lo era. Y faltaba una hora para darle de comer. Seguía el sistema de darle de comer cuando lo pidiera («grita y te daré de comer»), pero normalmente Walter respetaba el horario.

Le frotó la cara con la nariz.

—¿Tienes hambre?

Walter no respondió de ninguna manera y Laura se sintió defraudada. Le habría gustado que sonriera. Más aún, deseaba que se riera, que le rodeara el cuello con los brazos regordetes, le frotara con la nariz y dijera «Mamá»; pero sabía que eso no podía hacerlo. Pero lo que sí podía hacer era sonreír.

Le apoyó el dedo en la barbilla y le dio unos golpecitos.

—Bu, bu, bu, bu.

Walter siempre sonreía cuando le hacía eso, pero se limitó a parpadear.

—Espero que no esté enfermo —dijo, y miró preocupada a la señora Ellis.

La señora Ellis dejó su revista.

—¿Pasa algo malo, querida?

—No lo sé. Walter no reacciona.

—Pobrecillo. Tal vez esté cansado.

—En tal caso debería estar durmiendo, ¿no?

—Se encuentra en un ambiente extraño. Tal vez se esté preguntando qué es todo esto. —Se levantó, cruzó el pasillo y se agachó para acercar su rostro al de Walter—. Te preguntas qué es lo que pasa, ¿eh, bolita? Pues claro. Te preguntas dónde está tu cunita y dónde están los dibujos del empapelado.

Hizo ruiditos chillones.

Walter apartó la vista de su madre y miró sombríamente a la señora Ellis, que se incorporó de golpe, con un gesto de dolor, y se llevó la mano a la cabeza.

—¡Cielos! ¡Qué extraño dolor!

—¿Cree usted que tendrá hambre? —preguntó Laura.

—¡Por Dios! —exclamó la señora Ellis, con una expresión más tranquila—. Una no tarda en enterarse cuando tienen hambre. No le pasa nada. He tenido tres hijos, querida. Lo sé.

—Creo que voy a pedirle a la azafata que entibie otro biberón.

—Bueno, si eso te hace sentirte mejor...

La azafata trajo el biberón y Laura sacó a Walter del moisés.

—Tómate el biberón y luego te cambiaré y luego...

Le acomodó la cabeza en el brazo, le dio un suave pellizco en la mejilla, se lo acercó al cuerpo mientras le llevaba el biberón a los labios...

¡Walter gritó!

Abrió la boca, agitó los brazos, extendiendo los dedos y con el cuerpo rígido y duro, como si tuviera el tétanos, y gritó. El grito resonó en todo el compartimento.

Laura también gritó. Soltó el biberón, que se hizo añicos.

La señora Ellis se levantó de un brinco, y varios pasajeros la imitaron. El señor Ellis despertó de su siesta.

—¿Qué ocurre? —preguntó la señora Ellis.

—No lo sé, no lo sé. —Laura sacudía a Walter frenéticamente, se lo echaba sobre el hombro, le palmeaba la espalda—. Nene, nene, no llores. ¿Qué pasa, nene? Nene...

La azafata se acercó a todo correr. Su pie se quedó a un par de centímetros del cubo que había bajo el asiento de Laura.

Walter pataleaba furiosamente, berreando a todo pulmón.

6

Roi estaba anonadado. Se encontraba sujeto a la silla, en contacto con la clara mente de Gan, y de pronto (sin conciencia de separación en el tiempo) se vio inmerso en un torbellino de pensamientos extraños, bárbaros y fragmentarios.

Cerró la mente. Antes la tenía totalmente abierta para aumentar la efectividad de la resonancia, y el primer contacto con el alienígena había sido...

No doloroso, no. ¿Vertiginoso? ¿Nauseabundo? No, tampoco. No había palabras.

Recobró fuerzas en la plácida nada de la clausura mental y reflexionó. Sentía el contacto con la estación receptora, con la cual estaba en conexión mental. ¡Había ido con él, qué bien!

Hizo caso omiso del huésped. Tal vez lo necesitara luego para cuestiones más drásticas, así que no convenía despertar sospechas por el momento.

Exploró. Buscó una mente al azar y reparó en las impresiones sensoriales que la impregnaban. La criatura era sensible a zonas del espectro electromagnético y a las vibraciones del aire, así como al contacto corporal. Poseía sentidos químicos localizados...

Eso era todo. La examinó de nuevo, estupefacto.

No sólo no había sentido masa ni sentido electropotencial ni ninguna de las lecturas refinadas del universo, sino que no existía contacto mental.

La mente de la criatura estaba totalmente aislada.

Entonces, ¿cómo se comunicaban? Siguió examinando. Poseían un complejo código de vibraciones de aire controladas.

¿Eran inteligentes? ¿Había escogido una mente mutilada? No, todos eran así.

Escudriñó el grupo de mentes circundantes con sus zarcillos mentales, buscando un técnico o su equivalente entre esas semiinteligencias lisiadas. Encontró una mente que se veía a sí misma como controlador de vehículos. Roi recibió un dato: se hallaba a bordo de un vehículo aéreo.

Es decir que, aun sin contacto mental, eran capaces de construir una civilización mecánica rudimentaria. ¿O aquellos seres eran las herramientas animales de verdaderas inteligencias que estaban en otra parte del planeta? No... Sus mentes decían que no.

Examinó al técnico. ¿Qué pasaba con el entorno inmediato? ¿Eran de temer los espectros de los antiguos? Se trataba de una cuestión de interpretación. Existían peligros en el entorno. Movimientos de aire. Cambios de temperatura. Agua cayendo en el aire, en el estado líquido o sólido. Descargas eléctricas. Había vibraciones en código para cada fenómeno, pero eso no significaba nada. La conexión entre esas vibraciones y los nombres con que los ancestros de la superficie designaban los fenómenos era sólo conjetura.

No importaba. ¿Existía peligro en ese momento? ¿Existía peligro en ese lugar? ¿Había causa de temor o inquietud?

¡No! La mente del técnico decía que no.

Eso era suficiente. Regresó a la mente huésped y

descansó un instante; luego, se expandió cautelosamente...

¡Nada!

La mente huésped era un vacío; a lo sumo, una vaga sensación de tibieza y un opaco parpadeo de respuestas imprecisas ante estímulos básicos.

¿Su huésped era un moribundo? ¿Un afásico? ¿Un descerebrado?

Se desplazó a la mente más cercana, buscando información sobre el huésped.

El huésped era un bebé de la especie.

¿Un bebé? ¿Un bebé normal? ¿Tan poco desarrollado?

Dejó que su mente se fusionara un instante con lo que existía en el huésped. Buscó las zonas motrices del cerebro y las halló con dificultad. Un cauto estímulo fue seguido por un movimiento errático de las extremidades del huésped. Intentó controlarlas y fracasó.

Se sintió irritado. ¿De veras habían pensado en todo? ¿Pensaron en inteligencias sin contacto mental? ¿Pensaron en criaturas jóvenes, tan poco desarrolladas como si aún estuvieran en el huevo?

Eso significaba que no podría activar la estación receptora desde la persona del huésped. Los músculos y la mente eran demasiado débiles, estaban demasiado descontrolados para cualquiera de los tres métodos expuestos por Gan.

Pensó intensamente. No podría influir sobre una gran cantidad de masa mediante las imperfectas células cerebrales del huésped, pero quizá pudiera ejercer una influencia indirecta a través de un cerebro adulto. La influencia física directa sería minúscula; significaría la descomposición de las moléculas de trifosfato de adenosina y de las de acetilcolina. Luego, la criatura actuaría por cuenta propia.

Titubeó, temiendo el fracaso, y maldijo su cobardía. Entró nuevamente en la mente más cercana. Era una hembra de la especie y se encontraba en el estado de inhibición transitoria que había notado en otros individuos. No lo sorprendió, pues unas mentes tan rudimentarias tenían que necesitar descansos periódicos.

Estudió esa mente, palpando mentalmente las zonas que pudieran responder a un estímulo. Escogió una, penetró en ella y las zonas conscientes se llenaron de vida casi simultáneamente. Las impresiones sensoriales se activaron y el nivel de pensamiento se elevó de golpe.

¡Bien!

Pero no lo suficiente. Fue un mero pinchazo, un pellizco; no una orden para ejecutar una acción específica.

Se movió incómodo cuando lo invadió una emoción. Procedía de la mente que acababa de estimular y estaba dirigida hacia el huésped y no hacia él. No obstante, tanta crudeza primitiva lo fastidiaba, así que cerró la mente contra la desagradable tibieza de esos sentimientos al desnudo.

Una segunda mente se centró en torno del huésped y, si él hubiera sido material o hubiera controlado un huésped satisfactorio, habría lanzado un golpe de dolor.

¡Santas cavernas! ¿No le permitirían concentrarse en su importante misión?

Acometió contra la segunda mente, activando centros de incomodidad que la obligaran a apartarse.

Estaba contento. Fue sólo un estímulo sencillo e indefinido, pero había funcionado, despejó la atmósfera mental.

Volvió al técnico que controlaba el vehículo. Él conocería los detalles concernientes a la superficie sobre la cual volaban.

¿Agua? Ordenó deprisa los datos.

¡Agua! ¡Y más agua!

¡Por los eternos niveles! ¡La palabra «océano» tenía sentido! La vieja y tradicional palabra «océano». ¿Quién hubiera pensado que podía existir tanta agua?

Pero si eso era «océano», entonces la tradicional palabra «isla» tenía un significado claro. Envió su mente en busca de información geográfica. El «océano» estaba salpicado de motas de tierra, pero él necesitaba información exacta...

Le interrumpió un breve aguijonazo de sorpresa cuando su huésped se desplazó por el espacio para recostarse contra el cuerpo de la hembra.

La mente de Roi, activada como estaba, se hallaba abierta e indefensa. Las intensas emociones de la hembra lo sofocaron.

Se contrajo. En un intento de combatir esas aplastantes pasiones animales, se aferró a las células cerebrales del huésped, a través de las cuales se encauzaban esos crudos sentimientos.

Lo hizo con excesiva brusquedad. Un dolor difuso colmó la mente del huésped y al instante todas las mentes circundantes reaccionaron ante las resultantes vibraciones de aire.

Exasperado, procuró acallar al dolor y sólo logró estimularlo más.

A través de la bruma mental del dolor del huésped, escudriñó la mente del técnico, procurando evitar que se perdiera el contacto.

Concentró la mente. Ahora tendría su mejor oportunidad. Contaba con unos veinte minutos. Habría otras oportunidades después, aunque no tan buenas. Pero no se atrevía a dirigir los actos de otro mientras la mente del huésped padecía tamaña turbulencia.

Se retiró, se contrajo en la clausura mental, manteniendo sólo un tenue contacto con las células espinales del huésped, y aguardó.

Pasaron los minutos y poco a poco recobró la conexión.

Le quedaban cinco minutos. Escogió un sujeto.

7

—Creo que se siente mejor, pobrecillo —dijo la azafata.

—Nunca se había portado así —lloriqueó Laura—. Nunca.

—Tal vez sea un pequeño cólico —sugirió la señora Ellis.

—Tal vez —secundó la azafata—. Hace demasiado calor.

Entreabrió la manta, le levantó la ropita y dejó al descubierto su abdomen duro, rosado y protuberante. Walter seguía gimoteando.

—¿Quiere que le cambie? —preguntó la azafata—. Está muy mojado.

—Sí, gracias.

La mayoría de los pasajeros habían vuelto a los asientos. Los más alejados dejaron de estirar el cuello.

El señor Ellis se quedó en el pasillo con su esposa.

—Oye, mira.

Laura y la azafata estaban demasiado ocupadas para prestarle atención y la señora Ellis lo ignoró por pura costumbre.

El señor Ellis estaba habituado a eso. Su comentario fue simplemente retórico. Se agachó y recogió la caja que estaba bajo el asiento.

La señora Ellis lo miró con impaciencia.

—¡Cielos, George, no toques el equipaje de los demás! ¡Siéntate! Entorpeces el paso.

El señor Ellis se incorporó, avergonzado.

Laura, con los ojos aún inflamados y llorosos, dijo:

—No es mío. Ni siquiera sabía que estaba bajo el asiento.

—¿Qué es? —preguntó la azafata, dejando de mirar al bebé lloriqueante.

El señor Ellis se encogió de hombros.

—Es una caja.

—Bueno, y ¿para qué la quieres, por amor de Dios? —se irritó su esposa.

El señor Ellis buscó una razón. ¿Para qué la quería?

—Sentí curiosidad, eso es todo —murmuró.

—¡Listo! —exclamó la azafata—. El pequeño está cambiado y seco y apuesto a que pronto estará más contento que unas pascuas. ¿Qué dices, primor?

Pero el primor seguía lloriqueando y apartó bruscamente la cabeza cuando le ofrecieron otro biberón.

—Lo entibiaré un poco —dijo la azafata.

Cogió el biberón y se alejó por el pasillo.

El señor Ellis tomó una decisión. Cogió la caja y la apoyó en el brazo del asiento, haciendo caso omiso del rostro fruncido de su esposa.

—No hago ningún daño —se defendió—. Sólo estoy mirando. ¿De qué está hecha?

La golpeó con los nudillos. Ninguno de los demás pasajeros parecía estar interesado, no prestaban atención ni al señor Ellis ni a la caja. Era como si algo hubiera desconectado esa línea de interés en particular y hasta la señora Ellis, que conversaba con Laura, le daba la espalda.

Levantó la caja y vio la abertura. Sabía que debía haber una abertura. Tenía el tamaño suficiente para insertar un dedo, aunque no había ninguna razón por la que él quisiera meter el dedo en una caja extraña.

Lo metió con cautela. Había un botón negro y deseaba tocarlo. Lo presionó.

La caja tembló, se le desprendió de las manos y cayó por el otro lado del brazo del asiento.

Llegó a ver cómo atravesaba el suelo, dejándolo intacto. El señor Ellis abrió las manos y se miró las palmas. Luego, se arrodilló y tanteó el suelo.

La azafata, que regresaba con el biberón, preguntó cortésmente:

—¿Ha perdido algo?

—¡George! —exclamó la señora Ellis.

El señor Ellis se incorporó con dificultad. Estaba ruborizado y nervioso.

—La caja... Se me soltó de la mano y cayó...

—¿Qué caja? —preguntó la azafata.

—¿Puede darme el biberón, señorita? —dijo Laura—. Ya ha dejado de llorar.

—Desde luego. Aquí lo tiene.

Walter abrió la boca ávidamente y aceptó la tetilla. La leche burbujeaba mientras el niño sorbía haciendo gorgoritos.

Laura levantó la vista, con los ojos radiantes.

—Ahora parece encontrarse bien. Gracias, señorita. Gracias, señora Ellis. Por un momento tuve la sensación de que no era mi hijito.

—Se pondrá bien —la animó la señora Ellis—. Tal vez fue un pequeño mareo. Siéntate, George.

—Llámeme si me necesita —se ofreció la azafata.

—Gracias —dijo Laura.

—La caja... —murmuró el señor Ellis, y no habló más.

¿Qué caja? No recordaba ninguna caja.

Pero había una mente a bordo de ese avión que podía seguir la trayectoria del cubo negro, que caía en una parábola sin que le afectaran ni el viento ni la resistencia del aire, atravesando las moléculas de gas que se interponían en su camino.

Debajo, el atolón constituía el diminuto centro de un enorme blanco. En otro tiempo, durante una época bélica, contó con una pista aérea y con barracas. Las barracas se habían derrumbado, la pista aérea era una franja irregular en vías de desaparición y el atolón estaba desierto.

El cubo cayó en el blando follaje de una palmera y ni una sola hoja se agitó. Atravesó el tronco, descendió hasta el coral y se hundió en el planeta sin que ni una mota de polvo se alterara para anunciar su entrada.

A seis metros de la superficie, el cubo se detuvo y se quedó inmóvil, íntimamente mezclado con los átomos de la roca, pero diferenciado de ella.

Eso fue todo. Llegó la noche, llegó el día; llovió, sopló viento y las olas del Pacífico se rompieron en espuma blanca sobre el blanco coral. Nada había ocurrido.

Nada ocurriría durante diez años.

8

—Hemos transmitido la noticia de que has tenido éxito —dijo Gan—. Creo que ahora deberías descansar.

—¿Descansar? ¿Ahora? ¿Cuando he regresado a mentes íntegras? No, gracias. Estoy disfrutando mucho.

—¿Tanto te molestó, lo de la inteligencia sin contacto mental?

—Sí —contestó Roi.

Gan tuvo el tacto de no seguir esa línea de pensamiento evocativo. En cambio, preguntó:

—¿Y la superficie?

—Espantosa. Lo que los antiguos llamaban «sol» es un insoportable resplandor en lo alto. Aparentemente se trata de una fuente de luz y varía periódicamente; en otras palabras, «noche» y «día». También hay variaciones imprevisibles.

—«Nubes», tal vez —sugirió Gan.

—¿Por qué «nubes»?

—Ya conoces el dicho tradicional: «Las nubes ocultaban el sol.»

—¿Eso crees? Sí, pudiera ser.

—Bien, continúa.

—Veamos. He explicado «océano» e «isla». «Tormenta» significa humedad en el aire cayendo en gotas. «Viento» es un movimiento de aire en gran escala. «Trueno», una descarga espontánea de estática o un gran ruido espontáneo. «Cellisca» es hielo que cae.

—Qué curioso. ¿De dónde caería el hielo? ¿Cómo? ¿Por qué?

—No tengo la menor idea. Todo es muy variable. Hay tormentas en determinado momento, pero no en otro. Aparentemente hay regiones de la superficie donde siempre hace frío, otras donde siempre hace calor y otras donde hace ambas cosas según el momento.

—Asombroso. ¿Cuánto de todo esto lo atribuyes a un error de interpretación por parte de las mentes alienígenas?

—Nada. Estoy seguro de ello. Es muy claro. Tuve tiempo suficiente para escudriñar sus extrañas mentes. Demasiado tiempo.

De nuevo sus pensamientos se replegaron.

—Está bien —aceptó Gan—. Tenía miedo de nuestra tendencia a pintar con tonos románticos la Edad de Oro de nuestros ancestros de la superficie. Presentía que en nuestro grupo habría un fuerte impulso a favor de una nueva vida en la superficie.

—No —rechazó Roi con vehemencia.

—Obviamente no. Dudo que ni siquiera nuestros individuos más recios resistieran un solo día en un medio ambiente como el que describes, con las tormentas, los días, las noches, las molestas e imprevisibles variaciones. —Gan se sentía satisfecho—. Mañana iniciaremos el proceso de transferencia. Una vez en la isla... Dices que está deshabitada.

—Totalmente. Era la única de ese tipo, de todas las que el avión sobrevoló. La información del técnico fue detallada.

—Bien. Iniciaremos las operaciones. Tardaremos generaciones, Roi, pero al final estaremos en las profundidades de un mundo nuevo y tibio, en agradables cavernas donde el ámbito controlado permitirá el crecimiento de la cultura y el refinamiento.

—Y no tendremos ningún tipo de contacto con las criaturas de la superficie.

—¿Por qué? Aunque sean primitivas podrían sernos útiles una vez que establezcamos nuestra base. Una raza capaz de construir naves aéreas debe de poseer algunas cualidades.

—No es así. Son beligerantes. Son capaces de atacar con saña animal y...

—Me perturba la psicopenumbra que rodea tus referencias a los alienígenas —le interrumpió impaciente Gan—. Me estás ocultando algo.

—Al principio pensé que podría utilizarlos. Si no nos permitían ser amigos, al menos los controlaríamos. Hice que uno de ellos estableciera contacto íntimo con el interior del cubo y fue difícil. Fue muy difícil. Sus mentes tienen otra constitución.

—¿En qué sentido?

—Si fuera capaz de describirlo, eso querría decir que la diferencia no era fundamental. Pero puedo ponerte un ejemplo. Estuve en la mente de un bebé. No tienen cámaras de maduración. A los bebés los cuidan los individuos. La criatura que cuidaba de mi huésped...

—Sí...

—Era hembra, y sentía un vínculo especial con el pequeño. Había una sensación de propiedad, una relación que excluía al resto de la sociedad. Creí detectar, confusamente, un rastro de esa emoción que liga a un hombre con un allegado o con un amigo; pero era mucho más intensa e irrefrenable.

—Bueno, al carecer de contacto mental, tal vez no tengan una verdadera concepción de la sociedad y quizá se originen subrelaciones. ¿O esto era patológico?

—No, no. Es universal. La hembra era la madre del bebé.

—Imposible. ¿Su propia madre?

—Por fuerza. El bebé había pasado la primera parte de su existencia dentro de la madre. Literalmente. Los huevos de la criatura permanecen dentro del cuerpo. Son inseminados dentro del cuerpo. Crecen dentro del cuerpo y surgen con vida.

—Santas cavernas —musitó Gan. Sentía una fuerte repugnancia—. Entonces, cada criatura conocería la identidad de su propio hijo; cada hijo tendría un padre determinado...

—Y él también era conocido. Mi huésped hacía un viaje de ocho mil kilómetros, por lo que pude deducir, para que su padre pudiera verlo.

—¡Increíble!

—¿Necesitas algo más para entender que nuestras mentes no pueden llegar a encontrarse? La diferencia es fundamental e innata.

El amarillo de la lamentación teñía y endurecía los pensamientos de Gan.

—Qué pena —dijo—. Pensaba...

—¿Qué?

—Pensaba que por primera vez dos inteligencias se ayudarían mutuamente. Pensaba que juntos podríamos progresar con mayor rapidez que cualquiera de ambos en solitario. Aunque fueran tecnológicamente primitivos, como lo son, la tecnología no es todo. Yo creía que incluso podríamos aprender de ellos.

—¿Aprender qué? —preguntó Roi bruscamente—. ¿A conocer a nuestros padres y a trabar amistad con nuestros hijos?

—No, no. Tienes razón. La barrera entre ambos debe mantenerse intacta para siempre. Ellos se quedarán en la superficie y nosotros permaneceremos en las profundidades, y así está bien.

Fuera de los laboratorios, Roi se encontró con Wenda. Los pensamientos de ella desbordaron de placer.

—Me alegra que hayas vuelto.

Los pensamientos de Roi también fueron placenteros. Era un alivio establecer un limpio contacto mental con una amiga.

AL ESTILO MARCIANO

1

Desde la puerta del corto corredor que separaba las dos cabinas de la ojiva espacial, Mario Esteban Rioz observó de mal talante a Ted Long ajustando los mandos del vídeo. Movía los controles a un lado y a otro. La imagen era pésima.

Rioz sabía que seguiría siendo pésima. Estaban demasiado lejos de la Tierra y en mala posición respecto del Sol. Pero Long no tenía por qué saberlo. Rioz se quedó un segundo más en la puerta, con la cabeza gacha bajo el dintel y el cuerpo ladeado para pasar por la estrecha abertura. Luego, irrumpió como un corcho que salta de una botella.

—¿Qué buscas? —preguntó.

—Quería captar a Hilder.

Rioz se apoyó en una esquina de la mesa. Cogió una lata cónica de leche. La punta saltó bajo la presión. Rioz la movió suavemente, esperando a que se entibiara.

—¿Para qué?

Se llevó el cono a la boca y bebió haciendo ruido.

—Pensé que se oiría.

—Creo que es un derroche de energía.

Long lo miró con mal ceño.

—Es habitual permitir el uso gratuito de los equipos de vídeo.

—Dentro de lo razonable —replicó Rioz.

Se miraron de hito en hito. Rioz tenía el cuerpo robusto y el rostro enjuto que constituían la marca distintiva de los chatarreros marcianos, esos pilotos que surcaban pacientemente el espacio entre la Tierra y Marte. Sus claros ojos azules resplandecían en un rostro pardo y arrugado, que a la vez se perfilaba oscuramente contra la sintopiel blanca que bordeaba el cuello vuelto de su cazadora espacial de cuerótico.

Long era más pálido y más blando. Tenía los rasgos del terroso, como apodaban a los habitantes de la Tierra, aunque ningún marciano de segunda generación podía ser un terroso en el sentido en que lo eran los terrícolas. Tenía el cuello echado hacia atrás y mostraba el cabello oscuro y castaño.

—¿Qué significa dentro de lo razonable?

Rioz apretó los labios.

—Considerando que en este viaje ni siquiera compensaremos los gastos, por lo que se ve, todo consumo de energía está fuera de lo razonable.

—Si estamos perdiendo dinero, ¿no deberías volver a tu puesto? Es tu turno.

Rioz gruñó y se pasó el pulgar y el índice por la barba crecida del mentón. Se levantó y caminó hacia la puerta, y las botas, gruesas y blandas, acallaron el ruido de los pasos. Se detuvo para mirar el termostato y se volvió con un destello de furia.

—Ya me parecía que hacía calor. ¿Dónde te crees que estás?

—Cinco grados centígrados no es excesivo.

—Tal vez no lo sea para ti. Pero estamos en el espacio, no en una oficina con calefacción en las minas de hierro. —Rioz puso el termostato al mínimo con un brusco movimiento del pulgar—. El Sol da calor suficiente.

—La cocina no está del lado del Sol.

—¡El calor se transmitirá, demonios!

Se marchó, y Long lo siguió con la mirada antes de volver al vídeo. No subió el termostato.

La imagen seguía vacilante, pero tendría que conformarse.

Bajó una silla plegable de la pared. Se inclinó esperando el anuncio formal, la pausa momentánea antes de la lenta disolución del telón, y el foco alumbró a esa célebre figura barbada que crecía hasta cubrir la pantalla.

La voz, imponente pese a las vibraciones y los gruñidos causados por las lluvias de electrones de treinta millones de kilómetros, comenzó:

—¡Amigos! Conciudadanos de la Tierra...

2

Rioz captó el parpadeo de la señal de la radio al entrar en la sala de pilotaje. Por un instante creyó que se trataba del radar y sintió que le sudaban las manos, pero era sólo efecto de su sentimiento de culpa: No tendría que haber dejado la sala de pilotaje durante su turno, aunque todos los chatarreros lo hacían. Pero la pesadilla de todos ellos era la posibilidad de un contacto durante esos cinco minutos en que uno se escapaba a tomar un café porque el espacio parecía estar despejado.

Y en ocasiones la pesadilla se hacía realidad.

Activó el multisensor. Era un derroche de energía, pero tal vez valiera la pena cerciorarse.

El espacio estaba despejado, excepto por los distantes ecos de las naves vecinas de la línea de chatarreros.

Encendió la radio y pudo ver la rubia cabeza y la larga nariz de Richard Swenson, copiloto de la nave más cercana en las inmediaciones de Marte.

—Hola, Mario —saludó Swenson.

—Hola. ¿Qué hay de nuevo?

Hubo una pausa de un segundo y una fracción entre un saludo y otro, pues la velocidad de la radiación electromagnética no es infinita.

—Qué día he tenido.

—¿Ocurrió algo? —preguntó Rioz.

—Tuve un contacto.

—Me alegro por ti.

—Claro, si lo hubiera cogido —rezongó Swenson.

—¿Qué sucedió?

—Demonios, que enfilé en dirección contraria.

Rioz sabía que no era prudente reírse.

—¿Por qué?

—No fue culpa mía. El problema era que la cápsula se alejaba de la eclíptica. ¿Te imaginas la estupidez de un piloto que no sabe realizar la maniobra de liberación? ¿Cómo iba a saberlo? Calculé la distancia y me guié por eso. Supuse que su órbita estaba en la familia habitual de trayectorias. ¿Qué pensarías tú? Me lancé por lo que parecía una buena línea de intersección y a los cinco minutos advertí que la distancia seguía aumentando. Las señales de radar tardaban en regresar. Así que tomé las proyecciones angulares de la cosa y fue ya demasiado tarde para alcanzarla.

—¿La cogió alguno de los otros chicos?

—No. Está muy alejada de la eclíptica y continuará sin parar. Eso no me fastidia tanto, pues era sólo un cápsula interna; pero detesto contarte cuántas toneladas de propulsión desperdicié para cobrar velocidad y regresar a la estación. Tendrías que haber oído a Canute.

Canute era el hermano y compañero de Richard Swenson.

—Se enfadó, ¿eh?

—¿Que si se enfadó? ¡Quería matarme! Pero, claro, hace cinco meses que estamos fuera y la atmósfera se está enrareciendo. Ya me entiendes.

—Te entiendo.

—¿Cómo te va, Mario?

Rioz hizo un gesto desdeñoso.

—Más o menos igual. Dos cápsulas en las dos últimas semanas y a cada una tuve que perseguirla durante seis horas.

—¿Grandes?

—¿Bromeas? Las podría haber arrastrado con la mano hasta Fobos. Es el peor viaje que he tenido.

—¿Cuánto más piensas quedarte?

—Si por mí fuera, podríamos irnos mañana. Hace sólo dos meses que estamos fuera y todo anda tan mal que me ensaño con Long todo el tiempo.

Hubo una pausa que se prolongó más que la demora electromagnética.

—¿Cómo es Long? —preguntó Swenson.

Rioz miró por encima del hombro. Oyó el parloteo del vídeo en la cocina.

—No logro entenderlo. Una semana después de la partida me preguntó que por qué era chatarrero. Le respondí que para ganarme la vida. ¿Pero qué clase de pregunta es ésa? ¿Por qué uno es chatarrero? De todas maneras, me dijo: «No es así, Mario.» Él me lo explicó, ¿te das cuenta? Me dijo: «Eres chatarrero porque esto forma parte del estilo marciano.»

—¿Qué quiso decir?

Rioz se encogió de hombros.

—No se lo pregunté. Ahora está sentado allá, escuchando la ultramicroonda de la Tierra. Está oyendo a un terroso llamado Hilder.

—¿Hilder? Un político terroso, un miembro de la Asamblea o algo así, ¿verdad?

—Eso es. Eso creo, al menos. Long siempre hace cosas así. Se trajo diez kilos de libros, todos sobre la Tierra. Un lastre.

—Bueno, es tu compañero. Y, hablando de compañeros, creo que voy a volver al trabajo. Si me pierdo otro contacto alguien me asesinará.

Desconectó y Rioz se reclinó. Observó la uniforme línea verde del sensor de pulsaciones. Probó con el multisensor un momento. El espacio aún estaba despejado.

Se sentía un poco mejor. Una mala racha se soporta peor cuando los demás chatarreros recogen una cápsula tras otra; cuando las cápsulas descienden a los hornos de fundición de Fobos llevando la marca de todos, excepto la tuya. Además, había logrado desahogar parte de su rencor hacia Long.

Formar equipo con Long había sido un error. Siempre era un error asociarse con un novato. Pensaban que buscabas la gloria; especialmente Long, con sus eternas teorías sobre Marte y el magnífico y flamante papel que le cabía en el progreso humano. Así hablaba Long: Progreso Humano, Estilo Marciano, Nueva Minoría Creadora. Y Rioz no quería cháchara, sólo un contacto y algunas cápsulas. Pero no tenía opción. Long era conocido en Marte y obtenía una buena paga como ingeniero de minas. Era amigo del comisionado Sankov y había estado en un par de misiones chatarreras. No se podía rechazar a un fulano sin probar suerte, aunque tuviera aspecto raro. ¿Por qué un ingeniero de minas, con un trabajo cómodo y un buen sueldo, quería andar dando vueltas por el espacio?

Nunca le hacía esa pregunta a Long. Los chatarreros están obligados a convivir demasiado estrechamente y la curiosidad no es deseable. A veces ni siquiera es segura. Pero Long hablaba tanto que él mismo había respondido a la pregunta: «Tenía que venir aquí, Mario. El futuro de Marte no está en las minas, sino en el espacio», le dijo.

Rioz se preguntó cómo sería hacer un viaje a solas. Todos decían que era imposible. Aun sin contar las oportunidades perdidas cuando hubiera que bajar la guardia para dormir o para atender otros asuntos, se sabía que un hombre solo en el espacio se deprimía muchísimo en muy poco tiempo.

La presencia de un compañero permitía viajes de seis meses. Una tripulación fija sería mejor, pero ningún chatarrero ganaría suficiente dinero con una nave capaz de albergar una tripulación fija. ¡Consumiría un capital sólo con la propulsión!

Y ni siquiera con dos resultaba precisamente divertido un viaje por el espacio. Habitualmente había que cambiar de compañero en cada viaje, y con algunos se aguantaba más tiempo que con otros. Como Richard y Canute Swenson. Trabajaban juntos cada cinco o seis viajes porque eran hermanos. Y aun así la tensión y el antagonismo crecían constantemente después de la primera semana.

En fin. El espacio estaba despejado. Rioz se sentiría un poco mejor si regresaba a la cocina y se conciliaba con Long. Podría demostrarle que era un viejo veterano que se tomaba las irritaciones del espacio tal como venían.

Se levantó y caminó tres pasos hasta llegar al corredor corto y angosto que unía las dos cabinas de la nave.

3

Una vez más se quedó mirando desde la puerta. Long tenía clavada la vista en la pantalla fluctuante.

—Subiré el termostato —gruñó Rioz—. Está bien, podemos consumir esa energía.

Long asintió con la cabeza.

—Como quieras.

Rioz avanzó un paso, indeciso. El espacio estaba despejado. ¿De qué servía sentarse a mirar una línea verde y en la que no aparecían señales?

—¿De qué hablaba ese terroso? —preguntó.

—La historia del viaje espacial. Cosas antiguas, pero lo hace bien. Usa todos los recursos: caricaturas de color, fotografías trucadas, fotos fijas de viejos filmes; todo.

Como para ilustrar los comentarios de Long, la figura barbada se esfumó de la pantalla y fue reemplazada por el corte transversal de una nave espacial. La voz de Hilder continuó oyéndose, señalando rasgos de interés que aparecían en colores esquemáticos. El sistema de comunicaciones de la nave se perfiló en rojo mientras él lo describía y hablaba de las salas de almacenaje, del motor protónico de micropila, de los circuitos cibernéticos...

Hilder reapareció en la pantalla.

—Pero esto es sólo la ojiva de la nave. ¿Qué la impulsa? ¿Qué la aleja de la Tierra?

Todo el mundo sabía qué impulsaba una nave, pero la voz de Hilder era como una droga. Hablaba de la propulsión espacial como si fuera un secreto, la máxima revelación. Hasta Rioz sintió cierta curiosidad, y eso que se había pasado la mayor parte de su vida a bordo de una nave.

—Los científicos le dan distintos nombres —continuó Hilder—. La llaman ley de acción y reacción. Unas veces la llaman tercera ley de Newton. Otras veces la llaman conservación del impulso. Pero no tenemos que darle ningún nombre. Basta con usar el sentido común. Cuando nadamos, empujamos el agua hacia atrás y nos movemos hacia delante. Cuando caminamos, impulsamos el pie hacia atrás y nos movemos hacia delante. Cuando volamos en giromóvil, empujamos aire hacia atrás y nos movemos hacia delante. Nada se mueve hacia delante a menos que otra cosa se mueva hacia atrás. Es el viejo principio: No se obtiene algo a cambio de nada. Y ahora imaginemos una nave espacial de cien mil toneladas elevándose de la Tierra. Para ello, algo se tiene que mover hacia abajo. Como una nave espacial es muy pesada, hay que mover mucho material hacia abajo, tanto material que no se puede tener todo a bordo de la nave. Se debe construir un compartimento especial detrás de la nave para almacenarlo.

Hilder desapareció de nuevo y la nave reapareció. Disminuyó de tamaño y un cono truncado le salió por la popa, en cuyo interior se veían unas letras brillantes y amarillas: «Material de desecho.»

—Pero ahora —dijo Hilder—, el peso total de la nave es mucho mayor. Se necesita más propulsión.

La nave disminuyó más aún y se le sumó otra sección más grande, y otra más inmensa todavía. La nave propiamente dicha, la ojiva, era un pequeño punto en la pantalla, un punto rojo y fulgurante.

—¡Cuernos —exclamó Rioz—, esto es para párvulos!

—No, para el público al que se dirige, Mario —replicó Long—. La Tierra no es Marte. Debe de haber miles de millones de terrícolas que jamás han visto una nave espacial ni tienen la menor idea de esto.

—Cuando el material que está dentro de la cápsula de mayor tamaño se consume, la cápsula se desprende y se aleja —continuó hablando Hilder. La cápsula del extremo se desprendió y giró como un trompo en la pantalla—. Luego, se va la segunda y, si es un viaje largo, se desecha la última. —La nave era sólo un punto rojo y las tres cápsulas giraban a la deriva, perdiéndose en el espacio—. Estas cápsulas representan cien mil toneladas de tungsteno, magnesio, aluminio y acero. Se han ido para siempre de la Tierra. Marte está rodeado de chatarreros que aguardan en las rutas espaciales. Esperan a las cápsulas desechadas, las recogen con redes, les estampan su marca y las despachan a Marte. La Tierra no recibe un solo céntimo por ellas. Se trata de material rescatado y pertenece a la nave que lo encuentra.

—Arriesgamos nuestra inversión y nuestra vida —refunfuñó Rioz—. Si nosotros no lo recogemos, nadie lo hace. ¿Qué pierde la Tierra?

—Sólo está hablando del coste que Marte, Venus y la Luna significan para la Tierra. Éste es únicamente uno de los puntos.

—Obtendrán su beneficio. Cada año extraemos más hierro.

—Y la mayor parte regresa a Marte. Según las cifras de Hilder, de los doscientos mil millones de dólares, invertidos por la Tierra en Marte, ha recibido cinco mil millones en hierro; de los quinientos mil millones en la Luna, poco más de veinticinco mil millones en magnesio, titanio y metales ligeros; y, de los cincuenta mil millones en Venus, no ha recibido nada. Y eso es lo que les interesa a los contribuyentes de la Tierra: el dinero de sus impuestos, a cambio de nada.

La pantalla se llenó de imágenes de chatarreros en la ruta de Marte: caricaturas de naves pequeñas y sonrientes, que extendían unos brazos delgados y fuertes para recoger las cápsulas vacías, estamparles el rótulo de «Propiedad de Marte» en letras relucientes y despacharlas a Fobos.

Hilder apareció de nuevo.

—Nos dicen que a la larga obtendremos nuestro beneficio. ¡A la larga! ¡Una vez que constituyan una empresa en marcha! No sabemos cuándo será. ¿Dentro de un siglo? ¿Mil años? ¿Un millón? A la larga. Confiemos en su palabra. Un día nos devolverán nuestros metales. Un día cultivarán sus alimentos, consumirán su energía, vivirán su vida.

»Pero hay algo que nunca pueden devolvernos; ni en cien millones de años. ¡El agua!

»Marte tiene apenas una lágrima de agua porque es demasiado pequeño. Venus no tiene agua porque es demasiado caliente. La Luna no tiene agua porque es demasiado caliente y demasiado pequeña. Así que la Tierra no sólo debe suministrar agua para que la gente del espacio beba y se lave, agua para sus industrias, agua para las granjas hidropónicas que afirman estar instalando; sino también agua para malgastarla por millones de toneladas.

»¿Qué es la fuerza propulsora que usan las naves? ¿Qué arrojan hacia atrás cuando se impulsan adelante? Antes eran gases generados con explosivos. Resultaba muy costoso. Luego, se inventó la micropila protónica, una fuente energética barata y que puede calentar cualquier líquido hasta transformarlo en gas bajo una tremenda presión. ¿Cuál es el líquido más barato y abundante? El agua, por supuesto.

»Cada nave espacial sale de la Tierra portando casi un millón de toneladas de agua. No kilos, sino toneladas, y eso sólo para llevarla por el espacio, para que pueda acelerar o desacelerar.

»Nuestros ancestros consumieron el petróleo de forma frenética e imprudente. Destruyeron implacablemente el carbón. Los despreciamos y los condenamos por ello, pero al menos tenían una excusa, pues pensaban que aparecerían sustitutos cuando fuese necesario. Y tenían razón. Nosotros tenemos nuestras granjas de plancton y nuestras micropilas protónicas.

»Pero no hay sustituto para el agua. ¡Ninguno! Nunca puede haberlo. Y cuando nuestros descendientes vean el desierto en que hemos transformado la Tierra ¿qué excusa hallarán para nosotros? Cuando se propaguen las sequías...

Long apagó el aparato.

—Eso me molesta. El maldito tonto intenta... ¿Qué ocurre?

Rioz se había levantado.

—Debería estar vigilando las señales.

—¡Al cuerno con las señales! —Pero Long se levantó y siguió a Rioz por el angosto corredor hasta la sala del piloto—. Si Hilder se sale con la suya, si tiene agallas para transformarlo en un tema político de interés... ¡Rayos!

Él también lo había visto. El parpadeo de una cápsula de clase A corría detrás de la señal saliente, como un sabueso persiguiendo un conejo mecánico.

—El espacio estaba despejado —balbuceó Rioz—. Te lo juro, estaba despejado. Por Dios, Ted, no te quedes paralizado. Trata de localizarlo visualmente.

Rioz trabajó de prisa, con una eficiencia que era fruto de casi veinte años como chatarrero. En dos minutos calculó la distancia. Luego, recordando la experiencia de Swenson, midió el ángulo de declinación y la velocidad radial.

—¡Uno coma siete seis radianes! —gritó a Long—. ¡No puedes fallar!

Long contuvo el aliento mientras ajustaba el vernier.

—Está a sólo medio radián del Sol. Recibirá luz por el costado.

Incrementó la amplificación con la mayor rapidez posible, buscando la única «estrella» que cambiaba de posición y crecía hasta alcanzar una forma que revelaba que no era una estrella.

—Arrancaré de todos modos —dijo Rioz—. No podemos esperar.

—Lo tengo. Lo tengo. —La amplificación aún era demasiado pequeña para darle una forma definida, pero el punto que Long observaba se iluminaba y se ensombrecía rítmicamente mientras la cápsula rotaba y recibía la luz del Sol en secciones transversales de diverso tamaño.

—Manténlo.

El primer chorro de vapor brotó de la tobera, dejando largas estelas de microcristales de hielo que reflejaban vagamente los pálidos rayos del distante Sol. Se hicieron menos densos a unos ciento cincuenta kilómetros. Un chorro, otro y otro, mientras la nave abandonaba su trayectoria estable para adoptar un curso tangencial al de la cápsula.

—¡Se mueve como un cometa en el perihelio! —gritó Rioz—. Esos malditos pilotos terrosos sueltan las cápsulas de ese modo a propósito. Me gustaría...

Soltó un colérico juramento mientras seguía arrojando vapor, hasta que el acolchado hidráulico del asiento se hundió medio metro y Long ya no pudo asirse de la baranda.

—Ten compasión —suplicó.

Pero Rioz tenía la vista fija en el radar.

—¡Si no puedes aguantarlo, quédate en Marte!

Los chorros de vapor seguían tronando a lo lejos.

La radio cobró vida. Long logró inclinarse por encima de lo que parecía melaza y activó el contacto. Era Swenson, y sus ojos echaban chispas.

—¿Adónde vais? —protestó—. Estaréis en mi sector dentro de diez segundos.

—Persigo una cápsula —respondió Rioz.

—¿En mi sector?

—Apareció en el mío y no estás en posición de atraparla. Apaga esa radio, Ted.

La nave surcaba el espacio con un ruido atronador que sólo se oía dentro del casco. Luego, Rioz apagó los motores en etapas tan largas que Long se tambaleó. El repentino silencio fue más ensordecedor que el estruendo precedente.

—Ya está —dijo Rioz—. Dame el telescopio.

Ambos observaron. La cápsula era un cono truncado que giraba con lenta solemnidad entre las estrellas.

—Es una cápsula de clase A, en efecto —confirmó Rioz con satisfacción.

Una gigante entre las cápsulas, pensó. Les permitiría resarcirse.

—Tenemos otra señal en el sensor —dijo Long—. Creo que es Swenson persiguiéndonos.

Rioz miró de soslayo.

—No nos cogerá.

La cápsula se volvió aún mayor y llenó la pantalla.

Rioz puso las manos sobre la palanca del arpón. Aguardó, ajustó dos veces el ángulo, reguló la longitud del cable y tiró de la palanca.

Por un momento no ocurrió nada. Luego, un cable de malla metálica apareció en la pantalla, desplazándose hacia la cápsula como una cobra al ataque. Estableció contacto, pero no quedó fijo, pues se habría desgarrado al instante, como una telaraña. La cápsula giraba con un impulso rotatorio que sumaba miles de toneladas. El cable configuraba un potente campo magnético que actuaba como un freno para la cápsula.

Lanzaron un par de cables más. Rioz lo soltaba en un casi irresponsable derroche de energía.

—¡La cogeré! ¡Por Marte, la cogeré!

Sólo se calmó cuando hubo una veintena de cables entre la nave y la cápsula. La energía rotatoria de la cápsula, convertida en calor por el frenado, había elevado su temperatura a tal punto que los medidores de la nave captaban la radiación.

—¿Quieres que le ponga nuestra marca? —preguntó Long.

—Como quieras. Pero no es tu obligación. Es mi turno.

—No importa.

Long se enfundó en el traje y salió por la cámara de presión. El mejor indicio de que era un novato en este juego era que podía contar las veces que había salido al espacio en traje. Ésta era la quinta.

Avanzó a lo largo del cable más largo, una mano tras otra, sintiendo la vibración de la malla metálica contra el metal del mitón.

Grabó a fuego el número de serie en el liso metal de la cápsula. El acero no se oxidaba en el vacío del espacio; simplemente, se fundía y se vaporizaba, condensándose a poca distancia del haz de energía y transformando la superficie que rozaba en una mancha gris y polvorienta.

Long regresó a la nave.

Una vez en el interior, se quitó el casco, que se había cubierto de escarcha en cuanto entró.

Oyó la furibunda voz de Swenson graznando por la radio.

—... directamente al comisionado. ¡Rayos, este juego tiene sus reglas!

Rioz se arrellanó en su asiento, despreocupado.

—Mira, apareció en mi sector. Me demoré al detectarlo y lo perseguí hasta el tuyo. Tú no lo habrías alcanzado aunque Marte actuara como valla. Eso es todo... ¿Estás de vuelta, Long?

Cerró el contacto.

La señal seguía sonando, pero Rioz no le prestó atención.

—¿Acudirá al comisionado? —preguntó Long.

—En absoluto. Protesta para romper la monotonía. Pero no habla en serio. Y sabe que la cápsula es nuestra. ¿Qué te parece nuestra presa, Ted?

—Bastante buena.

—¿Bastante buena? ¡Es sensacional! Agárrate. La pondré a girar.

Las toberas laterales escupieron vapor y la nave inició una lenta rotación en torno de la cápsula. La cápsula la siguió. A los treinta minutos, formaban una esfera gigantesca que giraba en el vacío. Long consultó las tablas astronómicas para ver la posición de Deimos.

En un momento calculado con precisión, los cables desactivaron el campo magnético y la cápsula fue lanzada tangencialmente en una trayectoria que, en un día, la llevaría hasta los depósitos de cápsulas del satélite de Marte.

Rioz la siguió con la mirada. Se sentía bien. Se volvió hacia Long.

—Es un buen día para nosotros.

—¿Qué me dices del discurso de Hilder? —se interesó Long.

—¿Qué? ¿Quién? Ah, eso. Escucha, si tuviera que preocuparme por cada cosa que dice un maldito terroso nunca dormiría. Olvídalo.

—No creo que debamos olvidarlo.

—Estás loco. No me fastidies con eso. ¿Por qué no duermes un poco?

4

La anchura y la altura de la principal avenida de la ciudad ponían eufórico a Ted Long. Hacía dos meses que el comisionado había declarado una moratoria sobre la recolección de chatarra espacial y había cancelado todos los vuelos, pero esa sensación de paisaje inmenso no dejaba de emocionar a Long. Ni siquiera la idea de que la moratoria se hubiese declarado como medida provisoria, mientras la Tierra decidía si insistir o no en economizar agua, imponiendo un racionamiento a los chatarreros, lograba abatirlo del todo.

El techo de la avenida se hallaba pintado de un luminoso azul claro, quizá como una anticuada imitación del cielo terrícola. Ted no estaba seguro. Las paredes aparecían iluminadas por los escaparates.

A lo lejos, por encima del bullicio del tráfico y el susurro de los pies de la gente, se oían explosiones intermitentes: estaban cavando nuevos túneles en la corteza de Marte. Durante toda su vida había oído esas explosiones. El suelo por el que caminaba era parte de una roca sólida e intacta cuando él nació. La ciudad crecía y seguiría creciendo, siempre que la Tierra lo permitiera.

Dobló por una calle lateral, más estrecha y menos iluminada, en la que a los escaparates los reemplazaban edificios de apartamentos, cada uno de ellos con su hilera de luces a lo largo de la fachada. Los compradores y el tráfico habían dado paso a individuos con menos prisa y a niños alborotados que seguían eludiendo la orden materna de ir a cenar.

En el último momento, Long recordó las reglas de cortesía y se detuvo en una tienda de agua. Entregó su cantimplora.

—Llénela.

El rechoncho tendero quitó la tapa y examinó el interior. La sacudió, haciendo que burbujeara.

—No queda mucha —comentó de buen humor.

—No —concedió Long.

El tendero vertió el agua, acercando el cuello de la cantimplora a la punta de la manguera para evitar que se derramase. El medidor emitió un zumbido y el tendero enroscó la tapa.

Long le entregó unas monedas y cogió la cantimplora. Ahora le chocaba contra la cadera con agradable pesadez.

No estaba bien visitar a una familia sin llevar una cantimplora llena. Entre ellos no tenía tanta importancia; no mucha, al menos.

Entró en el pasillo del número 27, subió por una corta escalera y aguardó un momento antes de llamar.

En el interior se oían voces. Una de ellas era una estridente voz de mujer:

—Conque tú puedes recibir a tus amigos chatarreros aquí, ¿eh? Se supone que yo debo estar agradecida de que estés en casa dos meses por año. Oh, es suficiente con que pases un par de días conmigo. Luego, de nuevo con los chatarreros.

—Hace bastante tiempo que estoy en casa —replicó una voz masculina—, y esto es un asunto de negocios. ¡Por Marte, Dora, déjalo ya! Llegarán pronto.

Long decidió esperar un poco antes de llamar, para darles la oportunidad de cambiar de tema.

—¿Qué me importa a mí si vienen? —se irritó

Dora—. ¡Que me oigan! Y ojalá el comisionado mantuviera la moratoria para siempre. ¿Me oyes?

—¿Y de qué viviríamos? —se acaloró la voz masculina—. Responde a eso.

—Te responderé. Puedes ganarte la vida con un oficio decente en Marte, como todo el mundo. En este edificio soy la única viuda de chatarrero. Eso es lo que soy, una viuda. Peor que una viuda, porque si estuviese viuda, al menos tendría la posibilidad de casarme con otra persona... ¿Qué has dicho?

—Nada, nada.

—Oh, sé muy bien lo que has dicho. Escucha, Dick Swenson...

—Sólo he dicho que ahora sé por qué los chatarreros rara vez se casan.

—Y tú no debiste haberlo hecho. Estoy harta de que todo el vecindario se apiade de mí, ponga cara de pena y me pregunte cuándo regresarás. Otros son ingenieros de minas, administradores e incluso excavadores de túneles. Al menos, las esposas de los excavadores hacen una vida hogareña y sus hijos no se crían como vagabundos. Peter bien podría estar huérfano de padre...

Se oyó una aflautada voz de soprano; más distante, como si estuviera en otro cuarto:

—Mamá, ¿qué es un vagabundo?

Dora elevó la voz:

—¡Peter! ¡Dedícate a tu tarea!

—No está bien hablar así delante del chico —murmuró Swenson—. ¿Qué pensará de mí?

—Quédate en casa y enséñale a pensar mejor.

—Mamá —dijo Peter—, cuando crezca seré chatarrero.

Se oyeron unos pasos rápidos. Hubo una pausa y luego un grito agudo.

—¡Mamá! ¡Oye! ¡Suéltame la oreja! ¿Qué he hecho?

Se hizo un silencio. Long aprovechó la oportunidad para llamar.

Swenson abrió la puerta, atusándose el cabello con ambas manos.

—Hola, Ted —le saludó con voz apagada—. ¡Ha llegado Ted, Dora! ¿Dónde está Mario?

—Llegará dentro de un rato.

Dora salió del cuarto contiguo. Era una mujer menuda y morena, de nariz fruncida y cabello entrecano echado hacia atrás.

—Hola, Ted. ¿Has comido?

—Sí, gracias. No interrumpo, ¿verdad?

—En absoluto. Hace rato que hemos terminado. ¿Quieres café?

—De acuerdo.

Ted ofreció su cantimplora.

—Cielos, no era necesario. Tenemos agua en abundancia.

—Insisto.

—Bueno, en ese caso...

Dora se volvió a la cocina. A través de la puerta giratoria, Long entrevió un montón de platos apilados sobre un Secoterg, «el limpiador no acuático que absorbe la grasa y la suciedad en un santiamén. Treinta mililitros de agua bastan para lavar tres metros cuadrados de platos y dejarlos relucientes. Compre Secoterg. Secoterg limpia, da brillo a sus platos, elimina los desechos...».

La melodía empezó a zumbarle en la mente y Long decidió hablar para ahuyentarla:

—¿Cómo está Peter?

—Bien, bien. El chico ya está en cuarto curso. Ya sabes que no lo veo mucho. Vaya, cuando regresé la última vez, me miró y dijo...

Continuó hablando durante un rato, aunque no fue tan horrible como un padre torpe contando las frases brillantes de un chico brillante.

Sonó la señal de la puerta y entró Mario Rioz, de mal talante. Swenson se le acercó.

—Oye, no hables de cápsulas. Dora aún recuerda aquella vez que sacaste una cápsula de clase A de mi territorio y hoy está de pésimo humor.

—¿Quién demonios quiere hablar de cápsulas?

Rioz se quitó la cazadora forrada de piel, la colgó en el respaldo de la silla y se sentó.

Dora salió por la puerta giratoria, saludó al recién llegado, con una sonrisa artificial, y le ofreció café.

—Sí, gracias —aceptó Rioz, y buscó su cantimplora.

—Usa un poco más de mi agua, Dora —intervino Long—. Ya me la dará él a mí.

—De acuerdo —dijo Rioz.

—¿Qué pasa, Mario? —preguntó Long.

—Vamos, dímelo —rezongó Rioz—. Dime que me previniste. Hace un año, cuando Hilder dio ese discurso, me lo previniste. Dímelo —Long se encogió de hombros—. Han fijado cupos. La noticia salió hace quince minutos.

—¿Y bien?

—Cincuenta mil toneladas de agua por viaje.

—¿Qué? —estalló Swenson—. ¡No se puede despegar de Marte con cincuenta mil!

—Ésa es la cifra. Lo hacen a propósito para hundirnos. Adiós a los chatarreros.

Dora llegó con el café y lo sirvió.

—¿Adiós a los chatarreros? —preguntó—. ¿De qué estáis hablando?

Miró severamente a Swenson.

—Parece ser —dijo Long— que nos racionarán el

agua a cincuenta mil toneladas, y eso significa que no podremos efectuar más viajes.

—¿Y qué hay de malo en ello? —Dora bebió un poco de café y sonrió—. A mi entender es una buena medida. Va siendo hora de que los chatarreros encuentren un empleo estable en Marte. Lo digo en serio. Eso de andar corriendo por el espacio no es vida...

—Dora, por favor —le interrumpió Swenson.

Rioz resopló.

—Sólo estaba dando mi opinión —se justificó Dora, enarcando las cejas.

—Opina todo lo que quieras —dijo Long—. Pero me gustaría decir algo. Lo de las cincuenta mil es tan sólo un detalle. Sabemos que la Tierra, o al menos el partido de Hilder, desea capitalizar políticamente la campaña en favor de la economía del agua, así que estamos en apuros. Tenemos que conseguir agua de algún modo o nos clausurarán del todo, ¿no es cierto?

—Seguro —contestó Swenson.

—Pero la pregunta es cómo, ¿no es cierto?

—Si se trata de conseguir agua —habló Rioz, repentinamente locuaz—, sólo se puede hacer una cosa, ya lo sabes. Si los terrosos no nos dan agua, la tomaremos nosotros. El agua no les pertenece sólo porque sus padres y sus abuelos no tuvieron agallas para abandonar su gordo planeta. El agua pertenece a la gente, dondequiera que esté. Nosotros somos gente y el agua es nuestra también. Tenemos derecho a ella.

—¿Cómo propones que la consigamos? —quiso saber Long.

—¡Es fácil! En la Tierra tienen océanos de agua. Es imposible apostar guardias en cada kilómetro cuadrado. Podemos descender en el lado oscuro cuando nos plazca, llenar nuestras cápsulas y largarnos. ¿Cómo podrían impedirlo?

—De muchas maneras, Mario. ¿Cómo detectas cápsulas en el espacio a una distancia de cien mil kilómetros? Una pequeña cápsula de metal en tanto espacio; ¿cómo? Por radar. ¿Crees que no hay radar en la Tierra? ¿Crees que si la Tierra se entera de que nos dedicamos al contrabando de agua le resultará difícil establecer una red de radar para detectar las naves que llegan del espacio?

—Te diré una cosa, Mario Rioz —intervino Dora—. Mi esposo no participará en ninguna incursión para obtener agua y continuar con la búsqueda de chatarra.

—No se trata sólo de la chatarra —le explicó Mario—. Luego nos cortarán todo lo demás. Tenemos que detenerlos ahora.

—Pero, de cualquier modo, no necesitamos su agua —insistió Dora—. Esto no es Venus ni la Luna. Traemos el agua por tuberías desde los casquetes polares para nuestras necesidades. En este apartamento tenemos un grifo. Hay un grifo en cada apartamento de este edificio.

—El uso doméstico no es el más importante —arguyó Long—. Las minas necesitan agua. ¿Y qué hacemos con los tanques hidropónicos?

—Exacto —le secundó Swenson—. ¿Qué pasará con los tanques hidropónicos, Dora? Necesitamos agua y es hora de que empecemos a cultivar alimentos frescos, en lugar de depender de esa basura condensada que nos mandan desde la Tierra.

—Escuchadle —refunfuñó Dora—. ¿Qué sabes tú de comida fresca? Jamás la has probado.

—He comido más de la que crees. ¿Recuerdas esas zanahorias que traje una vez?

—Bien, ¿qué tenían de maravilloso? A mi juicio, la protocomida horneada es mucho mejor. Y más saludable. Parece que ahora se ha puesto de moda hablar de verduras frescas porque están aumentándoles los impuestos a esas granjas hidropónicas. Además, todo esto pasará.

—No lo creo —opinó Long—. No por sí solo, al menos. Tal vez Hilder sea el próximo coordinador, y entonces las cosas pueden empeorar. Si también nos recortan los embarques de alimentos...

—Pues bien —exclamó Rioz—, ¿qué hacemos? ¡Yo estoy por tomarla! ¡Tomar el agua!

—Y yo digo que no podemos hacerlo, Mario. ¿No ves que propones actuar al modo de los terrícolas, al estilo terroso? Tratas de aferrarte al cordón umbilical que sujeta Marte a la Tierra. ¿No puedes liberarte de eso? ¿No puedes ver el estilo marciano?

—No, no puedo. ¿Por qué no me lo explicas?

—Te lo explicaré si escuchas. ¿En qué pensamos cuando pensamos en el sistema solar? Mercurio, Venus, La Tierra, la Luna, Marte, Fobos y Deimos. Ahí lo tienes; siete cuerpos celestes, eso es todo. Pero eso no representa ni siquiera el uno por ciento del sistema. Los marcianos estamos al borde del restante noventa y nueve por ciento. Ahí fuera, lejos del Sol, hay increíbles cantidades de agua.

Los otros lo miraron fijamente.

—¿Te refieres a las capas de hielo de Júpiter y de Saturno? —se interesó Swenson, con incertidumbre.

—No específicamente, pero admite que eso es agua. Una capa de agua de mil quinientos kilómetros de espesor es mucha agua.

—Pero está cubierta de capas de amoniaco o algo parecido —objetó Swenson—. Además, no podemos aterrizar en los planetas grandes.

—Lo sé —admitió Long—, pero yo no he dicho que ésa sea la respuesta. Los planetas grandes no es lo único que hay allá. ¿Qué me decís de los asteroides y de los satélites? Vesta es un asteroide de trescientos kilómetros de diámetro y se compone tan sólo de una mole de hielo. Una de las lunas de Saturno también está compuesta principalmente de hielo. ¿Qué os parece?

—¿Nunca has estado en el espacio, Ted? —preguntó Rioz.

—Sabes que sí. ¿Por qué lo preguntas?

—Claro, ya sé que sí, pero sigues hablando como un terroso. ¿Has pensado en las distancias? Los asteroides se encuentran a un promedio de ciento ochenta millones de kilómetros de Marte en el punto más próximo. Es el doble de la distancia entre Venus y Marte, y sabes que pocas naves de línea cubren esa trayectoria de un tirón. Habitualmente hacen escala en la Tierra o en la Luna. ¿Cuánto tiempo crees que alguien puede permanecer en el espacio?

—No lo sé. ¿Cuál es tu límite?

—Tú conoces el límite, no tienes que preguntármelo. Seis meses. Son datos de manual. Si estás en el espacio durante seis meses, al final eres carne de psicoterapeuta. ¿Es cierto, Dick?

Swenson asintió en silencio.

—Y eso es sólo respecto a los asteroides —continuó Rioz—. De Marte a Júpiter hay quinientos millones de kilómetros, y mil millones hasta Saturno. ¿Quién puede aguantar tanta distancia? Supongamos que vas a una velocidad estándar o que, para compensar, digamos que subes a trescientos megámetros por hora. Con el periodo de aceleración y desaceleración, tardarías seis o siete meses en llegar a Júpiter y un año en llegar a Saturno. Desde luego, teóricamente podrías elevar esa velocidad a un millón quinientos mil kilómetros por hora, pero ¿dónde conseguirías agua para eso?

—¡Caray! —dijo alguien de vocecilla aguda, nariz mugrienta y ojos redondos—. ¡Saturno!

Dora se giró en la silla.

—Peter, ¡regresa a tu cuarto!

—Oh, mamá.

—Nada de «oh mamá».

Hizo un gesto amenazador y Peter se escabulló.

—Oye, Dora —dijo Swenson—, ¿por qué no le haces compañía por un rato? Le costará concentrarse en sus tareas si todos estamos aquí hablando.

Dora sonrió pícaramente y no se movió de donde estaba.

—Me quedaré aquí hasta averiguar qué se propone Ted Long. No me gusta lo que está insinuando.

—Bien —aceptó Swenson nerviosamente—. Olvidémonos de Júpiter y Saturno, estoy seguro de que Ted no piensa en eso; pero ¿qué pasa con Vesta? Podríamos llegar allí en diez o doce semanas, y lo mismo para volver. ¡Trescientos kilómetros de diámetro! ¡Eso significa seis millones de kilómetros cúbicos de hielo!

—¿Y qué? —se opuso Rioz—. ¿Qué hacemos en Vesta? ¿Extraemos el hielo? ¿Instalamos máquinas de minería? ¿Sabes cuánto llevaría eso?

—Estoy hablando de Saturno, no de Vesta —les recordó Long.

Rioz se dirigió a un público invisible:

—Le hablo de mil millones de kilómetros y él sigue insistiendo.

—De acuerdo —dijo Long—, dime cómo sabes que sólo podemos permanecer seis meses en el espacio, Mario.

—¡Es de conocimiento público, rayos!

—¿Porque figura en el *Manual del vuelo espacial*? Son datos compilados por científicos de la Tierra y a partir de experiencias con pilotos de la Tierra. Sigues pensando como un terroso. No piensas al estilo marciano.

—Por muy marciano que sea, un marciano es un hombre.

—¿Pero cómo puedes estar tan ciego? ¿Cuántas veces habéis estado más de seis meses ahí fuera, sin hacer una pausa?

—Eso es diferente —replicó Rioz.

—¿Porque sois marcianos? ¿Porque sois chatarreros profesionales?

—No, porque no es un vuelo. Podemos regresar a Marte cuando nos plazca.

—Pero no os place. A eso me refiero. Los terrícolas tienen enormes naves con bibliotecas de filmes y con quince tripulantes además de los pasajeros. Pero sólo pueden permanecer allí un máximo de seis meses. Los chatarreros marcianos tienen una nave de dos cabinas y con un solo acompañante. Pero podemos resistir más de seis meses.

—Supongo que tú quieres quedarte en una nave durante un año e ir a Saturno —intervino Dora.

—¿Por qué no, Dora? Podemos hacerlo. ¿No ves que nosotros podemos? Los terrícolas no pueden. Ellos tienen un verdadero mundo. Tienen un cielo abierto, alimentos frescos y todo el aire y el agua que deseen. Subirse a una nave representa un cambio tremendo. Más de seis meses es demasiado para ellos por esa razón. Los marcianos somos diferentes. Nos pasamos la vida viviendo en una nave. Eso es lo que es Marte, una nave. Tan sólo una gran nave de siete mil kilómetros de diámetro, con una pequeña habitación ocupada por cincuenta mil personas. Es cerrado como una nave. Respiramos aire envasado y bebemos agua envasada, que hemos de refinar una y otra vez. Comemos las mismas raciones que comemos a bordo. Cuando subimos a una nave es lo mismo que hemos conocido toda la vida. Podemos aguantar mucho más de un año, si es preciso.

—¿También Dick? —preguntó Dora.

—Todos podemos.

—Pues Dick no puede. Me parece bien que tanto tú, Ted Long, como ese ladrón de cápsulas, Mario, habléis de viajar durante un año. No estáis casados. Dick, sí. Tiene esposa y un hijo y eso le basta. Él puede conseguir un trabajo normal en Marte. Vaya, supongamos que vais a Saturno y no hay agua allí, ¿cómo regresaréis? Aunque os quedara agua, os quedaríais sin alimentos. Es lo más ridículo que he oído...

—No, escucha —dijo Long, con voz tensa—. He pensado bien en esto. He hablado con el comisionado Sankov y él nos ayudará. Pero necesitamos naves y hombres. Yo no puedo conseguirlos. Los hombres no me escuchan. Soy un novato. A vosotros os conocen y os respetan. Sois veteranos. Si me respaldáis, aunque no vayáis vosotros, si me ayudáis a convencer al resto, a conseguir voluntarios...

—Primero —gruñó Rioz—, tendrás que darme más explicaciones. Una vez que llegas a Saturno, ¿dónde está el agua?

—Ésa es la belleza del asunto. Por eso tiene que ser Saturno. El agua está flotando en el espacio para quien quiera cogerla.

5

Cuando Hamish Sankov llegó a Marte no existían aún los marcianos nativos. Ahora había más de doscientos niños cuyos abuelos eran ya naturales de Marte, nativos de tercera generación.

Él llegó siendo un adolescente, cuando Marte era apenas algo más que un conglomerado de naves espaciales en tierra, conectadas por túneles subterráneos. A lo largo de los años había visto edificios que crecían y se extendían bajo tierra, irguiendo sus hocicos romos en la atmósfera tenue e irrespirable. Había visto surgir enormes depósitos que albergaban naves enteras con su cargamento. Había visto minas que crecían desde la nada hasta abrir una enorme muesca en la corteza marciana, al tiempo que la población aumentaba de cincuenta a cincuenta mil habitantes.

Esos recuerdos le hacían sentir viejo; esos, y los recuerdos aún más vagos inducidos por la presencia de ese terrícola. Su visitante le evocaba olvidados pensamientos acerca de un mundo tibio que era acogedor como un seno materno.

El terrícola parecía recién salido de ese seno. No era muy alto ni muy flaco, sino más bien rechoncho. Tenía el cabello oscuro y pulcramente ondulado, un pulcro bigote y una piel pulcramente restregada. Llevaba ropa elegante, y tan pulcra como podía serlo el *plastek*.

La ropa de Sankov era de manufactura marciana, práctica y limpia, pero anticuada. Su rostro estaba poblado de arrugas, tenía el cabello blanco y hablaba como bamboleando la nuez de la garganta.

El terrícola era Myron Digby, miembro de la Asamblea General de la Tierra. Sankov era el comisionado de Marte.

—Es un duro golpe para nosotros, asambleísta —dijo Sankov.

—Ha sido un duro golpe para todos, comisionado.

—Ya. En verdad no lo comprendo. No pretendo comprender las decisiones de la Tierra, aunque nací allí. Marte es un lugar inhóspito, y usted debe entenderlo. Necesitamos mucho espacio en una nave tan sólo para traer alimentos, agua y materia prima para vivir. No queda mucho espacio para libros y filmes de noticias. Ni siquiera los programas de vídeo llegan a Marte, excepto durante un mes, cuando la Tierra está en conjunción, y aun entonces nadie tiene mucho tiempo para escuchar. Prensa Planetaria me envía semanalmente filmes con noticias. En general, no tengo tiempo para verlos con atención. Tal vez nos consideren provincianos, y estarían en lo cierto. Cuando ocurre algo como esto, sólo podemos mirarnos con impotencia.

—No me diga que la gente de Marte no ha oído hablar de la campaña de Hilder contra los derrochadores.

—No, no exactamente. Hay un joven chatarrero, hijo de un buen amigo mío que murió en el espacio —dijo Sankov, e hizo una pequeña pausa, indeciso, mientras se rascaba un lateral del cuello—, que es aficionado a leer sobre la historia de la Tierra y cosas similares. Recibe emisiones de vídeo cuando está en el espacio y oyó hablar a ese Hilder. Por lo que sé, fue el primer discurso de Hilder sobre los derrochadores. El joven me comentó algo a ese respecto, aunque, como es lógico, no lo tomé muy en serio. Durante un tiempo vi los filmes de Prensa Planetaria, pero no se mencionaba mucho a Hilder y lo poco que se decía era para ponerlo en ridículo.

—Sí, comisionado, así es; parecía una broma cuando comenzó.

Sankov estiró sus largas piernas a un lado del escritorio y las cruzó en ángulo.

—A mí me sigue pareciendo una broma. ¿Cuál es su argumento? Estamos consumiendo agua. ¿Ha mirado las cifras? Las tengo todas aquí. Me las hice traer cuando llegó esa comisión.

»Parece ser que la Tierra tiene seiscientos millones de kilómetros cúbicos de agua en sus océanos, y cada kilómetro cúbico pesa tres mil millones de toneladas. Es mucha agua. Nosotros usamos parte de ella en el vuelo espacial. La mayor parte del impulso inicial se efectúa dentro del campo gravitatorio de la Tierra, lo cual significa que el agua arrojada cae de nuevo en los océanos. Hilder no incluye eso en sus cálculos. Cuando dice que se usan millones de toneladas de agua por vuelo, está mintiendo. Son menos de cien mil toneladas.

»Supongamos que haya cincuenta mil vuelos por año, aunque, en realidad, ni siquiera hay mil quinientos. Pero supongamos que hubiera cincuenta mil, pues supongo que habrá una expansión con el tiempo. Con cincuenta mil vuelos, se perdería poco más de un kilómetro cúbico de agua en el espacio a lo largo de un año. Eso significa que, dentro de un millón de años, la Tierra habrá perdido un cuarto del uno por ciento de su provisión total de agua.

Digby extendió las manos y las dejó caer.

—Comisionado, Aleaciones Interplanetarias ha hecho uso de esas cifras en su campaña contra Hilder, pero las frías matemáticas no bastan para luchar contra una arrolladora fuerza emocional. Ese hombre, Hilder, ha inventado un nombre: derrochadores. Lentamente ha transformado ese nombre en una gigantesca conspiración, en una pandilla de pillos brutales y codiciosos que saquean la Tierra para su beneficio personal.

»Ha acusado al Gobierno de estar lleno de ellos, a la Asamblea de estar dominada por ellos, a la prensa de estar en manos de ellos. Nada de esto, lamentablemente, le parece ridículo al ciudadano medio. La gente sabe muy bien lo que unos hombres egoístas pueden hacer con los recursos de la Tierra; sabe lo que sucedió con el petróleo de la Tierra durante la Época Turbulenta, por ejemplo, y el modo en que se destruyó la capa superficial del suelo.

»Cuando un granjero sufre una sequía, le importa un bledo que la cantidad de agua que se pierde en un vuelo espacial sea insignificante. Hilder le ha dado algo a lo que echarle la culpa, y ése es el mayor consuelo posible ante el desastre. No renunciará a ello por unas cifras.

—Eso es lo que me deja confuso —reconoció Sankov—. Tal vez porque no sé cómo funcionan las cosas en la Tierra, pero me parece que allí no hay sólo granjeros que sufren sequías. Por lo que pude deducir de los resúmenes de noticias, los partidarios de Hilder son una minoría. ¿Por qué la Tierra hace caso de unos cuantos granjeros y de los chiflados que los azuzan?

—Porque, comisionado, hay gente preocupada. La industria del acero ve que el auge del vuelo espacial hará creciente hincapié en las aleaciones livianas no ferrosas. Los sindicatos de mineros se preocupan por la competencia extraterrestre. Cada terrícola que no consigue aluminio para construir una estructura prefabricada está seguro de que el aluminio va a Marte. Conozco a un profesor de arqueología que se opone a los derrochadores porque él no consigue una subvención gubernamental para financiar sus excavaciones. Está convencido de que todo el dinero del Gobierno se dedica a la investigación sobre la tecnología de los cohetes y a la medicina espacial, y está resentido.

—Por lo visto, la gente de la Tierra no es muy distinta de la gente de Marte. Pero ¿y la Asamblea General? ¿Por qué presta oídos a Hilder?

Digby sonrió amargamente.

—No es agradable explicar la política. Hilder introdujo una ley para la formación de una comisión que investigue el derroche en el vuelo espacial. Tres cuartos de la Asamblea General estaban en contra de tal investigación, pues la consideraban una intolerable e inútil extensión de la burocracia; y eso es en realidad. Ahora bien, ¿cómo puede un legislador oponerse a una mera investigación de despilfarro? Daría la impresión de que tiene algo que temer o que ocultar. Daría la impresión de que él mismo saca provecho del derroche. Y Hilder no teme hacer tales acusaciones, que, ciertas o no, influirían muchísimo sobre los votantes en las próximas elecciones. La ley se aprobó. Además, había que designar a los miembros de la comisión. Los que se oponían a Hilder rechazaron el nombramiento, pues les habría supuesto enfrentarse continuamente a decisiones embarazosas. Era más seguro permanecer al margen, para no estar expuesto a las invectivas de Hilder. El resultado es que yo soy el único miembro de la comisión opuesto abiertamente a Hilder, y eso probablemente me costará la reelección.

—Lo lamento, asambleísta. Parece ser que Marte no tiene tantos amigos como creíamos, así que no nos gustaría perder uno más. ¿Y qué pensará hacer Hilder si se sale con la suya?

—Creo que es evidente. Quiere ser el próximo coordinador global.

—¿Cree usted que lo logrará?

—Si nada lo detiene, por supuesto que sí.

—¿Y entonces qué? ¿Se olvidará de esta campaña contra los derrochadores?

—Lo ignoro. No sé si tiene planes para cuando sea coordinador. Pero, a mi juicio, no podría abandonar la campaña sin perder popularidad. Se le ha ido de las manos.

Sankov se rascó el lateral del cuello.

—De acuerdo. Siendo así, le pediré un consejo. ¿Qué podemos hacer los marcianos? Usted conoce la Tierra. Usted conoce la situación. Nosotros no. Díganos qué hacer.

Digby se levantó y caminó hasta la ventana. Miró las bajas cúpulas de los otros edificios, la llanura roja, pedregosa y desolada, el cielo purpúreo y el Sol empequeñecido.

—¿De veras les gusta Marte? —preguntó sin volverse.

Sankov sonrió.

—La mayoría de nosotros no conocemos otro mundo, asambleísta. Creo que la Tierra nos resultaría rara e incómoda.

—¿Quiere decir que los marcianos no se acostumbrarían? Después de esto no sería difícil adaptarse a la Tierra. ¿No disfrutarían ustedes del privilegio de respirar aire bajo un cielo abierto? Usted vivió en la Tierra, recordará cómo es.

—Lo recuerdo vagamente. Pero no es fácil de explicar. La Tierra está ahí. Se adapta a la gente y la gente se adapta a ella. La gente acepta la Tierra tal como es. En Marte es distinto. Es un planeta tosco y no se adapta a la gente. Hay que transformarlo. La gente, en vez de aceptar lo que encuentra, construye un mundo. Marte aún no es gran cosa, pero estamos construyendo y, cuando hayamos terminado, tendremos exactamente lo que nos gusta. Esa sensación de estar construyendo un mundo es magnífica. La Tierra nos resultaría insípida después de eso.

—No creo que el marciano común sea tan filosófico como para contentarse con vivir esta vida cruel, en aras de un futuro que debe de estar a cientos de generaciones de distancia.

—No, no es así. —Sankov apoyó el tobillo derecho en la rodilla izquierda y se lo sujetó con la mano—. Ya le he dicho que los marcianos se parecen mucho a los terrícolas, lo cual significa que son seres humanos, y los seres humanos no son muy amantes de la filosofía. No obstante, vivir en un mundo en crecimiento tiene sus atractivos, se sea o no consciente de ellos.

»Mi padre me enviaba cartas cuando vine a Marte. Él era contable y siguió siendo contable. Cuando él falleció, la Tierra era igual que el día en que nació. No vio ocurrir nada. Cada día fue similar al anterior, y vivir supuso para mi padre tan sólo un modo de pasar el tiempo hasta que murió.

»En Marte es diferente. Cada día hay algo nuevo: la ciudad es más grande, el sistema de ventilación se perfecciona, las tuberías que traen agua desde los polos funcionan mejor. Ahora planeamos fundar nuestra propia asociación de filmes de noticias; la llamaremos Prensa de Marte. Si usted no ha vivido en un momento en que todo crece en derredor, no comprenderá esta maravillosa sensación.

»No, asambleísta. Marte es duro de roer y la Tierra es mucho más confortable, pero nuestros muchachos no serían felices en la Tierra. Tal vez no entenderían por qué, pero se sentirían desorientados e inútiles. Creo que muchos no lograrían adaptarse.

Digby se apartó de la ventana y arrugó su rosada frente.

—En ese caso, comisionado, lo lamento por ustedes. Por todos ustedes.

—¿Por qué?

—Porque no creo que la gente de Marte pueda hacer nada. Ni la gente de la Luna o de Venus. No ocurrirá ahora y quizá no ocurra dentro de un par de años o de cinco años, pero pronto todos deberán regresar a la Tierra, a menos...

Sankov unió sus blancas cejas.

—¿Sí?

—A menos que encuentren ustedes otra fuente de agua, al margen del planeta Tierra.

Sankov sacudió la cabeza.

—No parece probable, ¿verdad?

—No mucho.

—¿Y usted cree que no hay otra posibilidad, aparte de ésa?

—Ninguna.

Después de eso, Digby se marchó y Sankov se quedó mirando al vacío durante un buen rato antes de teclear una combinación de la línea local de comunicaciones.

No pasó mucho tiempo y Ted Long se presentó ante él.

—Tenías razón, hijo —dijo Sankov—. No pueden hacer nada. Ni siquiera los bienintencionados encuentran solución. ¿Cómo lo supiste?

—Comisionado, cuando uno ha leído bastante sobre la Época Turbulenta, particularmente sobre el siglo veinte, la política no reserva sorpresas.

—Es posible. De cualquier modo, hijo, el asambleísta Digby lo lamenta muchísimo por nosotros, pero eso es todo. Dice que tendremos que abandonar Marte... o conseguir agua en otro sitio. Sólo que él cree que no podemos conseguir agua en ninguna otra parte.

—Usted sabe que sí podemos, comisionado.

—Sé que podríamos, hijo. Es un riesgo tremendo.

—Si encuentro suficientes voluntarios, el riesgo correrá por cuenta nuestra.

—¿Y cómo andan las cosas?

—No van mal. Algunos de los muchachos se han puesto de mi lado. He convencido a Mario Rioz, por ejemplo, y usted sabe que es uno de los mejores.

—En efecto; los voluntarios serán nuestros mejores hombres. Detesto permitirlo.

—Si regresamos habrá valido la pena.

—Si regresáis... Ese «si» es una gran palabra, hijo.

—Y el nuestro es un gran intento.

—Bien, prometí que si la Tierra no nos ayudaba yo intentaría que el pozo de Fobos os diera toda el agua que necesitaseis. Buena suerte.

6

A ochocientos mil kilómetros de Saturno, Mario Rioz dormía sobre la nada y su sueño era delicioso. Se despertó lentamente y durante un rato, enfundado en el traje, contó las estrellas y trazó líneas imaginarias para unirlas. Al principio, según pasaban las semanas, fue como el trabajo de chatarrero, excepto por la punzante sensación de que cada minuto significaba miles de kilómetros más de distancia entre ellos y el resto de la humanidad. Eso empeoraba las cosas.

Apuntaron alto para salir de la eclíptica atravesando el Cinturón de Asteroides. Eso supuso un elevado consumo de agua y tal vez había sido innecesario. Aunque esas decenas de millares de pequeños mundos parecen encontrarse apiñados como gusanos, cuando se los contempla en la proyección bidimensional de una placa fotográfica, en realidad están tan esparcidos, a lo largo de los miles de billones de kilómetros cúbicos que abarca su órbita conjunta, que sólo una tremenda coincidencia podría producir una colisión.

Aun así, sobrepasaron el Cinturón y alguien calculó las probabilidades de colisión con un fragmento de materia lo suficientemente grande como para causar daño. El valor resultante fue tan bajo que tal vez era inevitable que a alguien se le ocurriera la idea de la «flotación espacial».

Los días se hacían interminables, el espacio suponía únicamente un inmenso vacío y sólo se necesitaba un hombre por turno ante los controles. La idea, pues, fue inevitable.

Primero, un temerario se aventuró a salir quince minutos. Luego, otro lo intentó durante media hora. Lo cierto es que, antes de dejar atrás los asteroides, cada nave contaba con un tripulante, fuera de servicio, suspendido en el espacio en el extremo de un cable.

Era bastante fácil. El cable —uno de los cables que utilizarían después, en las operaciones del final de la travesía— estaba adherido magnéticamente por ambos extremos; uno de ellos, al traje espacial. El tripulante salía al casco de la nave y adhería allí el otro extremo. Aguardaba un rato, aferrándose al casco de metal con los electroimanes de las botas y, luego, neutralizaba los electroimanes y hacía un ínfimo esfuerzo muscular.

Lentamente se elevaba mientras la gran masa de la nave se desplazaba hacia abajo. El tripulante flotaba sin peso en esa negrura cuajada de estrellas. Cuando la nave se alejaba a suficiente distancia, la mano enguantada del tripulante se cerraba sobre el cable. Si apretaba demasiado, comenzaba a desplazarse hacia la nave; si apretaba lo justo, la fricción lo detenía. Como el movimiento era equivalente al de la nave, ésta parecía tan inmóvil como si estuviera pintada contra un fondo imposible, mientras el cable colgaba en rollos que no tenían razones para estirarse.

El tripulante sólo veía media nave, la mitad iluminada por la débil luz del Sol, aún demasiado brillante para mirarla directamente sin la protección del grueso visor polarizado del traje espacial. La otra mitad era negro sobre negro; invisible.

El espacio se cerraba sobre sí mismo, y la sensación era la de estar dormido. El traje era tibio, renovaba el aire automáticamente, tenía comida y bebida en contenedores especiales, de donde se podían sorber con un pequeño movimiento de la cabeza, y eliminaba los desechos. Y la falta de peso provocaba una deliciosa euforia.

Era sensacional. Los largos e interminables días pasaron a ser breves e insuficientes.

Atravesaron la órbita de Júpiter a 30 grados de la posición del gigante. Durante meses fue el objeto más brillante del cielo, siempre con la excepción de la reluciente habichuela blanca que era el Sol. Los chatarreros divisaban Júpiter como una esfera diminuta, con un lado deformado por la sombra nocturna.

Posteriormente, durante varios meses, Júpiter fue desvaneciéndose, al tiempo que otro punto de luz iba cobrando brillo. Era Saturno; al principio, un punto brillante y, luego, una mancha ovalada y resplandeciente.

(«¿Por qué es ovalado?», preguntó uno y alguien le respondió: «Por los anillos, desde luego.»)

Hacia el final del viaje todo el mundo quería flotar en el espacio, contemplando Saturno sin cesar.

(«Oye, imbécil, entra ya, maldita sea. Es tu turno.» «¿Mi turno? Según mi reloj, me quedan quince minutos más.» «Habrás retrasado el reloj. Además, te di veinte minutos ayer.» «Tú no le darías dos minutos ni a tu abuela.» «Entra ya, hombre, o salgo de todos modos.» «Vale, ya voy. Qué pesado, tanto alboroto por un mísero minuto.» Pero ninguna riña era del todo seria en el espacio, pues se sentía uno demasiado a gusto.)

Saturno aumentó de tamaño hasta igualar al Sol y luego superarlo. Los anillos, en un ángulo pronunciado con respecto a la trayectoria de aproximación, ro-

deaban majestuosamente el planeta, y sólo una pequeña parte aparecía eclipsada. Según se iban acercando,
la extensión de los anillos aumentaba, aunque también
se estrechaban a medida que decrecía el ángulo de aproximación.

Las grandes lunas despuntaron en el cielo circun-
dante, como plácidas luciérnagas.

Mario Rioz se alegró de estar despierto para poder
contemplarlo.

Saturno, surcado por estrías anaranjadas, llenaba
la mitad del cielo, y la sombra nocturna ocultaba casi
un cuarto del borde derecho. Los dos puntitos redondos que destacaban contra el resplandor eran las sombras de dos lunas. A la izquierda y detrás de ellos (Rioz
podía mirar por encima del hombro izquierdo para verlo, inclinándose a la derecha con el fin de conservar
el impulso angular), estaba el blanco diamante del Sol.

Lo que más le gustaba era mirar los anillos. A la
izquierda surgían por detrás de Saturno, una compacta franja triple y de luz anaranjada. A la derecha, sus
comienzos se desdibujaban en la sombra nocturna, pero
cada vez se veían más cercanos y más anchos. Se agran-
daban al acercarse, como la bocina de un cuerno de
caza, y se iban volviendo más nebulosos, hasta que al
fin llenaban el cielo y se perdían.

Desde la posición de la flota de chatarreros, justo
dentro del borde exterior del anillo más alejado de la
corteza del planeta, los anillos se dividían y cobraban
su verdadera identidad: un imponente conglomerado
de fragmentos sólidos, no esa compacta franja de luz
que aparentaban ser.

Debajo de Rioz (o, mejor dicho, en la dirección a
que apuntaban sus pies), a unos treinta kilómetros, estaba uno de los fragmentos. Parecía una mancha grande e irregular que alteraba la simetría del espacio, con

tres cuartas partes brillantes y una sombra nocturna cortante como un cuchillo. Los fragmentos más alejados chispeaban como polvo estelar, opaco y denso, hasta que volvían a adquirir la apariencia de anillos.

Los fragmentos permanecían inmóviles, pero sólo porque las naves habían adoptado una órbita equivalente a la del borde exterior de los anillos.

El día anterior, reflexionó Rioz, había estado en ese fragmento cercano, trabajando con una veintena de compañeros para imprimirle la forma deseada. Mañana estaría de nuevo allí.

Hoy flotaba en el espacio.

—¿Mario? —preguntó una voz por los auriculares.

Rioz sintió fastidio. Maldición, no estaba de humor para compañías.

—Al habla —contestó.

—Me pareció haber localizado tu nave. ¿Cómo estás?

—Bien. ¿Eres tú, Ted?

—Correcto —dijo Long.

—¿Algún problema con el fragmento?

—Ninguno. Estoy flotando.

—¿Tú?

—También a mí me gusta de vez en cuando. Es hermoso, ¿verdad?

—Muy bonito —convino Rioz.

—Ya sabes que he leído libros terrícolas...

—Libros terrosos, querrás decir.

Rioz bostezó y notó que le costaba sentir rencor.

—... y a veces leía descripciones de gente tumbada en la hierba —continuó Long—. ¿Recuerdas? Esa cosa verde, como largos y delgados trozos de papel, que había en el suelo. Bueno, pues contemplan el cielo azul poblado de nubes. ¿Has visto alguna película sobre eso?

—Claro. No me llamó la atención. Parecía frío.

—Sin embargo, yo creo que no lo es. La Tierra está muy cerca del Sol, y dicen que la atmósfera tiene suficiente grosor para retener el calor. Debo admitir que personalmente odiaría estar bajo el cielo abierto, sin nada encima salvo mi ropa común. Pero supongo que a ellos les agrada.

—Los terrosos están chiflados.

—Hablan de árboles, de tallos grandes y pardos y de vientos..., ya sabes, los movimientos de aire.

—Te refieres a las corrientes. Por mí que se las guarden.

—No importa. Lo interesante es que lo describen de un modo bello, casi apasionadamente. Muchas veces me he preguntado qué se sentiría, si era algo que sólo los terrícolas podían sentir. Creía perderme algo vital. Ahora sé cuál debe de ser la sensación. Es ésta. Una paz plena en medio de un universo impregnado de belleza.

—A los terrosos no les gustaría. Están tan habituados a su asqueroso mundo que no sabrían apreciar esta sensación de flotar mirando a Saturno.

Movió el cuerpo y comenzó a mecerse en torno del centro de su masa, lenta y apaciblemente.

—Sí, opino lo mismo —dijo Long—. Son esclavos de su planeta. Aunque fueran a Marte, sólo sus hijos se sentirían libres. Alguna vez habrá naves estelares; enormes aparatos que podrán trasladar a miles de personas y conservar su equilibrio autónomo durante decenios, quizá siglos. La humanidad se diseminará por la galaxia. Pero la gente tendrá que pasarse la vida a bordo, a menos que se desarrollen nuevos métodos de viaje interestelar, así que serán los marcianos, no los terrícolas, quienes colonizarán el universo. Es inevitable. Tiene que ser así. Es el estilo marciano.

Pero Rioz no respondió. Se había vuelto a dormir, meciéndose suavemente a ochocientos mil kilómetros de Saturno.

<h1 style="text-align:center">7</h1>

Trabajar en el fragmento del anillo era el reverso de la moneda. La falta de peso, la paz y la intimidad de la flotación espacial se reemplazaban por algo que no tenía paz ni intimidad. Incluso la falta de peso, que seguía estando presente, era más un purgatorio que un paraíso en esas nuevas condiciones.

Por ejemplo, para manejar un proyector térmico no portátil. Se podía levantar aunque tuviera dos metros de altura y de anchura y fuera de metal sólido, pues pesaba sólo unos gramos. Pero su inercia era la misma de siempre, con lo cual había que moverlo muy despacio para que no pasara de largo, arrastrando al hombre que lo llevaba, que entonces tenía que activar el campo de seudogravedad del traje y frenar bruscamente.

Keralski había activado el campo a demasiada intensidad y frenó violentamente, y el proyector bajó con él en un ángulo peligroso. Su tobillo triturado fue la primera baja que sufrió la expedición.

Rioz maldecía sin cesar. No podía deshacerse del acto reflejo de enjugarse el sudor de la frente con la mano y, en consecuencia, el metal chocaba contra el silicio con un estrépito que resonaba ensordecedoramente dentro del traje, pero sin que le sirviera de nada.

Los secadores internos del traje aspiraban a toda potencia, recuperando el agua y vertiendo un líquido purificado en el receptáculo correspondiente.

—¡Demonios, Dick —gritó Rioz—, aguarda a que te dé la orden!

—Bueno, y ¿cuánto tiempo tendré que esperar? —replicó Swenson.

—¡Hasta que yo diga!

Reforzó la seudogravedad, alzó el proyector y redujo la seudogravedad para que el proyector permaneciera en su sitio unos minutos aunque él retirara su apoyo. Apartó el cable (se extendía más allá del cercano «horizonte», hasta una fuente energética que estaba fuera de la vista) y activó el mecanismo.

El material de que estaba compuesto el fragmento burbujeó y se deshizo. Una sección del borde de la enorme cavidad que ya habían abierto se derritió, limando una aspereza del contorno.

—Prueba ahora —dijo Rioz.

Swenson estaba a bordo de la nave y se cernía cerca de la cabeza de Rioz.

—¿Todo preparado? —preguntó.

—Te he dicho que comenzaras.

Un débil chorro de vapor brotó de una tobera de proa. La nave descendió hacia el fragmento. Otro chorro corrigió un desvío lateral. La nave descendió en línea recta.

Un chorro de popa aminoró la velocidad.

Rioz observaba en tensión.

—Continúa bajando. Lo lograrás. Lo lograrás.

La popa de la nave penetró en la cavidad. Las paredes se aproximaron cada vez más al borde. Hubo un chirrido vibrante cuando la nave se detuvo.

Esa vez fue Swenson quien maldijo.

—No entra —protestó.

Rioz arrojó el proyector al suelo, airado, lo que le hizo agitarse en el espacio. El proyector elevó una nube de polvo cristalino y, cuando Rioz bajó por la seudogravedad, ocurrió otro tanto.

—¡Entraste torcido, estúpido terroso!

—¡Entré derecho, mugriento granjero!

Las toberas laterales de la nave escupieron un chorro más potente y Rioz saltó para apartarse del camino.

La nave salió de la cavidad y se elevó unos ochocientos metros en el espacio, hasta que las toberas de proa la frenaron.

—Destrozaremos la nave si fallamos de nuevo —gruñó Swenson—. Hazlo bien, ¿quieres?

—Lo haré bien, no te preocupes. Pero desciende derecho.

Rioz dio un brinco y ascendió trescientos metros para tener una visión general de la cavidad. Las marcas de la nave eran claras. Estaban concentradas en el borde superior del orificio. Corregiría eso.

El borde comenzó a derretirse bajo el chorro del proyector.

Media hora después, la nave se acomodó en la cavidad, y Swenson salió en su traje espacial para unirse a Rioz.

—Si quieres subir a bordo para quitarte el traje, yo me encargaré del hielo.

—Está bien así —dijo Rioz—. Prefiero quedarme aquí viendo a Saturno.

Se sentó en el borde de la cavidad. Había una brecha de dos metros entre el orificio y la nave. En algunos puntos del círculo era de medio metro y en otros, de pocos centímetros. No se podía efectuar un trabajo más exacto. El ajuste final se lograría evaporando hielo y permitiendo que se congelara dentro de la cavidad, entre el borde y la nave.

Saturno se desplazaba por el cielo y su vasta mole se hundía en el horizonte.

—¿Cuántas naves quedan por colocar? —preguntó Rioz.

—Según he oído quedaban once. Nosotros ya hemos entrado, así que sólo quedan diez. Siete de las que han entrado están montadas, y hay dos o tres desmanteladas.

—Vamos bien.

—Todavía queda mucho por hacer. No olvides las toberas principales del otro extremo. Y los cables y las líneas energéticas. A veces me pregunto si lo lograremos. Durante el viaje no me preocupaba tanto, pero ahora estaba sentado ante los controles y me repetía: «No lo lograremos. Nos moriremos de hambre con Saturno sobre nuestras cabezas.» Hace que me sienta...

No explicó cómo le hacía sentirse; simplemente se quedó donde estaba.

—Piensas demasiado —dijo Rioz.

—Para ti es distinto. Yo pensaba en Peter y en Dora...

—¿Por qué? Ella te dijo que podías venir, ¿verdad? El comisionado le echó ese discurso sobre el patriotismo, le dijo que serías un héroe y que tendrías la vida solucionada cuando regresaras, así que te dejó venir. No te escapaste, como Adams.

—Adams es diferente. Tendrían que haber liquidado a su esposa cuando nació. Algunas mujeres te hacen la vida imposible. Ella no quería que viniera, pero tal vez hubiera preferido que él no regresara, siempre y cuando le pagaran la indemnización.

—Entonces, ¿cuál es tu problema? Dora quiere que regreses, ¿no?

Swenson suspiró.

—Nunca la he tratado bien.

—Le cediste tu paga. Yo no haría eso por ninguna mujer. Sólo pago por lo que recibo, ni un céntimo más.

—No es por el dinero. Aquí me he puesto a pensar. A una mujer le gusta tener compañía. Un hijo necesita al padre. ¿Qué estoy haciendo aquí?

—Preparándote para volver a casa.

—¡Bah, tú no entiendes nada!

8

Ted Long recorría la escabrosa superficie del fragmento con un ánimo tan helado como el suelo que pisaba. En Marte le había parecido que era algo perfectamente lógico. Lo analizó todo una y otra vez con sumo cuidado. Aún recordaba su razonamiento.

No se necesitaba una tonelada de agua para desplazar cada tonelada de la nave. La ecuación no era masa igual a masa, sino masa por velocidad igual a masa por velocidad. En otras palabras, no importaba que uno disparase una tonelada de agua a un kilómetro por segundo o cincuenta kilos de agua a veinte kilómetros por segundo. La nave alcanzaba la misma velocidad final.

Eso significaba que las toberas debían ser más estrechas y que el vapor tenía que estar más caliente. Pero entonces aparecieron los problemas. Cuanto más estrecha era la tobera, más energía se perdía por fricción y turbulencia. Cuanto más caliente estaba el vapor, más refractaria tenía que ser la tobera y menos duraba. Llegaron muy pronto al límite.

Además, con una tobera estrecha, un determinado peso de agua podía desplazar un peso muy superior, así que era conveniente un tamaño grande. Cuanto mayor era el espacio para el almacenamiento de agua, tanto mayor era también el tamaño de la ojiva, incluso en proporción. Así que comenzaron a construir naves de mayor tamaño y más pesadas, pero cuanto mayor hacían el casco más gruesos eran los refuerzos, más difíciles las soldaduras, más agotadores los requerimientos técnicos. También en ese aspecto habían llegado al límite.

Hasta que descubrió lo que parecía ser el defecto básico: la idea de que el combustible se debía guardar dentro de la nave. Había que construir un aparato de metal capaz de albergar un millón de toneladas de agua.

¿Por qué? El agua no tenía por qué ser agua. Podía ser hielo, y el hielo era moldeable. Podían abrir orificios en él, y las ojivas y las toberas encajarían en su interior y los cables sujetarían firmemente las ojivas a las toberas por el influjo de los campos de fuerza magnéticos.

Long sintió el temblor del suelo que pisaba. Se encontraba en la parte superior del fragmento. Una docena de naves entraban y salían por cavidades horadadas en el hielo, y el fragmento temblaba por el efecto del impacto continuo.

No era preciso extraer el hielo. Existía en moles adecuadas en los anillos de Saturno. Eso eran los anillos: trozos de hielo rotando en torno del planeta. Así lo afirmaba la espectroscopia y así había resultado en la realidad. En ese momento se encontraba sobre uno de esos fragmentos de tres kilómetros de longitud y un kilómetro de grosor; quinientos millones de toneladas de agua en una sola pieza, y él estaba encima.

Y se enfrentaba cara a cara con la realidad de la vida. Nunca les había informado a los hombres de cuánto tardarían, según sus cálculos, en transformar un fragmento en una nave, aunque él pensaba que serían dos días. Pero ya había pasado una semana y prefería no pensar en cuánto faltaba. Ya no confiaba en que la tarea fuera posible. ¿Podrían controlar las toberas con suficiente precisión mediante cables extendidos a lo largo de tres kilómetros de hielo para liberarse de la poderosa gravedad de Saturno?

El agua potable escaseaba, aunque siempre podrían destilar más a partir del hielo. Y las reservas de alimentos tampoco eran alentadoras.

Miró hacia arriba y entrecerró los ojos. ¿Ese objeto estaba aumentando de tamaño? Intentó calcular la distancia, pero no se encontraba con ánimos para sumar ese problema a los demás. Volvió a las inquietudes más inmediatas.

Al menos, la moral era alta. Los hombres parecían felices de estar ante Saturno. Eran los primeros humanos que llegaban tan lejos, los primeros que habían atravesado los asteroides, los primeros en ver Júpiter como un guijarro resplandeciente a simple vista, los primeros en ver Saturno como lo estaban viendo.

No se esperaba que cincuenta chatarreros pragmáticos y curtidos se tomaran la molestia de sentir una emoción de ese tipo. Pero la sentían. Y estaban orgullosos.

Dos hombres y una nave semienterrada asomaron en el horizonte mientras él caminaba.

—¡Hola! —saludó.

—¿Eres tú, Ted? —preguntó Rioz.

—Claro que sí. ¿Es Dick quien te acompaña?

—Por supuesto. Ven a sentarte. Nos estábamos preparando para afianzarla y buscábamos una excusa para demorarnos.

—Pues yo no —dijo Swenson—. ¿Cuándo partiremos, Ted?

—En cuanto terminemos. No es una respuesta satisfactoria, ¿eh?

—Supongo que no hay otra —se resignó Swenson.

Long miró la mancha brillante e irregular que cubría el cielo.

—¿Qué ocurre? —preguntó Rioz, mirando en la misma dirección.

No respondió en seguida. El resto del cielo estaba negro y los fragmentos de los anillos formaban un polvo anaranjado. Más de las tres cuartas partes de Saturno se hallaban ocultas tras el horizonte y los anillos lo acompañaban. A un kilómetro, una nave rozó el borde helado del asteroide, recibió la anaranjada luz de Saturno y se perdió de vista.

El suelo tembló ligeramente.

—¿Algo te preocupa de la Sombra? —preguntó Rioz.

Así lo llamaban. Era el fragmento más cercano de los anillos; muy cercano, considerando que se encontraban en el borde exterior, donde los fragmentos aparecían esparcidos a bastante distancia. Estaba a treinta kilómetros, una montaña escabrosa y apenas visible.

—¿Cómo lo veis? —preguntó Long.

Rioz se encogió de hombros.

—Supongo que bien. No veo ningún problema.

—¿No te parece que está creciendo?

—¿Por qué iba a crecer?

—¿No da esa impresión?

Rioz y Swenson la miraron pensativamente.

—Sí que parece más grande —dijo Swenson.

—Nos estás metiendo esa idea en la cabeza —protestó Rioz—. Si estuviera creciendo, se estaría aproximando.

—¿Y por qué eso es imposible?

—Estas cosas permanecen en órbitas estables.

—Lo estaban cuando llegamos. Vaya, ¿lo habéis sentido? —El suelo había temblado de nuevo—. Llevamos una semana horadando esto. Primero, veinticinco naves aterrizaron encima, con lo cual alteraron su impulso, aunque no mucho. Luego, derretimos algunas partes y nuestras naves han estado entrando y saliendo sin parar, y todo en el mismo extremo. Dentro de una semana habremos cambiado un poco su órbita. Los dos fragmentos, éste y la Sombra, podrían estar convergiendo.

—Hay bastante espacio como para que choquen. —Rioz se quedó mirando pensativo—. Además, si ni siquiera sabemos con certeza si se está agrandando, ¿a qué velocidad se puede desplazar? En relación con nosotros, quiero decir.

—No tiene que desplazarse rápidamente. Su impulso es tan grande como el nuestro, de modo que, por suave que sea la colisión, nos sacará de nuestra órbita, quizás hacia Saturno, y no queremos ir allí. El hielo tiene una fuerza dúctil muy baja, o sea que ambos podrían hacerse pedazos.

Swenson se puso de pie.

—¡Demonios, si puedo distinguir el movimiento de una cápsula a más de mil quinientos kilómetros, puedo distinguir lo que hace una montaña a treinta!

Se dirigió hacia la nave y Long no lo detuvo.

—Ese tío está nervioso —dijo Rioz.

El planetoide vecino se elevó al cénit, pasó por encima de ellos y comenzó a descender. Veinte minutos después, el horizonte opuesto a esa parte por la que había desaparecido Saturno estalló en una llamarada de color naranja cuando su mole comenzó a elevarse de nuevo.

—Oye, Dick, ¿te has muerto? —preguntó Rioz por radio.

—Estoy verificando —fue la sofocada respuesta.

—¿Se está moviendo? —quiso saber Long.

—Sí.

—¿Hacia nosotros?

Hubo una pausa, y la voz de Swenson sonó preocupada:

—De frente, Ted. Las órbitas se entrecruzarán dentro de tres días.

—¡Estás loco! —aulló Rioz.

—Lo he verificado cuatro veces —dijo Swenson.

¿Qué haremos ahora?, se preguntó Long.

9

Algunos hombres tenían problemas con los cables. Había que tenderlos con precisión; la geometría debía ser casi perfecta para que el campo magnético alcanzara su máxima potencia. En el espacio, o incluso en el aire, no hubiera importado, pues los cables se habrían alineado automáticamente una vez que se activara la potencia.

Pero allí era diferente. Había que cavar una muesca a lo largo de la superficie del planetoide e insertar un cable. Si se desviaba unos pocos minutos del arco de la dirección calculada, se aplicaría una torsión a todo el planetoide, con la consiguiente pérdida de energía, la cual era escasa. En ese caso habría que trazar de nuevo las muescas, mover los cables y enterrarlos en el hielo en nuevas posiciones.

Los hombres trabajaban fatigosamente.

Y entonces recibieron la orden:

—¡Todos con las toberas!

Los chatarreros no eran gente que aceptara la disciplina de buena gana. Mascullando y protestando, se pusieron a desmontar las toberas que aún permanecían intactas y se las llevaron al extremo final del planetoide, las pusieron en posición y tendieron los cables sobre la superficie.

Pasaron veinticuatro horas hasta que uno de ellos miró al cielo y soltó un juramento no reproducible.

—¡Que me cuelguen! —exclamó su vecino.

Pronto todos los notaron, y aquello se convirtió en el hecho más sorprendente del universo.

—¡Mirad la Sombra!

Se extendía por el cielo como si se tratara de una herida infectada. Los hombres la observaron, notaron que su tamaño se había duplicado y se preguntaron por qué no lo habían visto antes.

La faena se detuvo. Todos asediaron a Ted Long.

—No podemos partir —dijo él—. No tenemos combustible para llegar a Marte ni equipo para capturar otro planetoide, así que debemos quedarnos. La Sombra se acerca porque las perforaciones nos han sacado de nuestra órbita. Tenemos que modificar la situación continuando con la tarea. Como no podemos perforar la parte frontal sin poner en peligro la nave que estamos construyendo, probaremos de otro modo.

Continuaron trabajando con las toberas con una tenaz energía que se intensificaba cada media hora, cuando la Sombra se elevaba de nuevo sobre el horizonte, cada vez más grande y amenazadora.

Long no estaba seguro de que aquello funcionara. Aun cuando las toberas respondiesen a los controles distantes, aun cuando la provisión de agua —que dependía de una cámara de almacenaje que se conectaba directamente con el cuerpo helado del planetoide, con proyectores térmicos que enviaban el fluido propulsor a las células impulsoras— fuese la adecuada, no era seguro que el planetoide, sin un revestimiento de cables magnéticos, se sostuviera ante esas enormes tensiones.

—¡Preparados! —le comunicaron por el receptor.

—¡Preparados! —respondió Long, y cerró el contacto.

La vibración creció en derredor. El campo estelar tembló en la pantalla.

A popa estalló un reluciente penacho de cristales de hielo.

—¡Está funcionando! —gritó alguien.

Siguió funcionando. Long no se atrevía a detenerse. Durante seis horas el chorro sopló, siseó, burbujeó y se evaporó en el espacio. El cuerpo del planetoide se convertía en vapor.

La Sombra se aproximó tanto que los hombres no hacían más que mirar esa montaña en el cielo, aún más espectacular que Saturno. Cada surco y cada valle era una cicatriz visible. Pero cuando atravesó la órbita del planetoide pasó a un kilómetro de donde estaban.

El chorro de vapor cesó.

Long se dobló en su asiento y cerró los ojos. Llevaba dos días sin probar bocado. Ya podía comer. No había ningún otro planetoide cerca que los amenazara, aun cuando comenzase su aproximación en ese mismo instante.

En la superficie, Swenson comentó:

—Mientras veía aproximarse esa condenada roca, no cesaba de repetirme: «Esto no puede pasar. No podemos permitir que ocurra.»

—Demonios —dijo Rioz—, todos estábamos nerviosos. ¿Viste a Jim Davis? Estaba verde. Hasta yo me llevé un buen susto.

—No es eso... No era sólo la muerte... Es raro, pero no puedo dejar de recordarlo. Pensaba que Dora no se cansaba de repetirme que no volvería con vida. ¿No es una actitud mezquina en semejante momento?

—Escucha —se impacientó Rioz—, querías casarte y te casaste. ¿Por qué me das la lata con tus problemas?

10

La flota, fusionada en una sola unidad, realizaba su larguísima trayectoria de vuelta desde Saturno a Marte. Cada día, recorrían una distancia que en el viaje de ida les había llevado nueve días.

Ted Long había puesto a toda la tripulación en situación de emergencia. Con veinticinco naves encajadas en el planetoide que le habían arrancado a los anillos de Saturno, sin capacidad para maniobrar independientemente, la coordinación de las fuentes energéticas en chorros unificados se convertía en un problema delicado. Las vibraciones que los sacudieron el primer día de viaje fueron violentísimas.

Pero ese problema disminuyó a medida que se incrementaba la velocidad con el impulso constante. Superaron la marca de ciento cincuenta mil kilómetros por hora al final del segundo día y ascendieron lentamente hasta el millón y medio de kilómetros por hora y más aún.

La nave de Long, que iba a la cabeza de la flota congelada, era la única desde donde se veía el espacio en cinco perspectivas. Eso suponía una posición nada cómoda, dadas las circunstancias. Long vigilaba en un estado de tensión continua, imaginando que pronto dejarían atrás las estrellas, al avanzar con el impulso de esa tremenda multinave.

Era una mera ilusión, desde luego. Las estrellas permanecían clavadas en el fondo negro, y las distancias parecían burlarse con paciente inmovilidad de cualquier velocidad que pudiera llegar a alcanzar el hombre.

Los tripulantes comenzaron a quejarse después de los primeros días. No sólo se los había privado de la flotación espacial, sino que se sentían agobiados por mucho más que la seudogravedad de las naves, debido a los efectos de la brusca aceleración. El propio Long se encontraba extenuado a causa de la implacable presión contra el acolchado hidráulico.

Empezaron a cortar el chorro de las toberas una hora de cada cuatro, y Long andaba preocupado.

Había pasado más de un año desde la última vez que vio Marte, empequeñeciéndose al otro lado de una ventana panorámica de esa misma nave, que entonces constituía una entidad independiente. ¿Qué habría ocurrido desde entonces? ¿Existiría aún la colonia?

Presa de una especie de creciente pánico, enviaba señales de radio a Marte todos los días, con la potencia sumada de las veinticinco naves. No había respuesta. Tampoco la esperaba. Marte y Saturno se encontraban en aquel momento en lugares opuestos del Sol y, hasta que ascendieran muy por encima de la eclíptica y dejaran al Sol más allá de la línea que los conectaba con Marte, la interferencia solar impediría el paso de toda señal.

Alcanzaron la máxima velocidad al bordear por el exterior el Cinturón de Asteroides. Con breves chorros de las toberas laterales, la enorme nave cambió de orientación. Los chorros de popa rugieron una vez más, pero en esa ocasión el resultado fue la desaceleración.

Pasaron a más de ciento cincuenta millones de kilómetros por encima del Sol, descendiendo en una curva que cruzaría la órbita de Marte.

A una semana de Marte, oyeron señales de respuesta por primera vez. Llegaban fragmentadas, quebradas por el éter, incomprensibles; pero procedían de Marte. La Tierra y Venus estaban en ángulos tan distintos que no había duda alguna.

Long se relajó. Al menos, aún quedaba gente en Marte.

A dos días de Marte, la señal se recibió fuerte y clara. Sankov estaba al otro lado:

—Hola, hijo. Aquí son las tres de la madrugada. Parece ser que nadie tiene consideración con un anciano. Me han sacado de la cama.

—Lo lamento, señor.

—No lo lamentes. Cumplían mis órdenes. Tengo miedo de preguntar, hijo. ¿Algún herido? ¿Algún muerto?

—No hubo muertos, señor. Ninguno.

—¿Y el agua? ¿Queda algo?

—Bastante —respondió Long, tratando de quitarle importancia.

—En tal caso, llega cuanto antes. Sin correr ningún riesgo, por supuesto.

—Entonces es que hay problemas.

—Digamos que sí. ¿Cuándo descenderéis?

—Dentro de dos días. ¿Podrá resistir?

—Resistiré.

Cuarenta horas después, Marte era una esfera rojiza que ocupaba todas las ventanas. Iniciaron la última espiral de descenso, y Long no paraba de repetir para sí mismo: «Despacio, despacio.» Pues, en esas condiciones, incluso la tenue atmósfera de Marte podía provocar tremendos daños si la atravesaban a demasiada velocidad.

Como llegaban desde muy por encima de la eclíptica, la espiral iba de norte a sur. Un blanco casquete polar apareció debajo y, luego, el casquete más pequeño del hemisferio estival; de nuevo el grande, y el pequeño, a intervalos cada vez más largos. El planeta se aproximaba; el paisaje empezaba a mostrar rasgos.

—¡Preparaos para el descenso! —ordenó Long.

11

Sankov hizo lo posible por demostrar calma, lo cual era difícil, considerando lo extremadamente oportuno que era el regreso de los muchachos. Pero todo había salido bastante bien.

Pocos días atrás, no tenía ninguna seguridad de que hubieran sobrevivido. Lo más probable —casi inevitable— era que sólo fuesen ya cadáveres escarchados en la inexplorada distancia que unía Marte con Saturno, nuevos planetoides que otrora fueron cuerpos vivientes.

Hacía semanas que la comisión andaba importunándolo, insistiendo en que firmase un papel que cubriría las apariencias. Parecía así un acuerdo voluntario. Pero Sankov sabía que, dada la absoluta terquedad por su parte, ellos actuarían unilateralmente mandando al cuerno las apariencias. La elección de Hilder parecía asegurada, y estaban dispuestos a jugar la baza de despertar ciertas simpatías por Marte. Así que prolongó las negociaciones, siempre tranquilizándolos con la posibilidad de una rendición.

Y, en cuanto tuvo noticias de Long, cerró el trato rápidamente.

Le pusieron los papeles delante y él hizo una última declaración ante los periodistas presentes:

—Las importaciones totales de agua de la Tierra suman veinte millones de toneladas por año. Esto va en descenso, a medida que desarrollamos nuestra propia red de tuberías. Si firmo este papel aceptando un embargo, nuestra industria quedará paralizada, y las posibilidades de expansión se detendrán. Supongo que la Tierra no tiene semejante propósito, ¿verdad?

Los periodistas lo miraron y vieron que sus ojos brillaban con dureza. El asambleísta Digby ya había sido reemplazado y todos estaban unánimemente en su contra.

—Todo eso nos lo ha dicho ya otras veces —se impacientó el presidente de la comisión.

—Lo sé, pero ahora estoy dispuesto a firmar y quiero tener claras las ideas. ¿La Tierra está dispuesta a terminar con nuestra colonia?

—Claro que no. La Tierra está interesada en conservar su irreemplazable suministro de agua, nada más.

—En la Tierra hay un trillón y medio de toneladas de agua.

—No podemos desperdiciar el agua —se mostró firme el presidente de la comisión.

Y Sankov había firmado.

Ésa era la nota final que buscaba. La Tierra tenía un trillón y medio de toneladas de agua y no podía desperdiciar ni una gota.

Y, un día y medio después, la comisión y los periodistas se encontraban esperando en la cúpula del puerto espacial. A través de las gruesas y curvas ventanas veían la desierta extensión del puerto espacial de Marte.

—¿Cuánto más hemos de esperar? —preguntó con fastidio el presidente de la comisión—. Y, si no le molesta decirlo, ¿qué es lo que esperamos?

—Nuestros muchachos han estado en el espacio —respondió Sankov—, más allá de los asteroides.

El presidente de la comisión se quitó las gafas y las limpió con un pañuelo blanquísimo.

—¿Y regresan hoy?

—En efecto.

El presidente se encogió de hombros y dirigió una mirada cómplice a los periodistas.

En la sala contigua, mujeres y niños se agolpaban ante otra ventana. Sankov retrocedió un poco para echarles un vistazo. Hubiera preferido estar con ellos, compartir su entusiasmo y su emoción. Él también llevaba esperando más de un año y había temido una y otra vez que esos hombres hubieran muerto.

—¿Ven eso? —dijo Sankov, señalando con el dedo.

—¡Vaya! —exclamó un periodista—. ¡Es una nave!

Un confuso griterío sonó en la sala contigua.

No parecía una nave, sino un punto brillante oscurecido por una nube blanca. La nube crecía y tomaba forma; era una estría doble contra el cielo, con extremos inferiores que se arqueaban hacia fuera y hacia arriba. Al descender, el punto brillante de la parte superior cobró una forma vagamente cilíndrica.

Era tosca e irregular, pero reflejaba la luz del Sol con destellos brillantes.

El cilindro descendía con la majestuosa lentitud de las naves espaciales. Iba suspendido sobre los chorros de las toberas y apoyado en toneladas de materia que caían como un hombre cansado que se desploma en una mecedora.

Se hizo el silencio en el interior de la cúpula. Las mujeres y los niños de una sala y los políticos y los periodistas de la otra se quedaron petrificados, mirando incrédulamente hacia arriba.

Los rebordes de aterrizaje del cilindro, extendiéndose muy por debajo de las dos toberas de popa, tocaron tierra y se clavaron en el suelo pedregoso. La nave quedó inmóvil y las toberas se apagaron.

Pero el silencio persistía dentro de la cúpula. Y continuó durante un buen rato.

Bajaron hombres por los flancos de la inmensa nave, descendiendo poco a poco los tres kilómetros que habían hasta el suelo, con clavos en los zapatos y picos para el hielo en las manos. Parecían mosquitos en aquella superficie enceguecedora.

—¿Qué es eso? —gruñó uno de los periodistas.

—Eso —le informó Sankov, con calma— es un trozo de materia que giraba en torno de Saturno como parte de sus anillos. Nuestros muchachos le añadieron una ojiva y toberas para traérselo a casa. Ocurre sencillamente que los fragmentos que componen los anillos de Saturno están hechos de hielo. —Hablaba para unos interlocutores silenciosos—. Eso que parece una nave espacial es tan sólo una montaña de agua sólida. Si estuviera en la Tierra, se estaría derritiendo y se partiría bajo su propio peso. Marte es más frío y tiene menos gravedad, así que ese peligro no existe. Por supuesto, en cuanto organicemos esta situación, podremos contar con estaciones de suministro de agua en las lunas de Saturno y de Júpiter y en los asteroides. Tomaremos trozos de los anillos de Saturno y los enviaremos a las diversas estaciones. Nuestros chatarreros son expertos en esa clase de trabajo. Y tendremos toda el agua que necesitemos. Ese fragmento que ven tiene más de un kilómetro cúbico; es decir, lo que la Tierra nos enviaría en doscientos años. Nuestros muchachos gastaron una buena parte para traerlo desde Saturno. Efectuaron el viaje en cinco semanas y utilizaron cien millones de toneladas. Pero esa montaña ni se inmutó. ¿Están tomando nota, muchachos? —Se volvió hacia los periodistas. No había duda de que estaban anotándolo todo—. Pues anoten también esto. La Tierra está preocupada por su provisión de agua. Sólo tiene un trillón y medio de toneladas. No puede cedernos una sola tonelada. Escriban que a los habitantes de Marte nos preocupa la Tierra y no queremos que les suceda nada a sus habitantes. Anoten que venderemos agua a la Tierra, que les daremos montones de millones de toneladas por un precio razonable. Tomen nota de que, dentro de diez años, podremos venderles montones de kilómetros cúbicos. Escriban que la Tierra puede dejar de preocuparse, porque Marte le venderá toda el agua que necesite.

El presidente de la comisión ya no escuchaba. Sentía que el futuro se le estaba cayendo encima. Notó que los periodistas sonreían mientras garabateaban incansablemente.

Estaban sonriendo.

Y esa sonrisa se transformaría en una estentórea carcajada en la Tierra cuando Marte trastocara la situación. La carcajada resonaría en todos los continentes cuando se propagara la noticia del fiasco. Y veía un abismo, profundo y negro como el espacio, donde caerían para siempre las esperanzas políticas de John Hilder y de todos los contrarios al vuelo espacial que quedasen en la Tierra, incluido él.

En la sala contigua, Dora Swenson gritó de alegría, y Peter, que había crecido cinco centímetros, se puso a brincar.

—¡Papá! ¡Papá!

Richard Swenson acababa de bajar del extremo del reborde y avanzaba hacia la cúpula; su rostro era perfectamente visible a través de la silicona transparente del casco.

—¿Alguna vez has visto a alguien tan feliz? —comentó Ted Long—. Tal vez el matrimonio tenga sus ventajas.

—Bah, has pasado demasiado tiempo en el espacio —refunfuñó Rioz.

EL DEDO DEL MONO

—Sí. Sí. Sí. Sí. Sí. Sí. Sí. Sí. Sí. Sí. Sí. Sí. Sí. Sí. Sí. Sí —dijo Marmie Tallinn en dieciséis tonos e inflexiones, moviendo convulsivamente la nuez de la garganta. Marmie era escritor de ciencia ficción.

—No —dijo Lemuel Hoskins, mirando fríamente a través de los cristales de sus gafas de montura de acero. Lemuel editaba ciencia ficción.

—O sea que no aceptas una verificación científica. No me escuchas. Yo no tengo voto, ¿no?

Marmie se irguió de puntillas, se dejó caer, repitió la operación varias veces y exhaló ruidosamente. Se había arremolinado el pelo con los dedos.

—Uno contra dieciséis —manifestó Hoskins.

—Oye, ¿por qué siempre has de tener tú razón? ¿Por qué he de ser yo siempre el que se equivoca?

—Marmie, reconócelo. A cada uno nos juzgan por lo que somos. Si bajara la difusión de la revista, yo sería un fracaso, estaría en apuros. El presidente de Editorial Espacio no haría preguntas, créeme; simplemente, miraría las cifras. Pero la difusión no baja, sino que sube. Eso indica que soy un buen director. En cuanto a ti..., cuando los directores te aceptan, eres un talento; cuando te rechazan, eres un chapucero. En este momento, eres un chapucero.

—Hay otros directores. No eres el único. —Marmie alzó las manos, con los dedos extendidos—. ¿Sabes contar? Aquí tienes cuántas de las revistas de ciencia ficción que hay en el mercado aceptarían con gusto un cuento de Tallinn, y con los ojos cerrados.

—Enhorabuena.

—Mira. —Marmie suavizó su tono—: Querías dos modificaciones, ¿verdad? Querías una escena introductoria con la batalla en el espacio. Bien, te lo concedí. Aquí está. —Agitó el manuscrito bajo las narices de Hoskins, que se apartó como espantado por el olor—. Pero también querías que en la acción que ocurre en el exterior de la nave espacial intercalara una escena retrospectiva del interior, y eso no puede ser. Si introduzco esa modificación, estropeo un final emocionante, profundo y conmovedor.

Hoskins se reclinó en la silla y se dirigió a su secretaria, que había estado todo el tiempo escribiendo a máquina en silencio. Estaba acostumbrada a esas escenas.

—¿Oye usted, señorita Kane? Habla de emoción, profundidad y conmoción. ¿Qué sabe de eso un escritor? Mira, si intercalas la escena retrospectiva, aumentas el suspense, das solidez al cuento, lo haces más convincente.

—¿Más convincente? —exclamó Marmie—. ¿Me estás diciendo que es convincente que un grupo de hombres a bordo de una nave espacial comience a hablar de política y sociología cuando están a punto de saltar en pedazos? ¡Santo cielo!

—No puedes hacer otra cosa. Si esperas a que el clímax haya pasado y luego hablas de política y sociología, el lector se dormirá.

—Pero trato de decirte que te equivocas y puedo demostrarlo. ¿De qué sirve hablar cuando he preparado un experimento científico...?

—¿Qué experimento científico? —Hoskins se dirigió de nuevo a su secretaria—. ¿Qué le parece, señorita Kane? Se cree realmente que es uno de sus personajes.

—Pues sucede que conozco a un científico.

—¿A quién?

—Al profesor Arndt Torgesson, que enseña psicodinámica en Columbia.

—Nunca he oído hablar de él.

—Supongo que eso significa muchísimo —replicó Marmie, con desprecio—. Tú nunca has oído hablar de él. Pero es que tú nunca habías oído hablar de Einstein hasta que tus escritores comenzaron a mencionarlo en sus cuentos.

—Muy gracioso, mira cómo me río. ¿Qué pasa con ese Torgesson?

—Ha elaborado un sistema para determinar científicamente el valor de un texto escrito. Es una labor increíble. Es..., es...

—¿Y es secreto?

—Claro que es secreto. No es un profesor de ciencia ficción. En la ciencia ficción, cuando alguien elabora una teoría, la anuncia sin demora a los periódicos. En la vida real no es así. Un científico se pasa años experimentando antes de publicar nada. Eso de publicar es una cosa muy seria.

—Y entonces ¿cómo te has enterado tú? Sólo pregunto.

—Sucede que el profesor Torgesson es un admirador mío. Sucede que le gustan mis cuentos. Sucede que él piensa que soy el mejor escritor del género.

—¿Y te muestra sus trabajos?

—Así es. Yo esperaba que tú revelaras tu tozudez con este cuento, así que le pedí que preparase un experimento. Dijo que lo haría siempre y cuando no habláramos del asunto. Dijo que sería un experimento interesante. Dijo...

—¿Por qué es tan secreto?

—Bueno... —Marmie titubeó—. Mira, supónte que te digo que tiene un mono que sabe escribir a máquina *Hamlet* por sí mismo.

Hoskins miró a Marmie, alarmado.

—¿Qué es esto, una broma? —se volvió hacia la señorita Kane—. Cuando un escritor escribe ciencia ficción durante diez años, es peligroso si está fuera de su jaula.

La señorita Kane siguió mecanografiando a la misma velocidad sin inmutarse.

—Ya me has oído —dijo Marmie—. Un mono común, aún más grotesco que un director cualquiera. Tengo concertada una cita para esta tarde. ¿Vendrás conmigo, o no?

—Claro que no. ¿Crees que voy a abandonar por tus estúpidas bromas una pila de manuscritos de este tamaño? —Se señaló la laringe con un ademán cortante—. ¿Crees que voy a seguirte el juego?

—Si es una broma, Hoskins, te pagaré una cena en cualquier restaurante que tú digas. La señorita Kane es testigo.

Hoskins se reclinó en la silla.

—¿Una cena? ¿Tú, Marmaduke Tallinn, el más célebre parásito de Nueva York, vas a pagar una cuenta?

Marmie hizo una mueca de disgusto, no por la referencia a su habilidad para eludir las cuentas de los restaurantes, sino por la mención de su horrible nombre de pila al completo.

—Lo repito, cenarás donde quieras y lo que quieras. Bistecs, setas, pechuga de pollo, caimán marciano; cualquier cosa.

Hoskins se levantó y recogió su sombrero.

—Por la oportunidad de verte sacar uno de esos viejos y enormes billetes de dólar que guardas en el tacón falso del zapato izquierdo desde 1928, iría andando hasta Boston...

El profesor Torgesson se sentía honrado. Estrechó cordialmente la mano de Hoskins.

—He leído *Relatos espaciales* desde que llegué a este país, señor Hoskins. Es una revista excelente. Y me gustan muchísimo los cuentos del señor Tallinn.

—¿Has oído? —se ufanó Marmie.

—He oído. Marmie dice que usted tiene un mono con talento, profesor.

—Sí, pero esto es confidencial. Aún no estoy preparado para publicar, y la publicidad prematura podría significar mi ruina profesional.

—Esto es estrictamente confidencial, profesor.

—Bien, bien. Siéntense, caballeros, siéntense. —Se puso a caminar—. ¿Le has hablado al señor Hoskins de mi trabajo, Marmie?

—Ni una palabra, profesor.

—Bien. De acuerdo, señor Hoskins, como es usted director de una revista de ciencia ficción, supongo que no tengo que preguntarle que si sabe algo sobre cibernética.

Hoskins puso la expresión de quien se concentra intelectualmente.

—Sí, máquinas de computar..., el MIT..., Norbert Wiener...

—Sí, sí. —Torgesson se puso a caminar más deprisa—. Sabrá entonces que se han usado principios cibernéticos para construir ordenadores que juegan al ajedrez. Las reglas de los movimientos ajedrecísticos y el objetivo del juego se integran en los circuitos. Dada una posición cualquiera en el tablero, la máquina puede computar todos los movimientos posibles y sus consecuencias y escoger el que ofrece la mayor probabilidad de vencer. Incluso se puede lograr que tenga en cuenta el temperamento del oponente.

—Ah, sí —dijo Hoskins, acariciándose pensativamente la barbilla.

—Imagine una situación similar, en la que un ordenador recibe un fragmento de una obra literaria, a la cual puede añadir palabras sacadas del vocabulario que tiene incorporado, con el fin de satisfacer así los más elevados valores literarios. Desde luego, habría que enseñarle a la máquina el significado de las diversas teclas de una máquina de escribir. Ese ordenador sería mucho más complejo que una máquina jugadora de ajedrez.

Hoskins se impacientó:

—El mono, profesor. Marmie habló de un mono.

—Pero es que es a eso a lo que voy. Naturalmente, no existe una máquina de tal complejidad. Pero el cerebro humano..., ah, el cerebro humano es un ordenador en sí mismo. Como es lógico, no puedo usar un cerebro humano, pues, lamentablemente, la ley me lo impediría; pero hasta un cerebro de mono, bien manipulado, puede hacer más que cualquier máquina jamás construida por el hombre. ¡Espere! Traeré al pequeño Rollo.

Salió de la habitación. Hoskins aguardó un instante y miró con cautela a Marmie.

—¡Vaya! —exclamó.

—¿Qué ocurre? —preguntó Marmie.

—¿Qué ocurre? Ese hombre es un embaucador. Dime, Marmie, ¿dónde has contratado a este farsante?

Marmie se enfureció.

—¿Farsante? Estás en el clásico despacho de un profesor de Fayerweather Hall, Columbia. Reconoces la Universidad de Columbia, ¿no? Has visto la estatua de Alma Mater en la calle 116. Te señalé el despacho de Eisenhower.

—Claro, pero...

—Y éste es el despacho del profesor Torgesson. Mira la mugre. —Sopló sobre un libro y se levantó una nube de polvo—. Eso basta para demostrar que esto es real. Y mira el título del libro: *Psicodinámica de la conducta humana*, por el profesor Arndt Rolf Torgesson.

—Vale, Marmie, de acuerdo. Existe un Torgesson y estamos en su despacho. No sé cómo te enteraste de que el verdadero profesor estaba de vacaciones ni cómo te las has apañado para usar su despacho; pero no trates de convencerme de que este payaso con sus monos y sus ordenadores es el de verdad. ¡Ja!

—Dado tu temperamento tan suspicaz, sólo puedo deducir que tuviste una infancia muy desdichada y solitaria.

—No es más que el resultado de mi experiencia con los escritores, Marmie. Ya he escogido el restaurante y esto te va a costar bastante dinero.

—No me va a costar un céntimo —gruñó Marmie—. Y calla, que ya vuelve.

Un melancólico mono capuchino se aferraba al cuello del profesor.

—He aquí al pequeño Rollo —dijo Torgesson—. Saluda, Rollo. —El mono se tiró del mechón de pelo—. Me temo que está cansado. Pues bien, aquí tengo una parte de su manuscrito.

Bajó al mono y se lo dejó colgando de un dedo mientras sacaba dos hojas de la chaqueta y se las entregaba a Hoskins, que se puso a leer en voz alta:

—«Ser o no ser, he ahí la alternativa. Si es más digno para la razón tolerar los golpes y los dardos de la despiadada fortuna, o coger las armas contra una hueste de males y enfrentarse hasta ponerles fin. Morir, dormir. Nada más, y con un sueño pensar...» —Alzó la vista—. ¿El pequeño Rollo escribió a máquina esto?

—No exactamente. Es una copia de lo que escribió él.

—Ah, una copia. Bueno, pues el pequeño Rollo no se sabe bien a Shakespeare. Es «coger las armas contra un piélago de males».

Torgesson asintió con la cabeza.

—En efecto, señor Hoskins. Shakespeare escribió «piélago». Pero, verá usted, se trata de una metáfora contradictoria. No se lucha con armas contra un piélago; se lucha con armas contra una hueste o un ejército. Rollo escogió «hueste». Es uno de los pocos errores de Shakespeare.

—Quiero verle escribir a máquina.

—Pues claro. —Colocó una máquina de escribir sobre la mesa. Estaba conectada a un cable, y el profesor lo explicó—: Es necesario usar una máquina eléctrica, pues, de lo contrario, el esfuerzo físico sería agotador. También es preciso conectar al pequeño Rollo a este transformador. —Lo conectó, valiéndose de dos electrodos que sobresalían unos tres milímetros del pelo del cráneo de la criaturilla—. Rollo fue sometido a una delicadísima operación cerebral, en la cual se le conectaron cables a diversas zonas del cerebro. Podemos cancelar sus actividades voluntarias y usar su cerebro como un ordenador. Temo que los detalles serían...

—Quiero verle escribir a máquina —repitió Hoskins.

—¿Qué le gustaría que escribiera?

Hoskins lo pensó en seguida.

—¿Conoce *Lepanto*, de Chesterton?

—No se sabe nada de memoria. Escribe como un ordenador. Usted sólo ha de recitarle un fragmento para que él pueda evaluar la modalidad y computar las consecuencias de las primeras palabras.

Hoskins asintió, hinchó el pecho y declamó:

—Blancas fuentes canturreando en los patios luminosos, y el sultán de Bizancio las contempla sonriente. Una risa cual fontana canta en su torvo semblante, agitando la negrura de ese bosque que es su barba, curvando la purpúrea medialuna de sus labios; pues sus buques estremecen el mar más recóndito del mundo...

—Con eso basta —le interrumpió Torgesson.

Aguardaron en silencio. El mono miraba solemnemente a la máquina de escribir.

—El proceso lleva tiempo, por supuesto —explicó Torgesson—. El pequeño Rollo debe tener en cuenta el romanticismo del poema, el sabor ligeramente arcaico, el fuerte ritmo de sonsonete y demás.

Un dedito negro tocó una tecla. Era una «h».

—No pone mayúsculas —dijo el científico— ni signos de puntuación y aún no sabe usar bien los espacios. Por eso suelo reescribir su trabajo cuando termina.

El pequeño Rollo tocó una «a» y una «n». Luego, al cabo de una pausa prolongada, le dio un golpecito a la barra espaciadora.

—Han —leyó Hoskins.

El mono escribió a continuación: «han desafiado a lasblancas repub licas delos promontorios de italia han sorteado el adriatico frente al leon de los mares y el papa alzolos bra zos acon gojado y convoco a los reyes de lacristiand ad pidiendo espadas para defender la cruz».

—¡Por Dios! —exclamó Hoskins.

—¿Es así el poema? —preguntó Torgesson.

—¡Santísimo cielo!

—En tal caso, Chesterton realizó un trabajo bueno y coherente.

—¡Virgen bendita!

—¿Ves? —dijo Marmie, sacudiendo el hombro de Hoskins—. ¿Ves? ¿Ves? ¿Ves? ¿Ves?

—¡Que me cuelguen!

—Oye, escucha. —Marmie se restregó el cabello hasta que le quedó en mechones que recordaban el pecho de una cacatúa—. Vamos a lo nuestro. Analicemos mi cuento.

—Bien, pero...

—No sobrepasará la capacidad de Rollo —le aseguró Torgesson—. Con frecuencia le leo párrafos de la mejor ciencia ficción, incluidos algunos relatos de Marmie. Es asombroso el modo en que mejora algunas narraciones.

—No es eso —dijo Hoskins—. Cualquier mono puede escribir mejor ciencia ficción que algunos chapuceros que tenemos nosotros. Pero el cuento de Tallinn tiene trece mil palabras. El mono tardará una eternidad.

—No crea, señor Hoskins, no crea. Yo le leeré el cuento y en el punto crucial le permitiremos continuar.

Hoskins cruzó los brazos.

—Adelante. Estoy preparado.

—Yo estoy más que preparado —dijo Marmie, y se cruzó de brazos.

El pequeño Rollo, un guiñapo cataléptico, permaneció sentado mientras la suave voz del profesor subía y bajaba con las cadencias de una batalla espacial y la lucha de los cautivos terrícolas por recuperar la nave perdida.

Uno de los personajes salía al casco de la nave, y Torgesson siguió los cautivantes acontecimientos con embeleso. Leyó:

—... Stalny se quedó petrificado en el silencio de las eternas estrellas. Con un desgarrador dolor de rodilla, aguardó a que los monstruos oyeran el golpe y...

Marmie tiró de la manga del profesor, que dejó de leer y desconectó al pequeño Rollo.

—Eso es —dijo Marmie—. Verá usted, profesor. Aquí es donde Hoskins pretende meter sus sucias manos. Yo continúo la escena fuera de la nave espacial hasta que Stalny logra la victoria y la nave queda en manos terrícolas. Luego, paso a dar las explicaciones. Hoskins quiere que interrumpa esa escena, que regrese al interior, detenga la acción durante dos mil palabras y salga de nuevo. ¿Alguna vez oyó tamaña sandez?

—Dejemos que el mono decida —se irritó Hoskins.

Torgesson conectó al pequeño Rollo, que extendió su dedo negro y arrugado hacia la máquina de escribir. Hoskins y Marmie se inclinaron para mirar por encima del cuerpo encorvado del mono. La máquina imprimió una «e».

—La e —se animó Marmie, asintiendo con la cabeza.

—La e —repitió Hoskins.

La máquina escribió una «n» y comenzó a andar más deprisa: «entraran en acción stalny aguardaba con impotente hor ror aque las camarasdeaire se abrieran y lo hostiles alienigenas...».

—Palabra por palabra —observó Marmie, embelesado.

—Desde luego, tiene tu mismo estilo vulgar.

—A los lectores les gusta.

—No les gustaría si tuvieran una edad mental promedio de...

Se calló.

—Adelante —lo animó Marmie—. Dilo, dilo. Di que tienen el cociente intelectual de un niño de doce años y repetiré tus palabras en todas las revistas de aficionados del país.

—Caballeros —intervino Torgesson—, caballeros. Molestan al pequeño Rollo.

Se volvieron hacia la máquina de escribir, que aún continuaba: «... las estrellas giraban majestuosamente aunque los sentidos de stal ny insistían en que la nave estaba quieta envezde rotar».

El carro de la máquina retrocedió para iniciar otra línea. Marmie contuvo el aliento. Ahí venía...

Y el dedito se movió y la máquina imprimió un asterisco.

—¡Un asterisco! —exclamó Hoskins.

—Un asterisco —murmuró Marmie.

—¿Un asterisco? —se extrañó Torgesson.

Siguió una línea de nueve asteriscos más.

—Eso es todo, amigo —dijo Hoskins. Y se lo explicó al atónito Torgesson—: Marmie tiene la costumbre de poner una línea de asteriscos cuando quiere indicar un drástico cambio de escena. Y yo quería precisamente un drástico cambio de escena.

La máquina inició un nuevo párrafo: «dentro de la nave...».

—Desconéctelo, profesor —indicó Marmie.

Hoskins se frotó las manos.

—¿Cuándo terminarás la revisión, Marmie?

—¿Qué revisión?

—Dijiste que valdría la versión del mono.

—Claro que sí. Te traje para que lo vieras. Ese pequeño Rollo es una máquina; una máquina fría, brutal y lógica.

—¿Y?

—Y el asunto es que un buen escritor no es una máquina. No escribe con la mente, sino con el corazón. —Se golpeó el pecho y repitió—: El corazón.

—¿Qué pretendes, Marmie? —gruñó Hoskins—. Si me vienes con la monserga del escritor que escribe con el alma y el corazón, me obligarás a vomitar aquí mismo. Sigamos con nuestro trato habitual: escribes cualquier cosa por dinero.

—Escúchame un minuto. El pequeño Rollo corrigió a Shakespeare. Tú mismo lo señalaste. El pequeño Rollo quería que Shakespeare dijera «una hueste de males» y tenía razón desde su punto de vista maquinal. Un «piélago de males» es una metáfora contradictoria. Pero no creerás que Shakespeare no lo sabía; él sabía cuándo romper las reglas, eso es todo. El pequeño Rollo es una máquina que no sabe romper las reglas, pero un buen escritor sabe y debe romperlas. «Piélago de males» tiene más fuerza. Tiene ritmo y potencia. ¡Al cuerno con la metáfora contradictoria! Al pedirme que cambie de escena, estás siguiendo unas normas maquinales para mantener el suspense, de modo que el pequeño Rollo está de acuerdo contigo. Pero yo sé que debo romper la norma para mantener el profundo impacto emocional del final. De lo contrario, lo que obtengo es un producto mecánico que cualquier ordenador puede generar.

—Pero...

—Adelante —siguió Marmie—, vota por lo maquinal. Di que tu capacidad profesional no puede superar al pequeño Rollo.

Hoskins, con un temblor en la garganta, replicó:

—De acuerdo, Marmie, aceptaré el cuento tal como

está. No, no me lo des. Mándalo por correo. Tengo que encontrar un bar, si no te importa.

Se puso el sombrero y dio media vuelta para marcharse.

—No le hable a nadie de Rollo, por favor —le recordó Torgesson.

—¿Acaso cree que estoy loco? —masculló Hoskins al cerrar la puerta.

Marmie se frotó las manos, extasiado, cuando tuvo la certeza de que Hoskins se había ido.

—Esto se llama tener cerebro —dijo, apoyándose un dedo en la sien—. He disfrutado de esta venta. Esta venta, profesor, vale por todas las que he hecho, por la suma de todas las demás.

Se desplomó con alegría en una silla. Torgesson levantó al pequeño Rollo.

—Pero, Marmaduke, ¿qué habrías hecho si el pequeño Rollo hubiera escrito tu versión?

Una sombra de pesadumbre cruzó fugazmente por el rostro de Marmie.

—Pues, demonios, es que eso es lo que creí que haría.

LAS CAMPANAS CANTARINAS

Louis Peyton nunca comentaba los métodos con los que había burlado a la policía de la Tierra en un sinfín de duelos de ingenio, eludiendo siempre el acecho de la sonda psíquica. Habría sido una tontería revelarlos, pero en sus momentos más complacientes soñaba con redactar un testamento para que se diese a conocer después de su muerte, una declaración que no dejara la menor duda de que su éxito ininterrumpido era obra de la destreza y no de la suerte.

En dicho testamento diría: «No se puede crear una trama falsa para ocultar un delito sin imprimirle alguna huella del creador. Es mejor, pues, buscar en los acontecimientos una trama ya existente y, luego, conformar nuestros actos a dicha trama.»

Peyton planeó el asesinato de Albert Cornwell teniendo en mente ese principio.

Cornwell, un minorista de poca monta de mercancía robada, estableció su primer contacto con Peyton cuando éste comía solo en Grinnell's. Cornwell lucía un lustre especial en el traje azul, una sonrisa especial en su arrugado rostro y un brillo especial en el descolorido bigote.

—Señor Peyton, me alegro de verle —saludó a su futuro asesino, sin ninguna aprensión tetradimensional—. Casi había desistido, se lo aseguro, casi había desistido.

Peyton odiaba que le interrumpieran la lectura del periódico y el postre en Grinnell's.

—Si quiere hacer negocios conmigo, Cornwell, sabe dónde encontrarme.

Con sus más de cuarenta años y su cabello entrecano, Peyton aún tenía la espalda erguida, porte juvenil y ojos oscuros, y gracias a una larga práctica había adquirido un tono de voz más cortante.

—No para esto, señor Peyton, no para esto. Sé de un escondrijo de..., ya sabe.

Agitó el índice de la mano derecha, como si fuera un badajo tocando un cuerpo invisible, y se tapó por un momento la oreja con la mano izquierda.

Peyton pasó una página del periódico, todavía algo húmedo del teledistribuidor, lo plegó y dijo:

—¿Campanas cantarinas?

—Oh, baje la voz, señor Peyton —susurró Cornwell, alarmado.

—Acompáñeme.

Atravesaron el parque. Otro de los axiomas de Peyton era que el mejor modo de guardar un secreto era conversar en voz baja al aire libre.

—Un escondrijo de campanas cantarinas —susurró Cornwell—. Una remesa entera. Sin bruñir, pero muy bonitas, señor Peyton.

—¿Usted las ha visto?

—No, señor Peyton, pero he hablado con alguien que las vio. Me dió pruebas suficientes para convencerme. Hay suficiente para que usted y yo nos retiremos con toda opulencia. Con toda opulencia, señor Peyton.

—¿Quién era ese hombre?

Una expresión de picardía iluminó el rostro de

Cornwell como una tea humeante, oscureciendo más de lo que mostraba y dándole un aire repulsivo.

—El hombre era un explorador lunar, que tenía un método para localizar campanas en el borde de los cráteres. No conozco el método, pues no me lo reveló, pero reunió muchísimas, las ocultó en la Luna y vino a la Tierra para deshacerse de ellas.

—Supongo que ha muerto.

—Sí. Un desagradable accidente, señor Peyton. Cayó desde una gran altura. Muy triste. Desde luego, sus actividades en la Luna eran absolutamente ilegales. El Dominio es muy estricto en lo referente a la búsqueda de campanas. Así que quizás el destino quiso castigarlo... Sea como fuere, yo tengo su plano.

—No me interesan los detalles de su pequeña transacción —dijo Peyton, con indiferencia—. Pero quiero saber por qué acude a mí.

—Pues bien, hay suficiente para ambos, señor Peyton, y ambos podemos hacer nuestra labor. Por mi parte, yo sé dónde se encuentra el escondrijo y puedo conseguir una nave espacial. Usted...

—¿Sí?

—Usted sabe pilotar una nave espacial y dispone de excelentes contactos para colocar las campanas. Es una justa división del trabajo, señor Peyton, ¿no cree?

Peyton analizó el curso de su vida (el curso ya existente) y las cosas parecían encajar.

—Partiremos para la Luna el 10 de agosto.

Cornwell se detuvo.

—¡Señor Peyton! —exclamó—. Apenas estamos en abril.

Peyton siguió andando y Cornwell tuvo que darse prisa para alcanzarlo.

—¿Me oye usted, señor Peyton?

—El 10 de agosto. Me pondré en contacto con usted en el momento indicado y le diré a dónde llevar la nave. No intente verme personalmente hasta entonces. Adiós, Cornwell.

—¿Mitad y mitad?

—En efecto. Adiós.

Continuó su marcha a solas y analizó de nuevo el curso de su vida. A los veintisiete años había comprado un terreno en las Rocosas, donde un propietario anterior había construido una casa como refugio contra las guerras atómicas que amenazaron el mundo dos siglos atrás, guerras que no llegaron a estallar. Pero la casa seguía en pie; todo un monumento al empeño atemorizado por ser autosuficiente.

Era de acero y hormigón y se hallaba en un sitio muy aislado, muy por encima del nivel del mar y protegida en casi todos los flancos por picos montañosos que se elevaban aún a mayor altura. Tenía una unidad energética independiente, suministro de agua alimentado por arroyos de montaña, congeladores donde cabían cómodamente diez reses, y un sótano equipado como una fortaleza, con un arsenal de armas destinadas a ahuyentar a unas hordas hambrientas y aterrorizadas que nunca llegaron. Había también una unidad de aire acondicionado, que podía purificar el aire hasta limpiar todo rastro de radiactividad.

En esa casa destinada a la supervivencia, Peyton pasaba el mes de agosto de cada año de su vida de solterón empedernido. Desconectaba los comunicadores, la televisión y el teledistribuidor de periódicos. Levantaba un campo de fuerza en torno de la propiedad y dejaba un mecanismo de señales de corta distancia en el punto donde el campo de fuerza se cruzaba con el único sendero que serpeaba por esas montañas.

Durante un mes de cada año permanecía totalmente solo. Nadie lo veía, nadie se comunicaba con él. En absoluto aislamiento, gozaba de las únicas vacaciones que valoraba, al cabo de once meses de contacto con una humanidad por la cual sólo sentía un frío desdén.

Hasta la policía —y Peyton sonrió— sabía que el mes de agosto era sagrado para él. En cierta ocasión se escapó estando bajo fianza, arriesgándose al sondeo psíquico, con tal de no perder su descanso de agosto.

Se le ocurrió otro aforismo que podría incluir en su testamento: para aparentar inocencia, nada mejor que la triunfal carencia de una coartada.

El 30 de julio, al igual que el 30 de julio de cada año, Louis Peyton subió al estratojet antigrav de las nueve y cuarto en Nueva York y llegó a Denver a las doce y media. Allí almorzó y tomó el autobús semigrav de las dos menos cuarto para Hump's Point, desde donde Sam Leibman lo llevó en un antiguo vehículo terrestre —¡de gravedad plena!— por el camino que llegaba al límite de su propiedad. Sam Leibman aceptó muy serio la propina de diez dólares que siempre recibía y se despidió tocándose el ala del sombrero, como lo había hecho cada 30 de julio durante quince años.

El 31 de julio, igual que el 31 de julio de cada año, Louis Peyton regresó a Hump's Point en su aeromóvil antigrav y encargó en el almacén general las provisiones necesarias para el mes siguiente. El pedido no tenía nada de insólito, era prácticamente un duplicado de pedidos anteriores.

MacIntyre, administrador de la tienda, examinó con gesto grave la lista, la comunicó al depósito central en Mountain District, Denver, y el pedido llegó al cabo de una hora por el rayo de transferencia de masa. Con ayuda de MacIntyre, Peyton cargó las provisiones en el aeromóvil, dio su habitual propina de diez dólares y volvió a su casa.

El 1 de agosto, a las doce y un minuto, el campo de fuerza que rodeaba la propiedad se activó a plena potencia y Peyton quedó aislado.

Y a partir de entonces fue otro el curso habitual. Deliberadamente se había dejado un margen de ocho días, durante los cuales destruyó meticulosamente las suficientes provisiones como para dar razón de todo el mes de agosto. Usó las cámaras pulverizadoras, que funcionaban como unidad de eliminación de desechos. Eran de un modelo avanzado, capaz de reducir toda la materia, incluidos los metales y los silicatos, a un polvo molecular impalpable e indetectable. La energía excedente que generó ese proceso fue arrastrada por el arroyo de montaña que atravesaba la propiedad, el cual estuvo un par de grados más caliente de lo normal durante una semana.

El 9 de agosto, su aeromóvil lo llevó a un paraje de Wyoming, donde aguardaban Albert Cornwell y una nave espacial. La nave espacial constituía un punto débil, pues alguien la había vendido, alguien la había transportado y alguien había contribuido a prepararla para el vuelo. Pero la pista de toda esa gente sólo conducía hasta Cornwell, y Cornwell (pensó Peyton, con una vaga sonrisa en sus fríos labios) sería la vía muerta donde terminarían todas las pistas. Una vía muy muerta.

El 10 de agosto, la nave espacial, con Peyton a los controles y Cornwell como pasajero, se elevó de la superficie de la Tierra. El campo antigrav era excelente. A plena potencia, el peso de la nave se reducía a menos de treinta gramos. Las micropilas transmitían energía de forma eficaz y silenciosa, y la nave ascendió por la atmósfera sin llamas ni estruendos, se redujo a un punto en el espacio y desapareció.

Era muy improbable que hubiese testigos del vuelo o que, en esos frágiles tiempos de paz, hubiera vigilancia de radar como en días de antaño. De hecho, no había vigilancia en absoluto.

Dos días en el espacio y dos semanas en la Luna. Casi de un modo instintivo, Peyton había dejado desde un principio margen para esas dos semanas. No se hacía ilusiones en cuanto al valor de los planos caseros diseñados por legos en cartografía. Podían ser útiles para el diseñador, que contaba con la ayuda de la memoria, pero para un extraño no eran más que un criptograma.

Cornwell no le mostró a Peyton el plano hasta después del despegue. Sonrió de un modo servil.

—A fin de cuentas, era mi única carta de triunfo.

—¿Lo ha cotejado con mapas de la Luna?

—No sabría cómo hacerlo, señor Peyton. Dependo de usted.

Peyton lo miró fríamente mientras le devolvía el plano. La única referencia cierta era el cráter de Tycho, emplazamiento de la subterránea Ciudad Luna.

En un sentido, al menos, la astronomía estaba a favor de ellos. Tycho se encontraba en el lado diurno de la Luna en ese momento. Eso significaba menos probabilidades de que las naves patrulleras salieran, menos probabilidades de que nadie los viese.

En un alunizaje antigrav arriesgado y rápido, Peyton condujo la nave a la fría y protectora oscuridad de la sombra de un cráter. El sol había pasado su cenit y la sombra ya no se reduciría.

Cornwell puso cara larga.

—Queridísimo señor Peyton, no podemos salir a explorar en pleno día lunar.

—El día lunar no dura eternamente —replicó Peyton—. Nos quedan cien horas de sol. Podemos aprovechar ese tiempo para aclimatarnos y estudiar el plano.

Aunque de mala gana, Cornwell accedió. Peyton estudió los mapas lunares una y otra vez, tomando cuidadosas mediciones y tratando de hallar el patrón de los cráteres en esos garabatos que eran la clave de... ¿De qué?

—El cráter que buscamos podría ser uno de estos tres: GC-3, GC-5 o MT-10 —resolvió finalmente.

—¿Qué hacemos, señor Peyton? —preguntó Cornwell, un tanto angustiado.

—Probaremos suerte en todos, empezando por el más próximo.

El límite de la luz se desplazó y los cubrió la sombra nocturna. Después, ambos pasaron periodos cada vez más largos en la superficie lunar, acostumbrándose al eterno silencio y a la oscuridad, al crudo resplandor de las estrellas y a esa rendija de luz que era la Tierra asomando sobre el borde del cráter. Dejaron huellas huecas en el polvo seco e inmutable. Peyton reparó en ellas cuando salieron del cráter a la luz de la Tierra, casi llena. Eso fue el octavo día después de su llegada a la Luna.

El frío lunar imponía un límite al tiempo de permanencia fuera de la nave. Día a día lograban resistir más tiempo. Al undécimo día descartaron GC-5 como escondrijo de las campanas cantarinas.

El día decimoquinto, el frío ánimo de Peyton bullía de desesperación. Tenía que ser en el GC-3, pues el MT-10 estaba demasiado lejos. No les daría tiempo a llegar allí, explorarlo y regresar a la Tierra antes del 31 de agosto.

Ese mismo día, por suerte, descubrieron las campanas y la desesperación pasó al olvido.

No eran bonitas; simples masas irregulares de roca

gris, grandes como un puño doble, llenas de vacío y ligeras como plumas en la gravedad lunar. Había una veintena, y después del bruñido se podrían vender a razón de cien mil dólares cada una.

Llevaron varias a la nave, las protegieron con virutas de madera y regresaron a buscar más. Tres veces efectuaron el viaje de ida y vuelta por un terreno que en la Tierra los habría extenuado, pero que apenas constituía un obstáculo en la escasa gravedad lunar.

Cornwell le pasó la última campana a Peyton, que la apoyó con cuidado en la cámara de presión.

—Apártelas, señor Peyton —se oyó la voz de Cornwell por la radio—. Voy a subir.

Se agachó para dar un brinco, alzó la vista y se quedó petrificado por el pánico. Su rostro, claramente visible a través de la dura lusilita tallada del casco, se congeló en una última mueca de terror.

—¡No, señor Peyton! ¡No...!

Peyton apretó el gatillo de la pistola de rayos. Estalló un fogonazo y Cornwell se convirtió en un guiñapo muerto, despatarrado entre restos de un traje espacial y moteado de sangre congelada.

Peyton miró sombríamente al cadáver, pero sólo durante un segundo. Luego, trasladó las últimas campanas a los envases ya preparados, se quitó el traje, activó el campo antigrav y las micropilas y, potencialmente más rico que dos semanas atrás, emprendió el viaje de regreso a la Tierra.

El 29 de agosto, la nave descendió silenciosamente de popa en el paraje de Wyoming de donde había partido el 10 de agosto. El cuidado con que Peyton había escogido el sitio estaba justificado. El aeromóvil aún estaba allí, a salvo dentro de una grieta del rocoso y escarpado terreno.

Trasladó los recipientes con las campanas al recoveco más profundo de la grieta, las tapó con tierra. Regresó a la nave para fijar los controles y realizar los últimos ajustes, salió de nuevo y, dos minutos después, se activaron los mandos automáticos del vehículo espacial.

La nave se elevó rumbo al oeste. Peyton la siguió con los ojos entrecerrados hasta que vio un destello de luz y el puntito de una nube en el cielo azul.

Torció la boca en una sonrisa. Había juzgado bien. Al ser inutilizadas las varillas de seguridad de cadmio, las micropilas superaron el nivel de seguridad y la nave se había pulverizado con el calor de la explosión nuclear subsiguiente.

Veinte minutos después se encontraba de vuelta en su propiedad. Estaba cansado y le dolían los músculos por la gravedad de la Tierra. Durmió bien.

Doce horas más tarde, al amanecer, se presentó la policía.

El hombre que abrió la puerta se entrelazó las manos sobre la barriga y saludó moviendo de arriba abajo la cabeza y sonriendo. El hombre que entró, H. Seton Davenport, del Departamento Terrícola de Investigaciones, miró incómodo a su alrededor.

La habitación a la que había entrado era grande y estaba en penunbra, excepto por la brillante lámpara que alumbraba una combinación de sillón y escritorio. Hileras de librofilmes cubrían las paredes. Mapas galácticos colgaban en un rincón de la habitación y una lente de aumento galáctica relucía sobre un soporte en otro rincón.

—¿Es usted el profesor Wendell Urth? —preguntó Davenport, con un tono que sugería incredulidad.

Davenport era un hombre corpulento, de cabello

negro y nariz delgada y prominente; en la mejilla, una cicatriz con forma de estrella marcaba para siempre el lugar donde un látigo nervioso lo había golpeado desde muy cerca.

—En efecto —contestó el profesor, con una débil voz de tenor—. Y usted es el inspector Davenport.

El inspector presentó sus credenciales.

—La universidad le ha recomendado como extraterrólogo.

—Eso me dijo usted cuando llamó hace media hora —asintió afablemente Urth.

Tenía rasgos toscos, la nariz era un botón rechoncho y unas gafas gruesas cubrían sus ojos un tanto saltones.

—Iré directamente al asunto, profesor. Supongo que ha visitado usted la Luna...

El profesor, que había sacado una botella de líquido rojizo y dos vasos polvorientos de detrás de una pila de librofilmes arrumbados, dijo con brusquedad:

—Nunca he visitado la Luna, inspector. ¡Ni me propongo hacerlo! El viaje espacial es una tontería. No creo en él. —Y añadió en un tono más suave—: Siéntese. Siéntese. Beba un trago.

El inspector Davenport obedeció.

—Pero usted es...

—Extraterrólogo. Sí, me interesan los otros mundos, pero eso no significa que tenga que ir allí. ¡Por todos los santos! No hay que viajar por el tiempo para ser historiador, ¿verdad? —Se sentó, mostrando una ancha sonrisa en su cara redonda—. Y, ahora, dígame a qué ha venido.

—He venido —dijo el inspector, frunciendo el ceño— a hacerle una consulta sobre un caso de homicidio.

—¿Un homicidio? ¿Y qué tengo que ver yo con el homicidio?

—Este homicidio, profesor, se cometió en la Luna.

—Asombroso.

—Es más que asombroso. No tiene precedente, profesor. Desde que se fundó el Dominio Lunar hace cincuenta años, han estallado naves y los trajes espaciales han sufrido filtraciones; hubo hombres que murieron achicharrados en la parte que da al sol, congelados en el lado oscuro, o sofocados en ambas partes; hubo muertes por caídas, lo cual es una rareza, considerando la gravedad lunar. Pero en todo ese tiempo ningún hombre murió en la Luna como resultado del acto violento y deliberado de otro hombre; hasta ahora.

—¿Cómo se hizo?

—Con una pistola de rayos. Las autoridades acudieron al lugar al poco tiempo, gracias a una afortunada conjunción de circunstancias. Una nave patrulla observó un fogonazo sobre la superficie de la Luna. Ya sabe usted a cuánta distancia se ve un fogonazo en el lado nocturno. El piloto informó a Ciudad Luna y alunizó. Jura que mientras viraba llegó a tiempo de ver, a la luz de la Tierra, el despegue de una nave. Tras alunizar descubrió un cadáver calcinado y huellas.

—Usted supone que el fogonazo procedía de la pistola.

—Eso es seguro. El cadáver era reciente. Había partes internas del cuerpo que aún no se habían congelado. Las huellas pertenecían a dos personas. Mediciones cuidadosas demostraron que las depresiones pertenecían a dos grupos de distinto diámetro, lo que indicaba botas de diferente tamaño. En general conducían a los cráteres GC-3 y GC-5, un par de...

—Estoy familiarizado con el código oficial para designar cráteres lunares —dijo afablemente el profesor.

—Bien. El caso es que GC-3 contenía huellas que conducían a una grieta en la pared del cráter, donde se encontraron restos de piedra pómez endurecida. Los patrones de difracción de rayos X mostraron...

—¡Campanas cantarinas! —exclamó entusiasmado el extraterrólogo—. ¡No me diga que el homicidio tiene que ver con campanas cantarinas!

—¿Por qué? —preguntó Davenport, desconcertado.

—Yo tengo una. Una expedición de la universidad la descubrió y me la regaló a cambio de... Venga, inspector, debo mostrársela.

El profesor Urth se levantó y cruzó la habitación, indicándole al inspector con la mano que lo siguiera. Davenport lo siguió de mala gana.

Entraron en otra habitación, más amplia y más oscura que la primera y mucho más atiborrada de objetos. Davenport observó atónito el heterogéneo apilamiento de material, arrumbado sin ninguna pretensión de orden.

Distinguió un montoncito de «esmalte azul» de Marte, algo que algunos románticos consideraban que eran restos de marcianos extinguidos tiempo atrás, un pequeño meteorito, la maqueta de una vieja nave espacial, y una botella sellada, en cuya etiqueta estaba garabateado: «Atmósfera venusina».

—He transformado mi casa entera en museo —dijo con alegría el profesor Urth—. Es una de las ventajas de ser soltero. Claro que no tengo las cosas muy organizadas. Algún día, cuando tenga una semana libre...

Miró en torno con aire de despiste; luego, recordó a qué habían ido y apartó un gráfico, que mostraba el esquema evolutivo de los invertebrados marinos que constituían la forma más avanzada de vida en el Planeta de Barnard.

—Aquí está. Me temo que está deteriorada.

La campana pendía de un alambre, al cual estaba delicadamente soldada. Su deterioro era manifiesto. En el medio había una línea de constricción que le daba el aspecto de dos esferas pequeñas firmes, pero imperfectamente unidas. No obstante, estaba bruñida y presentaba un brillo opaco, grisáceo, aterciopelado y tenía los hoyuelos que los laboratorios, en sus fútiles intentos de fabricar campanas sintéticas, habían encontrado imposibles de imitar.

—He experimentado mucho antes de hallar un badajo adecuado. Pero el hueso funciona. Aquí tengo uno. —Y mostró algo que parecía una cuchara gruesa y corta, hecha de una sustancia blancuzca—. Lo hice con el fémur de un buey. Escuche.

Con delicadeza, sus dedos regordetes manipularon la campana buscando el mejor sitio. La acomodó, la equilibró con sumo cuidado y, luego, dejando que se balanceara libremente, dio un golpe suave con el extremo grueso de la cuchara de hueso.

Fue como si un millón de arpas hubieran sonado a un kilómetro de distancia. El tañido crecía, se acallaba y regresaba. No llegaba de ninguna dirección en particular. Sonaba dentro de la cabeza, increíblemente dulce, emocionante y trémulo a un mismo tiempo.

El sonido se extinguió gradualmente y ambos hombres guardaron silencio durante todo un minuto.

—No está mal, ¿eh? —comentó el profesor, y le dio un golpecito a la campana para que se meciera, suspendida del alambre.

Davenport se inquietó. La fragilidad de una buena campana cantarina era proverbial.

—¡Con cuidado! No la rompa.

—Los geólogos dicen que las campanas son sólo de piedra pómez, endurecida a presión y que envuelve un vacío donde pequeñísimos fragmentos de roca se entrechocan libremente. Eso dicen ellos. Pero si eso es todo ¿por qué no podemos imitarlas? Ahora que una campana en perfecto estado haría que ésta pareciera una armónica desafinada.

—Exacto, y no hay en la Tierra ni una docena de personas que posean una campana perfecta, mientras que hay cien personas e instituciones que comprarían una a cualquier precio y sin hacer preguntas. Un surtido de campanas justificaría un homicidio.

El extraterrólogo se volvió hacia Davenport y se ajustó las gafas sobre su pequeña nariz con el índice rechoncho.

—No me he olvidado de su caso de homicidio. Por favor, continúe.

—Seré breve. Conozco la identidad del asesino.

Habían vuelto a sentarse en la biblioteca y el profesor Urth se entrelazó las manos sobre el amplio vientre.

—¿De veras? Entonces, no tendrá ningún problema, inspector.

—Saber y probar no es lo mismo, profesor. Lamentablemente, él no tiene coartada.

—Querrá decir que lamentablemente tiene una coartada.

—He dicho lo que quería decir. Si tuviera una coartada, yo podría destruirla de algún modo, porque sería falsa. Si hubiera testigos que sostuvieran que lo vieron en la Tierra en el momento del asesinato, podría desbaratar sus testimonios. Si él tuviera pruebas documentales, podría demostrar que son fraudulentas. Lamentablemente, no tiene nada de eso.

—¿Qué tiene?

El inspector Davenport describió la finca de Peyton en Colorado.

—Cada mes de agosto se encierra allí en absoluto aislamiento —concluyó—. Hasta el Departamento Terrícola de Investigaciones daría testimonio de ello. Cualquier jurado supondría que se encerró en su finca durante este agosto también, a menos que pudiéramos presentar pruebas contundentes de que estuvo en la Luna.

—¿Qué le hace creer que sí estuvo en la Luna? Tal vez sea inocente.

—¡No! —exclamó Davenport, con vehemencia—. Hace quince años que intento reunir pruebas contra él y nunca lo he conseguido. Pero a estas alturas puedo oler a distancia un crimen de Peyton. Le aseguro que nadie, salvo Peyton, nadie en la Tierra tendría la desfachatez, y tampoco los contactos para ello, de vender campanas cantarinas de contrabando. Se sabe que es un experto piloto espacial. Se sabe que tuvo contacto con la víctima, aunque no durante los últimos meses. Por desgracia, todo eso no prueba nada.

—¿No sería sencillo utilizar la sonda psíquica, ahora que su uso está legalizado?

Davenport frunció el ceño, y la cicatriz de su mejilla palideció.

—¿Ha leído usted la ley Konski-Hiakawa, profesor Urth?

—No.

—Creo que nadie la ha leído. El derecho a la intimidad mental, dice el Gobierno, es fundamental. De acuerdo. Pero ¿cuál es la consecuencia? El hombre que es sometido a la sonda psíquica y demuestra ser inocente del delito por el que se le sondeó tiene derecho a cualquier compensación que un tribunal esté dispuesto a concederle. En un caso reciente, el cajero de un banco recibió veinticinco mil dólares porque lo sondearon por una errónea sospecha de robo. Las pruebas circunstanciales, que parecían conducir al robo, en realidad conducían a un episodio de adulterio. Este individuo alegó que perdió el empleo, que recibió amenazas por parte del esposo de la mujer, con los consiguientes temores, y, finalmente, que quedó expuesto al ridículo y al agravio cuando un periodista se enteró de los resultados del sondeo. El tribunal aceptó el alegato.

—Entiendo los argumentos de ese hombre.

—Todos los entendemos. Ése es el problema. Y algo más: quien haya sido sondeado una vez por cualquier razón no puede ser sondeado de nuevo por ninguna otra razón. La ley establece que nadie debe poner en peligro su mente dos veces en la vida.

—Eso es un inconveniente.

—Exacto. Desde que se legalizó la sonda psíquica hace dos años, he perdido la cuenta de la cantidad de pillos y de embaucadores que han procurado hacerse sondear como carteristas para, después, dedicarse sin problemas a las grandes estafas. Así que el Departamento no permitirá que se sondee a Peyton hasta que haya pruebas firmes de su culpabilidad. Lo peor de todo, profesor Urth, es que, si nos presentamos ante un tribunal sin la prueba de la sonda psíquica, no podemos ganar. En algo tan serio como el homicidio, hasta el jurado más obtuso entiende que no utilizar la sonda psíquica constituye una prueba clara de que la fiscalía no está segura de sus argumentos.

—¿Qué quiere usted de mí?

—Pruebas de que Peyton estuvo en la Luna en agosto. Hay que actuar deprisa. No puedo mantenerlo mucho tiempo más bajo sospecha. Si se difunde la noticia de este homicidio, la prensa mundial estallará como un asteroide chocando contra la atmósfera de Júpiter. Se trata de un crimen con mucho atractivo, ya me entiende; el primer asesinato en la Luna.

—¿Cuándo se cometió el crimen? —preguntó Urth, adoptando súbitamente un tono de interrogatorio.

—El 27 de agosto.

—¿Y cuándo se efectuó el arresto?

—Ayer, 30 de agosto.

—Entonces, si Peyton fue el asesino, habría tenido tiempo para regresar a la Tierra.

—Apenas. Muy poco. —Davenport apretó los labios—. Si yo hubiera llegado un día antes…, si me hubiese encontrado la casa vacía…

—¿Y durante cuánto tiempo supone usted que ambos, víctima y asesino, permanecieron en la Luna?

—A juzgar por el terreno recorrido por las huellas, varios días. Una semana por lo menos.

—¿Han localizado la nave?

—No, y tal vez nunca la encontremos. Hace unas diez horas, la Universidad de Denver informó de un ascenso en la radiactividad de fondo, que empezó a las seis de la tarde de antes de ayer y persistió durante varias horas. Es fácil, profesor, fijar los controles de una nave para que despegue sin tripulantes y estalle a setenta kilómetros de altura por un cortocircuito en la micropila.

—Si yo hubiera sido Peyton —observó pensativamente el profesor—, habría matado al hombre a bordo de la nave y hubiera volado el cadáver y la nave juntos.

—Usted no conoce a Peyton —dijo Davenport, en un tono tétrico—. Disfruta de sus victorias sobre la Ley. Las atesora. Al dejar ese cadáver en la Luna se proponía retarnos.

—Entiendo. —El profesor se dio una palmada en el vientre—. Bien, hay una posibilidad.

—¿De que usted pueda demostrar que él estuvo en la Luna?

—De que yo pueda darle a usted una opinión.

—¿Ahora?

—Cuanto antes, mejor. Siempre que pueda entrevistar al señor Peyton, por supuesto.

—Eso se puede arreglar. Tengo un jet antigrav esperando. Podemos estar en Washington en veinte minutos.

Pero una expresión de profunda alarma cruzó el semblante del rechoncho extraterrólogo. Se levantó y se alejó del agente, recluyéndose en el rincón más oscuro de la habitación.

—¡No!

—¿Qué ocurre, profesor?

—No voy a subir en un jet antigrav. No creo en ellos.

Davenport lo miró desconcertado.

—¿Prefiere un monorraíl?

—Desconfío de todos los medios de transporte. No creo en ellos. Salvo en caminar; no me molesta caminar. ¿No podría traer al señor Peyton a esta ciudad, a poca distancia? Al Ayuntamiento, quizás. A menudo voy andando hasta el Ayuntamiento.

Davenport miró impotente a su alrededor. Observó los millares de volúmenes que hablaban de los años luz. En la otra habitación se veían los recuerdos de mundos lejanos. Y el profesor Urth palidecía ante la idea de subirse a un jet antigrav. Se encogió de hombros.

—Traeré a Peyton aquí, a esta habitación. ¿Eso le parece bien?

El profesor suspiró aliviado.

—Por supuesto.

—Espero que consiga algo, profesor Urth.

—Haré todo lo posible, señor Davenport.

Louis Peyton observó con disgusto la habitación y con desprecio al hombrecillo gordo que lo saludaba con un movimiento de cabeza. Miró de soslayo el asiento que le ofrecían y lo limpió con la mano antes de sentarse. Davenport se sentó junto a él, manteniendo a la vista la funda de la pistola.

El hombrecillo gordo se sentó sonriendo y se dio una palmada en el redondo vientre, como si acabara de terminar una buena comida y deseara que el mundo entero lo supiese.

—Buenas noches, señor Peyton. Soy el profesor Wendell Urth, extraterrólogo.

Peyton lo miró fijamente.

—¿Y qué quiere de mí?

—Quiero saber si usted estuvo en la Luna en algún momento del mes de agosto.

—No estuve.

—Pero nadie le vio en la Tierra entre el 1 y el 30 de agosto.

—Hice mi vida normal en agosto. Nadie me ve nunca durante ese mes. —Señaló a Davenport con la cabeza—. Él puede decírselo.

El profesor se rió entre dientes.

—Sería fantástico que pudiéramos verificarlo. Si hubiera un modo físico de diferenciar la Luna de la Tierra... Si pudiéramos, por ejemplo, analizarle el polvo del cabello y decir: «Ah, roca lunar.» Lamentablemente, no podemos. La roca lunar es muy parecida a la terrícola y, aunque no lo fuera, usted no tendría polvo en el cabello a menos que hubiera salido a la superficie lunar sin traje espacial, lo cual es improbable.

Peyton permaneció impasible.

El profesor Urth continuó, tras sonreír amablemente y subir una mano para acomodarse las gafas precariamente asentadas sobre la nariz.

—Un hombre que recorre el espacio o la Luna respira aire terrícola e ingiere alimentos terrícolas. Lleva encima las condiciones externas de la Tierra, esté en la nave o dentro de un traje espacial. Buscamos un hombre que se pasó dos días en el espacio para ir a la Luna, estuvo por lo menos una semana en la Luna y tardó dos días en regresar de la Luna. Durante todo ese tiempo llevó la Tierra encima, lo cual dificulta las cosas.

—Sugiero que se dificultarán menos si me sueltan y buscan al verdadero asesino.

—Tal vez lleguemos a eso —manifestó el profesor—. ¿Alguna vez ha visto algo parecido a esto?

Bajó la mano regordeta al suelo y recogió una esfera gris que irradiaba destellos opacos. Peyton sonrió.

—Parece una campana cantarina.

—Sí, lo es. Las campanas cantarinas fueron la causa del asesinato. ¿Qué opina de ésta?

—Parece muy deteriorada.

—Ah, pero examínela —lo invitó el profesor y, moviendo rápidamente la mano, se la arrojó a Peyton, que estaba a dos metros.

Davenport soltó un grito al tiempo que se ponía de pie. Peyton alzó las manos con esfuerzo, pero con tal rapidez que logró coger la campana.

—¡Necio! —exclamó Peyton—. ¡No la arroje de ese modo!

—Usted siente respeto por las campanas cantarinas, ¿verdad?

—Demasiado como para romperlas. Al menos, eso no es delito.

Acarició la campana, se la acercó al oído, la sacudió y escuchó el suave chasquido de los lunolitos, las pequeñas partículas de piedra pómez que repiqueteaban en el vacío. Luego, sujetó la campana por el alambre de acero y acarició la superficie con la uña del pulgar, en un movimiento curvo de experto. Fue como un tañido. Sonó una nota muy dulce y aguda, con un ligero *vibrato* que tardó en extinguirse y evocaba imágenes de un crepúsculo estival.

Por un instante, los tres hombres escucharon ese sonido.

—Devuélvamela, señor Peyton —dijo de pronto el profesor. Levantó la mano en un gesto perentorio y añadió—: ¡Tíremela!

Louis Peyton arrojó la campana, que trazó un breve arco sin llegar a las manos del profesor, cayó al suelo y se hizo añicos con un gemido discordante.

Davenport y Peyton miraron con idéntica desolación los fragmentos grises, y la voz serena del profesor Urth apenas fue audible:

—Cuando se encuentre el escondrijo de las campanas del criminal, pediré que se me entregue una intacta y bruñida, como reemplazo y como honorarios.

—¿Honorarios? ¿Por qué? —preguntó Davenport con irritación.

—Creo que es evidente. A pesar de mi pequeño discurso de hace un momento, hay algo de las condiciones externas de la Tierra que ningún viajero espacial lleva consigo, y es la gravedad de la superficie terrestre. El hecho de que el señor Peyton calculase tan erróneamente la distancia al arrojar un objeto que estima tanto significa que sus músculos aún no se han readaptado a la atracción de la gravedad. Es mi opinión profesional, señor Davenport, que su prisionero estuvo lejos de la Tierra en los últimos días. Estuvo en el espacio o en un objeto planetario mucho más pequeño que la Tierra; en la Luna, por ejemplo.

Davenport se levantó triunfalmente.

—Quiero esa opinión por escrito —dijo, apoyando la mano en la pistola—, y eso bastará para conseguir la autorización de utilizar la sonda psíquica.

Louis Peyton, atónito y desconcertado, sólo atinó a comprender que cualquier testamento que dejara tendría que incluir el relato de su fracaso final.

LA PIEDRA PARLANTE

El cinturón de asteroides es vasto y su población humana escasa. Larry Vernadsky, al séptimo mes de su estancia de un año en la Estación Cinco, se preguntaba cada vez más si su sueldo compensaba ese encierro en solitario a más de cien millones de kilómetros de la Tierra. Era un joven menudo y que no poseía el porte de un ingeniero en espacionáutica ni el de un minero de los asteroides. Tenía ojos azules, cabello del color de la mantequilla y un aire de inocencia que ocultaba una mente ágil y una curiosidad agudizada por el aislamiento.

Tanto el aire de inocencia como la curiosidad le fueron útiles a bordo de la *Robert Q*.

Cuando la *Robert Q* se posó en la plataforma externa de la Estación Cinco, Vernadsky subió a ella de inmediato, con un aire de ávido deleite que en un perro habría ido acompañado por el movimiento de la cola y una alegre cacofonía de ladridos.

No se amilanó ante el silencio huraño y el rostro severo con que el capitán de la *Robert Q* recibió sus sonrisas. En lo concerniente a Vernadsky, la nave era una compañía ansiada y bienvenida. Bienvenida en la medida de los millones de litros de hielo o las toneladas de alimentos concentrados y congelados que se apilaban en el asteroide hueco que era la Estación Cinco. Vernadsky estaba preparado con cualquier herramienta que fuera necesaria, con cualquier repuesto que se necesitara para cualquier motor hiperatómico.

Sonreía como un niño mientras rellenaba el formulario de rutina, que luego sería convertido a lenguaje informático para los archivos. Anotó el nombre y el número de serie de la nave, el número del motor, el número del generador de campo y todos los demás, el puerto de embarque («asteroides, muchísimos de ellos, no sé cuál fue el último», y Vernadsky anotó simplemente «cinturón», que era la abreviatura habitual para «cinturón de asteoires»), el puerto de destino («la Tierra»), y la razón para esa escala («carraspeos en el motor hiperatómico»).

—¿Cuántos tripulantes, capitán? —preguntó Vernadsky, echando una ojeada a los papeles de la nave.

—Dos. ¿Por qué no miras el motor? Tenemos que entregar un embarque.

El capitán tenía las mejillas oscurecidas por la barba crecida y el aplomo de un curtido minero de los asteroides, pero hablaba como un hombre educado, casi culto.

—Claro.

Vernadsky llevó su equipo de diagnosis a la sala de máquinas, seguido por el capitán. Con soltura y eficiencia, comprobó los circuitos, el grado de vacío y la densidad del campo de fuerza.

El capitán lo intrigaba. A pesar de que a él le disgustaba estar donde estaba, comprendía que algunos sintieran fascinación por la vastedad y la libertad del espacio. Pero intuía que ese capitán no era minero de los asteroides sólo por amor a la soledad.

—¿Trabaja con un tipo específico de mineral? —preguntó.

—Cromo y manganeso —contestó lacónicamente el capitán, con el ceño fruncido.

—¿De veras? Yo que usted reemplazaría el tubo múltiple Jenner.

—¿Es ésa la causa de los problemas?

—No. Pero está bastante vapuleado. Dentro de un millón y medio de kilómetros puede tener otro fallo. Mientras tenga la nave aquí...

—De acuerdo, reemplázalo. Pero encuentra ese carraspeo.

—Hago todo lo posible, capitán.

El capitán había hablado con tanta rudeza que hasta Vernadsky se amilanó. Siguió trabajando en silencio y luego se puso de pie.

—Tiene un semirreflector enturbiado por rayos gamma. Cada vez que el haz de positrones cierra su círculo, el motor se apaga durante un segundo. Tendrá que reemplazarlo.

—¿Cuánto tiempo tardará?

—Varias horas. Doce, tal vez.

—¿Qué? Voy con retraso.

—Lo lamento —dijo Vernadsky, de buen humor—. No puedo hacer milagros. Hay que limpiar el sistema con helio durante tres horas para que yo pueda entrar. Y luego hay que calibrar el nuevo semirreflector, y eso lleva tiempo. Podría repararlo a la ligera en cuestión de minutos, pero sólo a la ligera. Dejaría de funcionar antes de que usted llegara a la órbita de Marte.

El capitán frunció el ceño.

—Adelante. Manos a la obra.

Vernadsky llevó el tanque de helio a bordo de la nave. Con los generadores seudograv apagados no pesaba casi nada, pero seguía teniendo toda su masa y su inercia. Eso significaba que debía manipularlo con cuidado en cada recodo. Las maniobras resultaban aún más difíciles porque Vernadsky carecía de peso.

Como concentraba toda su atención en el cilindro, se equivocó al doblar un recodo y, de pronto, se halló en una sala extraña y en penumbra.

Dio un grito, sobresaltado, y dos hombres se abalanzaron sobre él, empujaron el cilindro y cerraron la puerta.

Guardó silencio mientras conectaba el cilindro a la válvula de entrada del motor y escuchaba el ronroneo del helio que bañaba el interior, absorbiendo los gases radiactivos para lanzarlos al vacío del espacio.

Pero finalmente la curiosidad prevaleció sobre la prudencia.

—Tiene un siliconio a bordo, capitán. Y es grande.

El capitán se volvió lentamente hacia Vernadsky.

—¿En serio? —dijo en un tono inexpresivo.

—Lo he visto. ¿Me deja echar otra ojeada?

—¿Por qué?

—Oh, vamos, capitán —protestó Vernadsky, en un tono de súplica—. Hace más de medio año que estoy en esta roca. He leído todo lo que he podido sobre los asteroides, lo cual significa toda clase de cosas sobre los siliconios. Y nunca he visto uno, ni siquiera uno pequeño. Hágame el favor.

—Creo que tienes trabajo que hacer.

—Sólo el bañado de helio durará horas. No se puede hacer nada más hasta que eso esté terminado. ¿Cómo es que tiene un siliconio, capitán?

—Es una mascota. A algunos les gustan los perros. A mí me gustan los siliconios.

—¿Le ha hecho hablar?

El capitán se sonrojó.

—¿Por qué lo preguntas?

—Algunos hablan. Los hay que incluso pueden leer la mente.

—¿Qué pasa, eres experto en esas malditas cosas?

—He leído sobre ellas, ya se lo he dicho. Vamos, capitán. Echemos una ojeada.

Vernadsky trató de no mostrar que era consciente de que tenía al capitán enfrente y a un tripulante a cada lado. Todos eran más corpulentos y fornidos que él, y todos —estaba seguro— portaban armas.

—Bien, ¿qué hay de malo? —insistió—. No pienso robarlo. Sólo quiero verlo.

Quizá la inconclusa tarea de reparación le salvó el pellejo. O quizá fue ese aire de inocencia jovial y un poco boba.

—De acuerdo, vamos —dijo el capitán.

Y Vernadsky lo siguió, con su ágil mente en funcionamiento y el pulso acelerado.

Vernadsky miró con suma reverencia y cierta repulsión a la criatura gris. Era cierto que nunca había visto un silicono, aunque sí había visto fotos tridimensionales y había leído descripciones de ellos. Pero en una presencia real hay algo que ni las palabras ni las fotos pueden reemplazar.

Tenía la piel gris, lisa y aceitosa. Los movimientos eran lentos, como convenía a una criatura que se refugiaba en la piedra y era semipétrea. No había músculos en movimiento debajo de la piel, sino que se movía a trozos, como el deslizamiento, una sobre otra, de finas capas de piedra.

Su forma era ovoide; redondeada arriba y chata abajo, con dos conjuntos de apéndices. Debajo estaban las «patas», dispuestas en forma radial. Eran seis en total y terminaban en bordes de afilado pedernal, reforzados por sedimentos de metal. Esos bordes podían atravesar una roca y partirla en porciones comestibles.

En el vientre de la criatura, que no se veía a menos que el siliconio se encontrara tumbado sobre el lomo, estaba la única abertura, por donde entraban al interior las rocas fragmentadas. Dentro, la piedra caliza y los silicatos hidratados reaccionaban para formar las siliconas que constituían los tejidos de la criatura. El sílice excedente era escupido por la abertura, en forma de excreciones blancas, duras y pedregosas.

Los lisos guijarros que yacían desperdigados en cavidades dentro de la estructura rocosa de los asteroides habían intrigado a los extraterrólogos, hasta que descubrieron los siliconios. Y se maravillaron ante el proceso mediante el cual esas criaturas lograban que las siliconas —polímeros de silicona-oxígeno, con cadenas laterales de hidrocarbono— realizaran muchas de las funciones que las proteínas cumplían en la vida terrícola.

Del punto más alto del lomo de la criatura salían los apéndices restantes; dos conos invertidos y huecos, insertados en ranuras paralelas del lomo, pero capaces de elevarse un poco. Cuando el siliconio se sepultaba en la roca, retraía las «orejas» para avanzar sin obstáculos. Cuando descansaba en una caverna hueca, las erguía para obtener una recepción más sensible. Su vaga semejanza con las orejas del conejo hizo inevitable el nombre de siliconio. Los extraterrólogos más serios, que habitualmente llamaban a las criaturas *Siliconeus asteroidea*, pensaban que las «orejas» podían estar relacionadas con los rudimentarios poderes telepáticos que poseían esas bestias. Una minoría pensaba de otro modo.

El siliconio se estaba deslizando despacio sobre una roca embadurnada de aceite. Había otras rocas desparramadas en un rincón de la habitación, y Vernadsky supuso que representaban el suministro alimentario de la criatura. O, al menos, el suministro para la construcción de sus tejidos. Había leído que eso no bastaba para obtener energía.

—Es un monstruo —comentó maravillado Vernadsky—. Mide más de treinta centímetros de largo. —El capitán se limitó a responder con un gruñido—. ¿Dónde lo encontró?

—En una de las rocas.

—Escuche, nadie ha encontrado uno mayor de cinco centímetros. Podría vendérselo a un museo o a una universidad de la Tierra por dos mil dólares.

El capitán se encogió de hombros.

—Bien, ya lo has visto. Volvamos al motor hiperatómico.

Agarró con fuerza el codo de Vernadsky y estaba dando media vuelta cuando los detuvo una voz pausada y con mala pronunciación, una voz resonante y áspera.

Se trataba de una voz configurada por la modulada fricción de roca sobre roca, y Vernadsky miró horrorizado al que hablaba. Era el siliconio, que de pronto se había transformado en una piedra parlante:

—El hombre se pregunta si esta cosa puede hablar.

—¡Santísimo espacio! —susurró de pronto Vernadsky—. ¡Habla!

—De acuerdo —dijo con impaciencia el capitán—, ya lo has visto y lo has oído. Vámonos.

—Y lee la mente —añadió Vernadsky.

—Marte gira en dos cuatro horas tres siete y medio minutos —dijo el siliconio—. La densidad de Júpiter es uno coma dos dos. Urano fue descubierto en el año uno siete ocho uno. Plutón es el planeta más lejos. El Sol es más pesado, con una masa de dos cero cero cero cero cero cero...

El capitán se llevó a Vernadsky a rastras, que, resistiéndose y tropezando, escuchaba fascinado esa voz que seguía repitiendo ceros.

—¿Dónde aprendió el siliconio todo eso, capitán?

—Le leemos un viejo libro de astronomía. Muy antiguo.

—Anterior a la invención del viaje espacial —refunfuñó uno de los tripulantes—. Ni siquiera es una filmación. Está impreso.

—Cállate —le ordenó el capitán.

Vernadsky verificó si el escape de helio contenía radiación gamma y, por fin, llegó el momento de terminar el baño y trabajar en el interior. Era una tarea delicada, y Vernadsky la interrumpió sólo una vez para tomarse un café y descansar.

—¿Sabe qué pienso, capitán? —dijo con una sonrisa inocente—. Esa cosa vive dentro de la roca, dentro de un asteroide durante toda su vida. Cientos de años, tal vez. Es una criatura enorme y quizá mucho más lista que el siliconio común. Usted la recoge y ella descubre que el universo no es de roca. Descubre millones de cosas que no imaginaba. Por eso le interesa la astronomía; por este mundo nuevo, estas ideas nuevas que capta en el libro y en la mente humana. ¿No le parece?

Estaba desesperado por sonsacarle al capitán algún dato concreto que confirmara sus deducciones. Ésa era la razón de que se arriesgase a decir lo que no debía de ser sino una parte de la verdad; la parte más pequeña, desde luego.

Pero el capitán, apoyándose contra una pared con los brazos cruzados, se limitó a decir:

—¿Cuándo terminarás?

Fue su último comentario y Vernadsky tuvo que darse por satisfecho. El motor quedó ajustado a gusto de Vernadsky, y el capitán le pagó una tarifa razonable en efectivo, aceptó el recibo y la nave se marchó en medio de un fogonazo de hiperenergía.

Vernadsky la siguió con la mirada, sin poder contener la excitación, y fue rápidamente al emisor subetérico.

—Debo de estar en lo cierto —murmuró—. Tiene que ser así.

El patrullero Milt Hawkins recibió la llamada en la intimidad de su asteroide, la Estación de Patrulla 72. Se estaba acariciando la barba de dos días, con una lata de cerveza helada en la mano y ante un proyector de filmes, y la expresión melancólica de su rostro rubicundo y mofletudo era producto de la soledad, al igual que la forzada jovialidad de los ojos de Vernadsky.

El patrullero Hawkins miró esos ojos con satisfacción. Aunque sólo fuera Vernadsky, la compañía era compañía. Lo saludó efusivamente y escuchó totalmente el sonido de la voz sin preocuparse demasiado por el contenido de las palabras.

Pero de pronto se despabiló y concentró ambos oídos en su labor.

—Un momento —interrumpió—. ¿De qué estás hablando?

—¿No me has escuchado, tonto polizonte? Te estoy diciendo todo lo que sé.

—Pues dilo poco a poco. ¿Qué pasa con ese siliconio?

—Ese tipo lleva uno a bordo. Lo llama mascota y lo alimenta con piedras grasientas.

—¿Ah, sí? Bueno, mira, un minero de los asteroides llamaría mascota a un trozo de queso si consiguiera que le hablase.

—No es un siliconio cualquiera. No es una de esas

criaturillas pequeñas. Tiene casi medio metro de longitud. ¿No entiendes? ¡Santo espacio! Creí que sabías algo sobre los asteroides, ya que vives ahí.

—Bueno, y ¿por qué no me lo explicas?

—Mira, las rocas grasas generan tejidos, pero ¿de dónde extrae su energía un silicionio de ese tamaño?

—No lo sé.

—Directamente de... ¿Hay alguien cerca de ti?

—Ahora no. Ojalá hubiera alguien.

—Pronto desearás lo contrario. Los silicionios extraen su energía de la absorción directa de rayos gamma.

—¿Quién lo dice?

—Lo dice un tío llamado Wendell Urth. Es un importante extraterrólogo. Más aún, sostiene que para eso están las orejas del silicionio. —Vernadsky se apoyó ambos índices sobre las sienes y los agitó—. No es telepatía. Detectan la radiación gamma en niveles que ningún instrumento humano puede detectar.

—Bien. ¿Y qué pasa con eso? —preguntó Hawkins, pero se estaba preocupando.

—Pues que Urth dice que en ningún asteroide hay radiación gamma suficiente para silicionios de más de cinco centímetros de longitud. No hay radiactividad suficiente. Y éste medirá casi cuarenta centímetros.

—Bueno, y...

—Así que tiene que venir de un asteroide lleno de radiación, recargado de uranio, rebosante de rayos gamma. Un asteroide con radiactividad suficiente como para resultar caliente al tacto y encontrarse alejado de las órbitas regulares, de modo que nadie se ha encontrado con él. Pero supongamos que un chico listo aterrizara en el asteroide por casualidad y reparase en la tibieza de las rocas y se pusiera a pensar. El capitán del *Robert Q* no es un patán. Es un tipo astuto.

—Continúa.

—Supongamos que hace volar trozos de roca para analizarlos y se encuentra con un silicionio gigante. Ahora es consciente de que ha dado con la más increíble veta de la historia. Y no necesita hacer análisis. El silicionio puede guiarlo hasta los filones ricos.

—¿Por qué?

—Porque quiere aprender cosas acerca del universo. Porque se ha pasado un milenio bajo la roca y acaba de descubrir las estrellas. Sabe leer la mente y podría aprender a hablar. Puede llegar a un acuerdo. Y, oye, el capitán aceptaría sin remilgos. La explotación de urano es monopolio estatal. A los mineros sin licencia ni siquiera se les permite llevar contadores. Es un plan perfecto para el capitán.

—Quizá tengas razón.

—Sin quizá. Deberías haber visto cómo me vigilaban mientras yo observaba al silicionio, dispuestos a abalanzarse sobre mí en cuanto dijera una palabra sospechosa. Tendrías que haber visto cómo me sacaron a rastras.

Hawkins se acarició con la mano la barbilla sin afeitar y calculó mentalmente cuánto tardaría en afeitarse.

—¿Durante cuánto tiempo puedes retenerlo en la estación?

—¡Retenerlo! ¡Santo espacio! ¡Se ha ido ya!

—¿Qué? Entonces ¿de qué demonios hablas? ¿Por qué le dejaste escapar?

—Eran tres tipos más corpulentos que yo, armados y dispuestos a matar. ¿Qué querías que hiciera?

—De acuerdo. ¿Y qué hacemos ahora?

—Salir a buscarlos. Será sencillo. Les reparé los semirreflectores, pero los reparé a mi manera. Antes de los quince mil kilómetros se quedarán sin energía. Además, instalé un rastreador en el tubo múltiple Jenner.

—Hawkins miró boquiabierto el rostro risueño de Vernadsky y soltó una exclamación—. Y no le cuentes esto a nadie. Sólo tú, yo y la nave patrulla. Ellos no tendrán energía y nosotros tendremos un par de cañones. Nos dirán dónde queda el asteroide de uranio, lo localizamos y, luego, nos comunicamos con tu jefatura y les entregamos tres, repito, tres contrabandistas de uranio, un siliconio gigantesco, como jamás vio ningún terrícola, y una, repito, una enorme y gorda veta de uranio como tampoco ha visto jamás ningún terrícola. Y tú asciendes a teniente y yo consigo un puesto en la Tierra. ¿Te parece?

Hawkins estaba perplejo.

—Vale. Voy para allá.

Estaban casi encima de la nave cuando la detectaron ocularmente por el débil destello de la luz reflejada del sol.

—¿No les dejaste energía suficiente para las luces? —preguntó Hawkins—. No habrás desconectado el generador de emergencia, ¿verdad?

Vernadksy se encogió de hombros.

—Están ahorrando energía, con la esperanza de que alguien los rescate. Apuesto a que ahora están usando toda la que tienen en una llamada subetérica.

—En tal caso —dijo secamente Hawkins—, no la recibiré.

—¿No lo harás?

—En absoluto.

La nave patrulla se aproximó más. Su presa, sin energía, iba a la deriva a quince mil kilómetros por hora.

La nave patrulla se le acercó.

—¡Oh, no! —exclamó Hawkins, consternado.

—¿Qué sucede?

—La nave ha sufrido un impacto. Algún meteorito. Dios sabe que los hay a montones en el cinturón de asteroides.

El rostro y la voz de Vernadsky evidenciaron un repentino abatimiento.

—¿Un impacto? ¿La nave está destrozada?

—Tiene un boquete del tamaño de la puerta de un establo. Lo lamento, Vernadsky, pero esto no tiene buena pinta.

Vernadsky cerró los ojos sintiendo un nudo en la garganta. Sabía a qué se refería Hawkins. Había efectuado una reparación defectuosa a propósito, lo cual se podía juzgar como delito. Y una muerte como consecuencia de un delito era homicidio.

—Oye, Hawkins, tú sabes por qué lo hice.

—Sé lo que me dijiste y lo atestiguaré si es necesario. Pero si esa nave no lleva contrabando...

No terminó la frase. No era necesario.

Entraron en la destartalada nave enfundados en sus trajes.

La *Robert Q* era una carnicería. Sin energía, no había podido generar una pantalla protectora contra la roca que la golpeó ni detectarla a tiempo, y no habría podido eludirla aunque la hubiera detectado. El meteorito había atravesado el casco como si éste fuera papel de aluminio. La cabina del piloto se encontraba destrozada, la nave se había quedado sin aire y los tres tripulantes estaban muertos.

Uno de ellos se hallaba aplastado contra la pared y era carne congelada. El capitán y el otro tripulante se encontraban tiesos, con la piel hinchada por los coágulos helados que el aire había formado al escapar de la sangre rompiendo venas y arterias.

Vernadsky, que nunca había visto esa forma de muerte en el espacio, sintió náuseas, pero se esforzó por no vomitar dentro del traje y lo consiguió.

—Veamos el mineral que traen. Tiene que ser radiactivo —dijo, y se repitió para sus adentros: tiene que serlo, tiene que serlo.

La fuerza de la colisión había deformado la puerta de la cabina de carga y se veía una rendija de un centímetro de ancho en el borde con el marco.

Hawkins alzó el contador que llevaba en la mano enguantada y dirigió la ventanilla de mica hacia la rendija.

Parloteó como un millón de cotorras.

—Te lo dije, te lo dije —suspiró Vernadsky, con infinito alivio.

La reparación defectuosa era ya únicamente el ingenioso y loable cumplimiento del deber de un ciudadano leal, y la colisión que había provocado la muerte de tres hombres, un lamentable accidente.

Necesitaron dos descargas de pistola para arrancar la puerta alabeada, y las linternas alumbraron toneladas de roca.

Hawkins levantó dos trozos de buen tamaño y se los metió en el bolsillo del traje.

—Como prueba, y para los análisis.

—No lo mantengas cerca de la piel demasiado tiempo —le advirtió Vernadsky.

—El traje me protegerá hasta que regrese a la nave. No es uranio puro, ya sabes.

—Pero se acerca bastante —manifestó Vernadsky, con renovado aplomo.

Hawkins miró en torno.

—Bien, esto cambia las cosas. Hemos detenido a una banda de contrabandistas, o a parte de ella. ¿Y ahora qué?

—El asteroide de uranio..., oh...

—En efecto. ¿Dónde está? Los únicos que lo sabían están muertos.

—¡Santo espacio! —Y Vernadsky volvió a sentirse abatido. Sin el asteroide, sólo tenían tres cadáveres y unas cuantas toneladas de mineral de uranio. Estaba bien, pero no era nada espectacular. Se ganaría una felicitación y él no buscaba una felicitación, sino un puesto permanente en la Tierra; y para eso necesitaba algo más—. ¡Por el amor del espacio! —gritó de repente—. ¡El siliconio! Puede vivir en el vacío. Vive en el vacío continuamente y él sabe dónde está el asteroide.

—¡Bien! —exclamó Hawkins, con repentino entusiasmo—. ¿Dónde está esa cosa?

—En popa. Por aquí.

El siliconio destelló a la luz de las linternas. Se movía y estaba vivo. El corazón de Vernadsky se le salía del pecho por la emoción.

—Tenemos que moverlo, Hawkins.

—¿Por qué?

—El sonido no se desplaza en el vacío. Hemos de llevarlo a la nave patrulla.

—De acuerdo, de acuerdo.

—No podemos ponerle un traje con transmisor de radio, ya me entiendes.

—He dicho que de acuerdo.

Se lo llevaron con cuidado, manejando casi con afecto la grasienta superficie de la criatura con sus dedos enfundados en metal.

Hawkins lo sostuvo mientras salían de la *Robert Q.*

Tenían al siliconio en la sala de control de la nave patrulla. Se habían quitado los cascos y Hawkins se estaba quitando el traje. Vernadsky no pudo esperar.

—¿Puedes leernos la mente? —preguntó.

Contuvo el aliento hasta que los sonidos discordantes de roca se modularon en palabras. Para los oídos de Vernadsky no podía haber sonidos más agradables en ese momento.

—Sí —respondió. Y añadió—: Vacío en derredor. Nada.

—¿Qué? —se alarmó Hawkins.

Vernadsky le hizo callar.

—Se refiere al viaje por el espacio. Debe de haberlo impresionado. —Se volvió hacia el siliconio y gritó, como si quisiera aclararse él mismo las ideas—: Los hombres que estaban contigo recogieron uranio, un mineral especial, radiaciones, energía.

—Querían comida —susurró la voz áspera.

¡Por supuesto! Era comida para el siliconio. Era una fuente de energía.

—¿Les mostraste dónde conseguirla?

—Sí.

—Apenas le oigo —se quejó Hawkins.

—Le pasa algo —comentó Vernadsky, preocupado. Y gritó—: ¿Te encuentras bien?

—No bien.

—No. Aire marchó de golpe. Algo malo dentro.

—La descomprensión repentina debió de dañarlo —murmuró Vernadsky—. Oh, cielos... Mira, tú sabes lo que busco. ¿Dónde está tu hogar? El lugar con comida.

Los dos hombres aguardaron en silencio.

Las orejas del siliconio se elevaron despacio, temblaron y cayeron.

—Allí —fue la respuesta—. Por allí.

—¿Dónde? —chilló Vernadsky.

—Allí.

—Está haciendo algo —observó Hawkins—. Está señalando hacia algún sitio.

—Claro, sólo que no sabemos hacia dónde.

—Bueno, y ¿qué esperabas? ¿Que te diera las coordenadas?

—¿Por qué no? —se volvió hacia el siliconio, que estaba acurrucado en el suelo. Permanecía inmóvil y había una falta de vida en su exterior que no auguraba nada bueno—. El capitán sabía dónde estaba el sitio donde comías. Tenía números para designarlo, ¿verdad?

Rogó para que el siliconio lo entendiera, para que leyera los pensamientos y no sólo escuchara las palabras.

—Sí —contestó el siliconio con un susurro de roca contra roca.

—Tres series numéricas —lo alentó Vernadsky.

Tenían que ser tres. Tres coordenadas en el espacio más las fechas, dando tres posiciones del asteroide en su órbita en torno al Sol. Esos datos permitían calcular la órbita completa y una posición determinada en cualquier momento. Hasta se podían incluir en el cálculo las perturbaciones planetarias.

La voz del siliconio sonó aún más débil:

—Sí.

—¿Cuáles eran? ¿Cuáles eran los números? Anótalos, Hawkins. Busca papel.

Pero el siliconio dijo:

—No sé. Números no importante. Lugar de comida allí.

—Está clarísimo —observó Hawkins—. No necesitaba las coordenadas, así que no prestó atención.

—Pronto no... —añadió el siliconio, e hizo una pausa como si paladeara una palabra nueva y extraña—. Pronto no vivo. —Otra pausa más larga—. Pronto muerto. ¿Qué después de muerte?

—Resiste —le imploró Vernadsky—. Dime, ¿el capitán anotó esos números en alguna parte?

El siliconio tardó un minuto largo en responder.

Los dos hombres se agacharon tanto que sus cabezas casi rozaban la piedra moribunda.

—¿Qué después de muerte? —repitió.

—Una respuesta —gritó Vernadsky—. Sólo una. El capitán debió de apuntar los números. ¿Dónde? ¿Dónde?

—En el asteroide —susurró el siliconio.

Y no habló más.

Era una roca muerta, tan muerta como la roca que le dio nacimiento, tan muerta como las paredes de la nave, tan muerta como un humano muerto.

Y Vernadsky y Hawkins se incorporaron y se miraron con desesperanza.

—No tiene sentido —comentó Hawkins—. ¿Por qué iba a apuntar las coordenadas en el asteroide? Es como guardar la llave en la caja que tienes que abrir.

Vernadsky sacudió la cabeza.

—Una fortuna en uranio. La mayor veta de la historia y no sabemos dónde está.

H. Seton Davenport miró a su alrededor con una extraña sensación de placer. Aun en reposo, su rostro arrugado y su nariz prominente manifestaban cierta dureza. La cicatriz de la mejilla derecha, el pelo negro, las cejas enarcadas y la tez morena se combinaban para darle un aire de incorruptible agente del Departamento Terrícola de Investigaciones, y eso era.

Pero sonreía vagamente al mirar esa amplia habitación donde la penumbra volvía infinitas las hileras de librofilmes y los especímenes de quién sabe qué, procedentes de quién sabe dónde se amontonaban de un modo misterioso. Ese absoluto desorden y ese aire de aislamiento del mundo volvían irreal la habitación; casi tan irreal como su propio dueño.

Y el dueño estaba sentado en una combinación de sillón y escritorio que estaba bañada por el único foco de luz brillante de la habitación. Pasaba lentamente las hojas de unos informes oficiales que sostenía en la mano. Sólo apartaba la mano para acomodarse las gruesas gafas que amenazaban con caerse a cada instante de la nariz chata y redonda. Mientras leía, se le movía lentamente el vientre con el ritmo de la respiración.

Era el profesor Wendell Urth, quien, si de algo valía el juicio de los expertos, era el extraterrólogo más destacado de la Tierra. La gente lo consultaba sobre cualquier tema relacionado con lo extraterrestre, aunque en su vida adulta el profesor jamás se había alejado a más de una hora caminando del recinto universitario, donde tenía su hogar.

Miró solemnemente al inspector Davenport.

—Un hombre muy inteligente, este joven Vernadsky.

—¿Por haber deducido todo a partir de la presencia del siliconio? En efecto.

—No, no. La deducción fue sencilla. Inevitable, a decir verdad. Hasta un tonto la habría hecho. Yo me refería —añadió, enarcando las cejas un tanto severamente— al hecho de que el joven había leído acerca de mis experimentos concernientes a la sensibilidad del *Siliconeus asteroidea* a los rayos gamma.

—Ah, sí —asintió Davenport.

El profesor Urth era el gran experto en siliconios. Por eso Davenport acudía a él. Tenía una sola pregunta que hacerle, una pregunta sencilla; pero el profesor había fruncido sus labios carnosos, había sacudido la cabezota y había pedido ver todos los documentos del caso.

Por lo general, eso habría sido imposible, pero hacía poco que el profesor Urth había colaborado con el

Departamento en el caso de las campanas cantarinas de la Luna, destruyendo una falta de coartada mediante una argucia relacionada con la gravedad lunar, así que el inspector había accedido.

El profesor terminó de leer, dejó las hojas sobre el escritorio, liberó los faldones de la camisa de la estrechez de la cintura y se limpió con ellos las gafas. Examinó los cristales a la luz, para comprobar los efectos de su limpieza, volvió a ponerse las gafas sobre la nariz y unió las manos encima del vientre, entrelazando sus dedos regordetes.

—¿Cuál era la pregunta, inspector?

—¿Es verdad, en su opinión, que un siliconio del tamaño y el tipo que se describen en el informe sólo se pudo haber desarrollado en un mundo rico en uranio...?

—Material radiactivo —le interrumpió el profesor—. Torio, tal vez, aunque probablemente uranio.

—¿La respuesta es sí, entonces?

—En efecto.

—¿Y qué tamaño tendría ese mundo?

—Un kilómetro y medio de diámetro, quizá —contestó pensativamente el extraterrólogo—. Tal vez más.

—¿Y cuántas toneladas de uranio, o de material radiactivo, mejor dicho?

—Billones, por lo menos.

—¿Estaría usted dispuesto a consignarlo por escrito y firmarlo?

—Desde luego.

—Muy bien, profesor. —Davenport se puso de pie y tomó el sombrero con una mano y puso la otra sobre los informes—. Es todo lo que necesitamos.

Pero el profesor Urth apoyó la mano en los informes y no la apartó de allí.

—Espere. ¿Cómo piensa encontrar el asteroide?

—Buscando. Asignaremos un volumen de espacio a cada nave disponible y... buscaremos.

—¡El gasto, el tiempo, el esfuerzo! Y nunca lo encontrarán.

—Una probabilidad entre mil. Tal vez lo consigamos.

—Una probabilidad entre un millón. No lo encontrarán.

—No podemos renunciar al uranio sin intentarlo. Su opinión profesional, profesor, justifica la empresa.

—Pero hay un modo mejor de encontrar el asteroide. Yo puedo encontrarlo.

Davenport miró fijamente al extraterrólogo. A pesar de las apariencias, el profesor Urth no era tonto. Lo sabía por experiencia personal.

—¿Cómo puede encontrarlo? —preguntó, con un vago tono de esperanza en la voz.

—Primero, mi precio.

—¿Su precio?

—Mis honorarios, si lo prefiere. Cuando el Gobierno llegue al asteroide, quizás encuentren allí otro siliconio de gran tamaño. Los siliconios son muy valiosos. Se trata de la única forma de vida con tejidos de silicio sólido y un fluido circulatorio consistente en silicona líquida. La respuesta a la pregunta de si los asteroides alguna vez formaron parte de un único cuerpo planetario puede encontrarse allí. Y la de muchos otros problemas... ¿Comprende usted?

—¿Es decir que quiere que le consigan un siliconio grande?

—Vivo y en buen estado. Y gratis. Sí.

Davenport asintió con la cabeza.

—Estoy seguro de que el Gobierno aceptará. ¿Y en qué anda pensando usted?

—Pues en el comentario del siliconio —contestó

el profesor, con la paciencia de quien debe explicarlo todo.

Davenport pareció desconcertarse.

—¿Qué comentario?

—El que consta en el informe. Antes de la muerte del siliconio. Vernadsky le preguntó que dónde había anotado el capitán las coordenadas, y el siliconio respondió: «En el asteroide.»

Davenport no ocultó su desilusión.

—¡Santo espacio, profesor, lo sabemos, y lo hemos examinado desde todo punto de vista! No significa nada.

—¿Nada de nada, inspector?

—Nada importante. Lea de nuevo el informe. El siliconio ni siquiera escuchaba a Vernadsky. Sentía que se le iba la vida y eso lo tenía intrigado. Preguntó dos veces qué había después de la muerte. Y, ante la insistencia de Vernadsky, respondió: «En el asteroide.» Tal vez ni siquiera oyó esa pregunta y lo que hizo fue responder a la suya propia. Quizá pensó que, después de la muerte, regresaría a su asteroide, a su hogar, donde se encontraría a salvo de nuevo. Eso es todo.

El profesor Urth meneó la cabeza.

—Es usted muy poético. Tiene demasiada imaginación. Vamos a ver, porque nos encontramos ante un problema interesante. Veamos si sabe usted resolverlo por sí mismo. Supongamos que el comentario del siliconio fuese realmente una respuesta a la pregunta de Vernadsky.

—Aunque así fuera, ¿de qué nos serviría? ¿A qué asteroide se estaba refiriendo, al asteroide de uranio? No podemos localizarlo, así que imposible hallar sus coordenadas. ¿Se refería a algún otro asteroide, que el *Robert Q* utilizaba como base? Tampoco podemos encontrarlo.

—Elude usted lo más evidente, inspector. ¿Por qué no se pregunta qué significa la frase «en el asteroide» para el siliconio? No para usted ni para mí, sino para el siliconio.

Davenport frunció el ceño.

—No le entiendo, profesor.

—Pues estoy hablando con toda claridad. ¿Qué significaba la palabra «asteroide» para el siliconio?

—El siliconio aprendió cosas del espacio en un texto de astronomía que le leían. Supongo que el libro explicaba qué era un asteroide.

—Exacto —chilló el profesor, apoyándose un dedo en un lateral de su chata nariz—. ¿Y cuál sería esa definición? Un asteroide es un cuerpo pequeño, más pequeño que los planetas, y gira alrededor del Sol en una órbita que, por lo general, se encuentra entre las de Marte y Júpiter. ¿De acuerdo?

—Supongo que sí.

—¿Y qué es la *Robert Q*?

—¿Se refiere a la nave?

—Usted la llama nave. Pero el libro de astronomía era antiguo, así que no hablaba de naves espaciales. Uno de los tripulantes lo especificó, dijo que era anterior al vuelo espacial. Entonces, ¿qué es la *Robert Q*? ¿No es un cuerpo más pequeño que los planetas? Y, mientras el siliconio estuvo a bordo, ¿no giraba alrededor del Sol en una órbita que, por lo general, se encontraba entre las de Marte y Júpiter?

—¿Quiere decir que el siliconio consideraba la nave otro asteroide y que, al decir «en el asteroide», quiso decir «en la nave»?

—Exacto. Le dije que le haría deducir el problema por sí mismo.

Pero ningún gesto de alegría ni de alivio hizo desaparecer la expresión sombría del inspector.

—Eso no es una solución, profesor.

El profesor parpadeó y su rostro redondo se volvió aún más blando y aniñado en su cándida complacencia.

—Claro que sí.

—En absoluto. Profesor, estoy de acuerdo en que nosotros no hemos razonado como usted y desdeñamos el comentario del siliconio; pero, de todas formas, ¿cree que no investigamos la nave? La desmantelamos pieza por pieza, placa por placa. No dejamos ni una soldadura en pie.

—Y no encontraron nada.

—Nada.

—Tal vez no buscaron en el sitio adecuado.

—Buscamos por todas partes. —El inspector se levantó, dispuesto para irse—. ¿Comprende, profesor? Cuando terminamos con la nave no existía ninguna posibilidad de que esas coordenadas estuvieran allí.

—Siéntese, inspector —dijo serenamente el profesor Urth—. Usted aún no ha analizado correctamente la frase del siliconio. Él aprendió nuestro idioma juntando una palabra aquí y otra allá. No sabía hablar coloquialmente. Algunas de sus frases lo demuestran. Por ejemplo, dijo el «planeta más lejos» en vez del «planeta más alejado». ¿Entiende?

—¿Y bien?

—Alguien que no sabe hablar coloquialmente un idioma usa los giros de su propio idioma, traduciéndolos palabra por palabra, o bien utiliza las palabras extranjeras según su significado literal. El siliconio no dominaba un idioma hablado propio, así que sólo podía seguir la segunda alternativa. Seamos literales, pues. Dijo «en el asteroide», inspector. No quiso decir en un papel, sino literalmente en la nave.

—Profesor Urth —dijo Davenport con tristeza—,

cuando el Departamento se pone a buscar, se pone a buscar de verdad. Tampoco había inscripciones misteriosas en la nave.

El profesor no ocultó su decepción.

—Cielos, inspector. Esperaba que viera usted la respuesta. Cuenta con tantas pistas...

Davenport soltó un suspiro fuerte y prolongado. Le costó lo suyo, pero su voz volvió a sonar serena una vez más:

—¿Quiere decirme en qué está pensando, profesor?

El profesor se dio una palmada en el abdomen con una mano y se puso de nuevo las gafas.

—¿No comprende, inspector, que hay un sitio a bordo de una nave donde los números secretos están totalmente a salvo? ¿Dónde, aun estando bien a la vista, se encontrarían a salvo de que alguien los descubriera? ¿Dónde, aunque los miraran cien ojos, se hallarían bien protegidos? Excepto de un pensador astuto, por supuesto.

—¿Dónde? ¡Dígalo ya!

—Pues en esos sitios donde ya hay números. Números normales. Números legales. Números que deben constar allí.

—¿De qué está hablando?

—El número de serie de la nave, grabado en el casco. El número del motor, el número del generador de campo y unos cuantos más. Cada uno de ellos, grabado en alguna parte integrante de la nave. En la nave, como dijo el siliconio.

Davenport enarcó las cejas, comprendiendo de repente.

—Quizá tenga usted razón, y en tal caso ojalá encontremos un siliconio del doble de tamaño del que había en la *Robert Q*. Un siliconio que no sólo hable, sino que silbe. —Abrió el expediente, pasó rápidamente las hojas y sacó un formulario oficial—. Desde luego, tenemos anotados todos los números de identificación que encontramos. —Le extendió el formulario—. Si tres de ellos parecen coordenadas...

—Cabe esperar un cierto intento de ocultarlas —le advirtió el profesor—. Tal vez hayan añadido letras y cifras para que las series parezcan más auténticas.

Tomó una libreta y le entregó otra al inspector. Los dos pasaron varios minutos en silencio, anotando números de serie y probando a tachar las cifras que evidentemente no estaban relacionadas.

Finalmente Davenport soltó un suspiro que combinaba la satisfacción con la frustración.

—Me he atascado. Creo que tiene usted razón; los números del motor y de la calculadora son coordenadas y fechas disfrazadas. No se parecen a las series normales y es fácil eliminar las cifras falsas. O sea que tendríamos dos, pues juraría que todos los demás son números de serie absolutamente auténticos. ¿Qué ha descubierto usted, profesor?

—Estoy de acuerdo. Ahora tenemos dos coordenadas y sabemos dónde se inscribió la tercera —fue la respuesta del profesor.

—Conque lo sabemos, ¿eh? ¿Y cómo...? —El inspector se calló de pronto y lanzó una exclamación—. ¡Desde luego! El número de la nave misma, que no figura aquí porque estaba en el sitio del casco por donde penetró el meteorito. Me temo que se queda usted sin su siliconio, profesor. —Y, entonces, su rostro arrugado se iluminó—. ¡Pero qué tonto soy! El número no está, pero podemos pedirlo en un santiamén al Registro Interplanetario.

—Me parece que tendré que disentir por lo menos de la segunda parte de su afirmación. El Registro sólo tendrá el número auténtico original, no la coordenada disfrazada que puso el capitán.

—Justo en esa parte del casco... —murmuró Davenport—. Y por esa casualidad el asteroide puede quedar perdido para siempre. ¿De qué nos sirven dos coordenadas sin la tercera?

—Bueno, le serviría de mucho a un ser bidimensional. Pero las criaturas de nuestras dimensiones —agregó, dándose una palmada en el vientre— necesitan una tercera, y afortunadamente la tengo aquí.

—¿En el expediente del Departamento? Pero si acabamos de cotejar la lista de números...

—Su lista, inspector. En el expediente se incluye también el informe de Vernadsky. Y, desde luego, el número de serie que figura ahí es el falso, el que utilizaba la nave para volar, ya que no tenía sentido despertar la curiosidad de un mecánico haciéndole reparar en una discrepancia.

Daverport tomó una de las libretas y la lista de Vernadsky y, tras calcular un momento, sonrió.

El profesor Urth se levantó del sillón, con un bufido de placer, y se fue trotando hacia la puerta.

—Siempre es grato recibirle, inspector Davenport. Visíteme de nuevo. Y recuerde que el Gobierno puede quedarse con el uranio, pero yo quiero lo importante: un siliconio gigante, vivo y en buen estado.

El profesor sonreía.

—Y preferiblemente —añadió Davenport— que sepa silbar.

Y silbar fue precisamente lo que hizo él cuando se marchó.

EXPLORADORES

Herman Chouns eran un intuitivo. Sus corazonadas a veces acertaban, a veces no. Mitad y mitad. Pero, si se considera que existe todo un universo de posibilidades para obtener una respuesta acertada, mitad y mitad no es un mal resultado.

Chouns no siempre se sentía tan contento con ello como podría esperarse. Lo sometía a un exceso de tensión. La gente le daba vueltas a un problema sin llegar a nada, acudía a él y decía:

—¿Tú qué crees, Chouns? Pon en marcha esa intuición que tienes.

Y si su conclusión resultaba errónea era él quien cargaba con los reproches.

Así que se alegró de que lo asignaran a un puesto para sólo dos hombres (eso significaba que el siguiente viaje sería a un sitio de baja prioridad, y la presión se aliviaría) y de que su compañero fuese Allen Smith.

Smith era tan prosaico como su nombre. El primer día, le dijo a Chouns:

—Lo que pasa contigo es que los archivos de tu memoria están siempre alerta. Cuando te enfrentas a un problema, recuerdas muchos detalles que los demás no tenemos presentes a la hora de tomar una decisión.

Llamarlo corazonada hace que parezca algo misterioso, pero no lo es.

Se alisó el cabello mientras decía eso. Su cabello era claro y se estiraba como una gorra.

Chouns, que llevaba el cabello muy desaliñado y tenía una nariz pequeña y un poco descentrada, murmuró (como era costumbre en él):

—Quizá sea telepatía.

—¡Pamplinas! —gruñó Smith (como era costumbre en él)—: Los científicos han estudiado psiónica durante mil años sin llegar a ninguna parte. No existen la precognición, la telequinesis, la clarividencia ni la telepatía.

—Lo admito, pero ten en cuenta una cosa. Si obtengo una imagen de lo que piensa cada miembro de un grupo de personas, aun sin saber qué está pasando puedo integrar la información y dar una respuesta. Sabría más que cualquier individuo del grupo, de modo que formularía un juicio mejor que el de los demás, a veces.

—¿Tienes pruebas de ello?

Chouns lo miró con sus suaves ojos castaños.

—Es sólo una corazonada.

Se llevaban bien. Chouns agradecía el sentido práctico del otro, y Smith toleraba las especulaciones de Chouns. A menudo disentían, pero nunca reñían.

Ni siquiera cuando llegaron a su objetivo, un cúmulo globular que nunca había sentido los chorros de energía de un reactor nuclear construido por humanos, la tensión creciente no empeoró la situación.

—Me pregunto qué harán en la Tierra con tantos datos —dijo Smith—. A veces parece un despilfarro.

—La Tierra apenas está empezando a extenderse. Es imposible saber cuánto se expandirá la humanidad por la galaxia, dentro de un millón de años por ejemplo. Todos los datos que obtengamos serán útiles en alguna ocasión.

—Hablas como el manual de reclutamiento de los equipos de exploración. —Séñaló la pantalla en cuyo centro el cúmulo se esparcía como talco—. ¿Crees que habrá algo interesante en esa cosa?

—Tal vez. Tengo una corazonada...

Se calló, tragó saliva, parpadeó y sonrió. Smith resopló.

—Vamos a enfocar los grupos estelares más próximos y haremos una pasada al azar por la parte más densa. Te apuesto uno contra diez a que hallamos una proporción McKomin inferior a 0,2.

—Perderás —murmuró Chouns.

Sentía esa emoción que siempre lo embargaba cuando estaban a punto de explorar nuevos mundos. Era una sensación contagiosa y que todos los años embargaba a cientos de jóvenes. Jóvenes que, como había hecho él años atrás, ingresaban en los equipos con la avidez de ver los mundos que sus descendientes algún día considerarían propios; cada uno de ellos un explorador...

Ajustaron el enfoque, efectuaron su primer salto hiperespacial dentro del cúmulo y comenzaron a examinar las estrellas, buscando sistemas planetarios.

Los ordenadores hicieron su trabajo, los archivos aumentaron y todo continuó con una rutina satisfactoria hasta que en el sistema 23, poco después del salto, los motores hiperatómicos fallaron.

—Qué raro —murmuró Chouns—. Los analizadores no dicen qué anda mal.

Tenía razón. Las agujas oscilaban espasmódicamente sin detenerse. No había diagnóstico y, en consecuencia, no podían realizar reparaciones.

—Nunca he visto nada parecido —gruñó Smith—.

Tendremos que apagar todo y hacer la diagnosis de forma manual.

—También podemos hacerla cómodamente —sugirió Chouns, que ya estaba en el telescopio—. Al motor ordinario no le pasa nada y hay dos planetas aceptables en este sistema.

—¿Sí? ¿Cómo de aceptables? ¿Y cuáles son?

—El primero y el segundo de cuatro. Ambos de agua-oxígeno. El primero es un poco más cálido y mayor que la Tierra; el segundo, un poco más frío y más pequeño. ¿Te parece bien?

—¿Hay vida?

—En ambos. Vegetación, al menos.

Smith soltó un gruñido. Eso no parecía nada raro, ya que era frecuente que hubiese vegetación en los mundos de agua-oxígeno. Y al contrario de lo que ocurría con la vida animal, la vegetación se podía ver por el telescopio; o, mejor dicho, por el espectroscopio. Sólo se habían hallado cuatro pigmentos fotoquímicos en cualquier forma vegetal, y cada uno de ellos podía detectarse por la naturaleza de la luz que reflejaba.

—La vegetación de ambos planetas es de tipo clorofílico —le informó Chouns—. Será como la Tierra; un verdadero hogar.

—¿Cuál está más cerca?

—El número dos, y estamos en camino. Tengo la sensación de que será un bonito planeta.

—Lo juzgaré con el instrumental, si no te importa —refunfuñó Smith.

Pero parecía ser una de las corazonadas acertadas de Chouns. Se trataba de un planeta acogedor, con una intrincada red oceánica que garantizaba un clima con pocas variaciones de temperatura. Las estribaciones montañosas eran bajas y redondeadas, y la distribución de la vegetación indicaba una fertilidad abundante y generalizada.

Chouns manejaba los controles para el descenso. Smith se impacientó.

—¿Por qué eliges tanto? Da lo mismo un lugar que otro.

—Estoy buscando un claro. No tiene sentido quemar media hectárea de vida vegetal.

—¿Y qué pasa si lo haces?

—¿Y qué pasa si no lo hago? —replicó Chouns, y buscó su claro.

Sólo después de posarse se dieron mínimamente cuenta de con qué se habían tropezado.

—¡Santo hiperespacio! —exclamó Smith.

Chouns estaba anonadado. La vida animal era mucho más rara de encontrar que la vegetal, y dar con un vestigio de inteligencia resultaba mucho más raro aún; y, sin embargo, a poco más de medio kilómetro de donde estaban parados, había un agrupamiento de chozas de paja que, evidentemente, eran producto de una inteligencia primitiva.

—Con cuidado —advirtió Smith.

—No creo que haya peligro.

Chouns bajó a la superficie del planeta absolutamente confiado, y Smith lo siguió. Chouns apenas podía contener su entusiasmo.

—Esto es sensacional. Nadie había informado hasta ahora de nada que no fuesen cavernas o de ramas de árboles entrelazadas.

—Espero que sean inofensivos.

—Hay demasiada paz para que no lo sean. Huele el aire.

Cuando estaban descendiendo, el terreno —hasta todos los límites del horizonte, excepto donde una cordillera baja cortaba la línea uniforme —aparecía salpicado de extensiones rosa claro en medio del verdor de la clorofila. Vistas de cerca, las extensiones rosadas se fraccionaban en flores individuales, frágiles y fragantes. Sólo las zonas que rodeaban las chozas estaban cubiertas de algo amarillo, que parecía cereal.

Empezaron a salir criaturas de las chozas y se aproximaron a la nave con una especie de confianza vacilante. Tenían cuatro patas y un cuerpo arqueado, cuyos hombros se erguían a un metro de altura. Sobre esos hombros se asentaba una cabeza con ojos saltones (Chouns contó seis), dispuestos en círculo y capaces de moverse con una desconcertante independencia. («Eso compensa la inmovilidad de la cabeza», pensó Chouns.)

La cola se bifurcaba y formaba dos fibrillas resistentes, que cada animal sostenía en alto. Las fibrillas se mantenían en movimiento continuo, y tan rápido que se hacían confusas a la vista.

—Vamos —dijo Chouns—. Estoy seguro de que no nos harán daño. —Los animales los rodearon a una distancia prudente. Las colas emitían un ruido zumbante—. Tal vez se comunican así. Y parece evidente que son vegetarianos.

Señaló una de las chozas, donde un pequeño miembro de la especie, sentado sobre las ancas, arrancaba el grano de ámbar con las colas y se lo pasaba por la boca, como quien lame cerezas marrasquino ensartadas en un mondadientes.

—Los humanos comen lechuga —replicó Smith—, pero eso no prueba nada.

Aparecían más criaturas, rodeaban a los hombres durante unos segundos y se perdían por el rosa y el verde.

—Son vegetarianos —insistió Chouns—. Mira el modo en que disponen el cultivo principal.

El cultivo principal, como lo llamaba Chouns, consistía en una guirnalda de espigas suaves y verdes, cercanas al suelo. En el centro de la guirnalda crecía un tallo velludo que, a intervalos de cinco centímetros, mostraba brotes carnosos, veteados y palpitantes. El tallo terminaba en capullos rosados que, excepto por el color, eran lo más terrícola de esas plantas.

Las plantas se hallaban dispuestas en hileras y columnas precisas y geométricas. El suelo removido estaba espolvoreado con una sustancia extraña que sólo podía ser fertilizante. La parcela se encontraba entrecruzada por pasajes angostos, con la anchura suficiente para que pasaran esos animales, y cada pasaje lo bordeaba un canalillo, evidentemente para el agua.

Los animales andaban desperdigados por los campos, trabajando diligentemente y con la cabeza gacha. Sólo algunos permanecían cerca de los dos hombres.

Chouns movió la cabeza apreciativamente.

—Son buenos granjeros.

—No está mal —concedió Smith. Se aproximó a un capullo rosado y alargó un brazo hacia él, pero, cuando estaba a pocos centímetros, lo detuvieron las vibraciones de las colas, gimiendo hasta el chillido, y el contacto de una cola en el brazo. Era un toque delicado, pero firme, que se interponía entre Smith y las plantas—. ¿Qué demonios...? —masculló Smith, retrocediendo.

Tenía ya medio desenfundada la pistola cuando Chouns le dijo:

—No hay por qué ponerse nervioso. Tómatelo con calma.

Media docena de criaturas a su alrededor les ofrecían tallos de grano con humildad y gentileza. Algunas los empuñaban con la cola, otras los empujaban con el hocico.

—Son bastante amables —comentó Chouns—. Tal vez arrancar un capullo atente contra sus costumbres y probablemente haya que tratar las plantas según unas reglas rígidas. Toda cultura agrícola tiene sus ritos de fertilidad, y eso es complejo. Las reglas que rigen el cultivo de las plantas deben de ser muy estrictas, pues de lo contrario no tendrían esas hileras tan pulcras... ¡Santo espacio, causaremos un revuelo cuando contemos todo esto!

El zumbido de las colas se elevó nuevamente y las criaturas cercanas retrocedieron.

Otro miembro de la especie estaba saliendo de una cabaña de mayor tamaño que había en el centro del poblado.

—Supongo que es el jefe —murmuró Chouns.

El nuevo avanzó despacio, con la cola en alto, y tomó un pequeño objeto negro con cada fibrilla. A un metro y medio de distancia, arqueó la cola hacia delante.

—¡Nos los regala! —exclamó Smith, sorprendido—. ¡Chouns, por amor de Dios, mira eso!

Chouns ya estaba mirando, y febrilmente.

—Son visores hiperespaciales Gamow —susurró emocionado—. ¡Son aparatos de diez mil dólares!

Smith salió nuevamente de la navc al cabo de una hora.

—¡Funciona! —gritó desde la rampa. —¡Son perfectos! ¡Somos ricos!

—¡He revisado las chozas y no he visto más! —gritó Chouns a su vez.

—¡No desprecies estos dos! ¡Santo Dios, son tan negociables como dinero en efectivo!

Pero Chouns seguía mirando a su alrededor desesperado, con los brazos en jarras. Tres de las criaturas lo habían llevado de choza en choza, pacientemente, sin entrometerse, pero siempre interponiéndose entre él y los geométricos capullos rosados. Ahora le clavaban su mirada múltiple.

—Y es el último modelo —comentó Smith—. Mira.

Señaló la inscripción que decía: *Modelo X-20, Productos Gamow, Varsovia, Sector Europeo.* Chouns echó un vistazo, con impaciencia. Tenía las mejillas rojas y respiraba entrecortadamente.

—Lo que me interesa es conseguir más. Sé que hay más visores Gamow en alguna parte. Los quiero.

Se estaba poniendo el sol y la temperatura descendía. Smith estornudó dos veces, y luego Chouns.

—Pillaremos una pulmonía.

—Tengo que hacérselo entender —insistió Chouns con terquedad, haciendo caso omiso del comentario de su compañero.

Después de haberse comido apresuradamente una lata de salchichas de cerdo y de beberse una lata de café, se encontraba dispuesto para intentarlo de nuevo. Levantó uno de los visores en el aire y dijo:

—Más, más, más. —Hizo movimientos circulares con los brazos. Señaló un visor, después el otro y luego los visores imaginarios alineados frente a él—. ¡Más!

En ese momento, el sol desapareció en el horizonte y un inmenso zumbido surgió de todas partes mientras las criaturas agachaban la cabeza, erguían la cola bifurcada y lo hacían vibrar con estridencia y haciéndola invisible a la luz del crepúsculo.

—¿Qué diablos...? —murmuró Smith, poniéndose nervioso—. ¡Oye, mira los capullos! —Y estornudó de nuevo.

Las flores rosadas se encogían visiblemente.

Chouns gritó, para hacerse oír por encima del zumbido:

—Quizá sea una reacción ante el ocaso. Los capullos se cierran de noche. El zumbido podría ser una costumbre religiosa.

El contacto de una cola en su muñeca llamó la atención de Chouns. La cola pertenecía a la criatura más cercana a él y estaba señalando hacia arriba, a un objeto brillante que pendía sobre el horizonte al oeste. La cola bajó y señaló el visor y, luego, nuevamente la estrella.

—¡Por supuesto! —exclamó Chouns con entusiasmo—. ¡Es el planeta interior, el otro mundo habitable! Estos objetos deben venir de allí. —Entonces, recordó algo de pronto y añadió—: Oye, Smith, los motores hiperatómicos siguen sin funcionar.

Smith puso cara de alarma, como si él también se hubiera olvidado de algo.

—Iba a decírtelo... —murmuró—. Ya están bien.

—¿Los reparaste?

—Ni siquiera los he tocado. Pero cuando estaba probando los visores encendí los hiperatómicos y funcionaban. En ese momento no les presté atención; me había olvidado de que iban mal. Lo cierto es que funcionan.

—Pues vámonos —dijo Chouns de pronto.

Ni siquiera pensó en dormir.

Ninguno de los dos durmió durante el trayecto de seis horas. Permanecieron ante los controles como drogados por el apasionamiento. Una vez más escogieron un claro donde posar la nave.

Hacía un calor subtropical, y un río ancho y lleno de lodo corría plácidamente junto a ellos. En la ribera el fango estaba endurecido y lleno de grandes cavidades.

Salieron a la superficie del planeta y Smith lanzó un grito ronco.

—¡Chouns, mira eso!

Chouns se zafó de la mano de su compañero.

—¡Las mismas plantas! ¡Que me cuelguen!

Eran inconfundibles: los capullos rosados, el tallo con sus brotes veteados y la guirnalda de espigas debajo. También estaban dispuestas geométricamente, plantadas con cuidado, y había fertilizante y canales de riego.

—¿No habremos cometido el error de viajar en círculo...? —aventuró Smith.

—No, mira el Sol. Tiene el doble de tamaño. Y mira allí.

De las cavidades de la ribera surgían objetos bronceados y sinuosos, lisos como serpientes. Tenían unos treinta centímetros de diámetro y algo más de tres metros de longitud. Los dos extremos eran igualmente tersos y romos, y en la mitad del cuerpo había bultos. Todos esos bultos, como obedeciendo una señal, se partieron en dos para formar bocas sin labios que se abrían y se cerraban produciendo un sonido como el de un bosque de varillas secas.

Sin embargo, como en el planeta exterior, la mayoría de las criaturas se fueron hacia las parcelas cultivadas una vez que hubieron satisfecho su curiosidad.

Smith estornudó, y la fuerza del estornudo levantó una andanada de polvo de la manga de la chaqueta. La miró asombrado y se puso a sacudirse.

—Demonios, estoy lleno de polvo. —El polvo se elevaba como una bruma rosada—. Y tú también —añadió, dándole una palmada a Chouns.

Ambos estornudaron.

—Supongo que lo cogí en el otro planeta —dijo Chouns.

—Podemos sufrir una alergia.

—Imposible. —Chouns alzó uno de los visores y les gritó a las criaturas serpenteantes—: ¿Tenéis de éstos?

Durante un rato no hubo más respuesta que el chapaleo del agua cuando algunas criaturas se zambullían en el río y emergían con plateados organismos acuáticos, que se metían debajo del cuerpo para introducirlos en una boca oculta.

Pero luego uno de los bichos, más largo que los demás, se aproximó y levantó ligeramente uno de sus extremos romos y se balanceó ciegamente. El bulbo del centro se hinchó suavemente hasta partirse en dos con un chasquido audible. Entre las dos mitades había dos visores más, duplicados de los dos primeros.

—¡Santo cielo! —exclamó Chouns, extasiado—. ¿No es hermoso?

Dio un paso adelante para coger los dos objetos. La hinchazón que los albergaba se hizo más delgada y se alargó, formando algo parecido a unos tentáculos, y se los entregó.

Chouns se echó a reír. Eran visores Gamow, en efecto, copias perfectas de los dos primeros. Chouns lo acarició, pero Smith estaba vociferando a todo pulmón:

—¿No me oyes? ¡Demonios, Chouns, escúchame!

—¿Qué pasa?

Comprendió que Smith llevaba un buen rato gritándole.

—¡Mira las flores, Chouns!

Se estaban cerrando como las del otro planeta, y entre las hileras se erguían las criaturas serpenteantes, apoyándose en un externo y meciéndose a un ritmo extraño y desigual. Sólo las puntas romas eran visibles por encima de la extensión rosada.

—No puedes decir que se cierran porque anochece —observó Smith—. Es pleno día.

Chouns se encogió de hombros.

—Otro planeta, otra planta. ¡Venga! Sólo tenemos dos visores. Debe de haber más.

—Chouns, vámonos a casa.

Smith se plantó con firmeza y aferró con fuerza el cuello de Chouns, que se volvió hacia él con el rostro rojo de indignación.

—¿Qué estás haciendo?

—Me estoy preparando para dormirte de un golpe si no regresas de inmediato a la nave.

Chouns dudó un instante, pero finalmente se calmó y accedió.

—De acuerdo —dijo.

Estaban saliendo del cúmulo estelar.

—¿Cómo te encuentras? —preguntó Smith.

Chouns se incorporó en la litera y se acarició el cabello.

—Normal, creo; cuerdo de nuevo. ¿Cuánto he dormido?

—Doce horas.

—¿Y tú?

—Descabecé un sueñecito. —Se volvió hacia los instrumentos y ajustó algunos controles—. ¿Sabes qué ocurrió en esos planetas?

—¿Tú lo sabes?

—Eso creo.

—¿De veras? ¿Por qué no me explicas?

—Era la misma planta en ambos planetas, ¿de acuerdo?

—Por supuesto.

—Fue trasplantada de un planeta al otro. Crece en ambos perfectamente, pero en ocasiones debe de haber fecundación cruzada, una mezcla de ambas cepas, supongo que para mantener el vigor. Ocurre a menudo en la Tierra.

—¿Fecundación cruzada para vigorizar las plantas? Sí.

—Pero aquí fuimos nosotros los agentes que efectuaron la mezcla. Descendimos a uno de los planetas y nuestros cuerpos se cubrieron de polen. ¿Recuerdas que los capullos se cerraron? Debió de ser después de que se liberara el polen, y eso era lo que nos hacía estornudar. Luego, descendimos en el otro planeta y nos sacudimos el polen de la ropa. Eso generó una nueva cepa híbrida. Sólo fuimos un par de abejas bípedas, Chouns, al servicio de las flores.

Chouns sonrió.

—Un papel indigno, en cierto modo.

—No se trata de eso. ¿No ves el peligro? ¿No entiendes por qué tenemos que regresar a toda prisa?

—¿Por qué?

—Porque los organismos no se adaptan así como así, y esas plantas parecen estar adaptadas a la fertilización interplanetaria. Incluso nos pagaron, igual que se hace con las abejas; pero no con néctar, sino con visores Gamow.

—¿Y bien?

—Bueno, pues que no puede haber fertilización interplanetaria a menos que algo o alguien se encargue de la tarea. Esta vez lo hicimos nosotros; pero éramos los primeros humanos que entraban en ese cúmulo, de modo que antes debieron de hacerlo seres no humanos, quizá los mismos que trasplantaron los capullos. Eso significa que en ese cúmulo hay una raza de seres inteligentes con capacidad para el viaje espacial. Y la Tierra tiene que saberlo. —Chouns movió la cabeza en sentido negativo y Smith frunció el ceño—. ¿Encuentras fallos en mi razonamiento?

Chouns se apoyó la cabeza en las palmas.

—Digamos que no has entendido casi nada.

—¿Por qué? —se enfadó Smith.

—Tu teoría de la fecundación cruzada es bastante buena, pero has pasado por alto ciertos detalles. Al acercarnos a ese sistema estelar, nuestros motores hiperatómicos se descontrolaron de un modo que los controles automáticos no pudieron diagnosticar ni corregir. Después de posarnos en el primer planeta no hicimos nada para repararlos; nos olvidamos de ellos y, cuando los pusiste en marcha más tarde, descubriste que funcionaban perfectamente, pero le diste tan poca importancia que ni siquiera me lo mencionaste hasta unas horas después. Y hay algo más. Los lugares que escogimos para posarnos en ambos planetas estaban cerca de un agrupamiento de vida animal. ¿Mera suerte? ¡Y nuestra increíble confianza en la buena voluntad de esas criaturas! Ni siquiera nos molestamos en analizar la atmósfera para verificar si había gases venenosos. Y lo que más me molesta es que me volví loco con esos visores Gamow. ¿Por qué? Son valiosos, sí, pero no tanto; y, generalmente, no pierdo la cabeza por ganarme unos cuartos.

Smith, que había guardado un incómodo silencio, dijo:

—No veo a dónde quieres llegar.

—Vamos, Smith, tú no eres tonto. ¿No es evidente que nos estaban controlando mentalmente?

Su compañero torció la boca en una mueca entre burlona y dubitativa.

—¿De nuevo con tus teorías psiónicas?

—Sí. Los hechos son los hechos. Ya te dije que mis

corazonadas podían constituir una forma de telepatía rudimentaria.

—¿Eso también es un hecho? No lo creías hace un par de días.

—Pero ahora sí. Mira, soy mejor receptor que tú, así que a mí me afectó más que a ti. Ahora que ya ha terminado entiendo lo que sucedió porque recibí más, ¿comprendes?

—No —rezongó Smith.

—Pues escucha. Tu dices que los visores Gamow fueron el néctar que nos instigó a la polinización. Lo has dicho tú.

—De acuerdo.

—Bien, y ¿de dónde procedían? Eran productos terrícolas; incluso leímos el nombre del fabricante y el modelo, letra por letra. Ahora bien, si ningún ser humano ha visitado ese cúmulo, ¿cómo llegaron allí los visores? Ninguno de nosotros pensó en ello entonces, y tú pareces no pensar en ello ahora.

—Bueno...

—¿Qué hiciste con los visores en cuanto subimos a la nave, Smith? Me los quitaste. Lo recuerdo perfectamente.

—Los guardé en la caja de caudales —contestó Smith a la defensiva.

—¿Los has tocado desde entonces?

—No.

—¿Y yo?

—Tampoco, que yo sepa.

—Tienes mi palabra de que no los he tocado. ¿Por qué no abres la caja de caudales?

Smith fue despacio hasta la caja, cuya combinación respondía a sus huellas dactilares. Metió la mano dentro sin mirar y, con expresión demudada, lanzó un grito, examinó el interior y sacó el contenido.

Había cuatro piedras de diversos colores, todas rectangulares.

—Usaron nuestras emociones para guiarnos —murmuró Chouns, pronunciando cuidadosamente cada palabra—. Nos hicieron creer que los motores hiperatómicos estaban averiados para que así tuviéramos que ir a uno de los planetas, supongo que no importaba a cuál; y nos hicieron creer que lo que teníamos en la mano eran instrumentos de precisión, para que nos trasladáramos al otro planeta.

—¿Quiénes? —gruñó Smith—. ¿Las bestias con cola, o las serpientes? ¿O ambos?

—Ninguno de los dos. Fueron las plantas.

—¿Las plantas? ¿Las flores?

—Por supuesto. Vimos dos especies de animales cuidando la misma especie de planta. Al ser animales, dimos por sentado que ellos eran los amos. ¿Pero por qué hemos de suponer eso? Eran las plantas las que recibían los cuidados.

—En la Tierra también cuidamos de las plantas, Chouns.

—Y nos las comemos.

—Tal vez esas criaturas se coman sus plantas.

—Digamos que sé que no se las comen. Nos manipularon bastante bien. Recordarás el empeño que yo tenía en encontrar un claro donde posar la nave.

—Yo no sentí esa necesidad.

—Porque tú no manejabas los controles; no se preocuparon de ti. Recuerda que no reparamos en el polen, aunque estábamos cubiertos de él, hasta que llegamos al segundo planeta. Y allí nos lo sacudimos de encima siguiendo una orden.

—Jamás he oído nada tan descabellado.

—¿Por qué es descabellado? No asociamos la inteligencia con las plantas porque las plantas no tienen sistema nervioso, pero éstas quizá lo tenían. ¿Recuerdas esos brotes carnosos en el tallo? Además, las plantas no tienen libertad de movimientos, pero no la necesitan si desarrollan poderes psiónicos y utilizan animales móviles para que las cuiden, las fertilicen, las rieguen, las polinicen y demás. Se ocupan de ellas con sincera devoción y son felices así porque las plantas hacen que se sientan felices.

—Lo lamento por ti —murmuró Smith—. Si intentas contar toda esta historia en la Tierra, lo lamento por ti.

—No me hago ilusiones, pero es mi deber tratar de prevenir a la Tierra. Ya has visto lo que hacen con los animales.

—Según tu versión, los esclavizan.

—Peor que eso. Las criaturas con cola o las serpenteantes, o tanto unas como otras, debieron de ser tan civilizadas como para dominar el viaje espacial; de lo contrario, las plantas no se encontrarían en ambos planetas. Pero cuando las plantas desarrollaron poderes psiónicos (tal vez una raza mutante) eso se terminó. Los animales en fase atómica son peligrosos, así que les hicieron olvidar, los redujeron a lo que son. Maldita sea, Smith, esas plantas son las criaturas más peligrosas del universo. Es preciso informar a la Tierra porque otros terrícolas podrían entrar en el cúmulo.

Smith se echó a reír.

—¿Sabes? Estás totalmente chalado. Si esas plantas nos dominaban, ¿por qué nos dejaron escapar para que avisemos a los demás?

Chouns hizo una pausa y contestó:

—No lo sé.

Smith recobró el buen humor.

—Debo confesar que por un momento me convenciste.

Chouns se rascó la cabeza. ¿Por qué los habían liberado? ¿Y por qué sentía ese insistente apremio de avisar a la Tierra acerca de una especie con la cual otros terrícolas quizá no establecieran contacto durante milenios?

Pensó desesperadamente y vislumbró algo, pero se le escapó. Tuvo la sensación de que le había sido arrebatado ese pensamiento, pero esa sensación también desapareció.

Sólo sabía que debían continuar viaje a toda velocidad, que tenían que darse prisa.

Así, tras un sinfín de años, habían vuelto las condiciones favorables. Las protoesporas de dos especies de la planta madre se encontraron y se mezclaron, fusionándose en la ropa, en el pelo y en la nave de los nuevos animales. Casi de inmediato se formaron las esporas híbridas; las esporas que tenían capacidad y potencialidad para adaptarse a un nuevo planeta.

Estas esporas aguardaban en silencio en la nave que —merced a la influencia de la planta madre sobre la mente de las criaturas de a bordo— las llevaba a toda velocidad hacia un mundo nuevo y maduro, donde las criaturas móviles atenderían sus necesidades.

Aguardaban con paciencia vegetal (una paciencia invencible, que ningún animal puede conocer) la llegada a un mundo nuevo; cada una de ellas, a su manera diminuta, un explorador...

REUNÁMONOS

La paz había durado un siglo y la gente se olvidó de cómo era la falta de paz. No habrían sabido reaccionar si se hubieran enterado de que por fin llegaba una especie de guerra.

Elias Lynn, jefe de la Oficina de Robótica, no supo cómo reaccionar cuando se enteró. La Oficina de Robótica tenía su jefatura en Cheyenne, según un criterio de descentralización que llevaba en práctica un siglo, y Lynn estudió con escepticismo al joven funcionario de Seguridad de Washington que le había llevado la noticia.

Elias Lynn era un hombre corpulento y campechano, con ojos azules y saltones. La mirada fija de esos ojos incomodaba a muchas personas, pero el funcionario de Seguridad ni se inmutó.

Lynn decidió que su primera reacción debía ser la incredulidad. ¡Y lo era, qué diablos! ¿Cómo podía creerse aquello?

—¿Es segura esta información? —preguntó, inclinándose en la silla.

El funcionario de Seguridad, que se había presentado como Ralph G. Breckenridge y había mostrado sus credenciales, tenía la blandura de la juventud: labios carnosos, mejillas mofletudas, que se ruborizaban fácilmente, y ojos límpidos. Su atuendo no era adecuado para Cheyenne, pero iba bien con el ambiente de aire acondicionado de Washington, donde seguía estando la sede central de Seguridad.

—No hay ninguna duda —respondió Breckenridge, sonrojándose.

—Supongo que ustedes lo saben todo sobre Ellos —dijo Lynn, sin poder reprimir el tono irónico.

No se dio cuenta del énfasis que había puesto en el pronombre que aludía al enemigo, como equivalente de una mayúscula. Era un hábito cultural de su generación y de la precedente. Nadie decía «Este», «rojos», «soviéticos» ni «rusos», ya que hubiera resultado demasiado confuso, pues algunos de Ellos no eran del Este ni rojos ni soviéticos ni mucho menos rusos. Parecía mucho más simple —y mucho más preciso— decir Nosotros y Ellos.

Quienes viajaban venían comentando que Ellos hacían lo mismo a la inversa. Al otro lado, Ellos era Nosotros (en el idioma correspondiente) y Nosotros era Ellos.

Nadie pensaba en esas cosas. Era natural y espontáneo. Ni siquiera se trataba de odio. Al principio se llamó Guerra Fría, pero era ya tan sólo un juego, un juego benévolo, con reglas tácitas y una cierta decencia.

—¿Por qué iban a querer Ellos alterar la situación? —preguntó Lynn bruscamente.

Se levantó y miró el mapa del mundo colgado de la pared, dividido en dos regiones delimitadas por bordes de un color tenue. Una parte irregular a la izquierda del mapa se encontraba bordeada de verde. La parte más pequeña, pero igualmente irregular de la derecha estaba bordeada de rosa. Nosotros y Ellos.

El mapa no se había alterado mucho en un siglo. La pérdida de Formosa y la conquista de Alemania

Oriental, ochenta años atrás, constituían los últimos cambios territoriales de importancia.

Pero sí se había producido un cambio significativo en los colores. Dos generaciones antes, el territorio de Ellos era de color rojo sangre; el de Nosotros, de color blanco inmaculado. Ahora los colores eran más neutros. Lynn había visto los mapas de Ellos y ocurría lo mismo.

—No harían eso —decidió Lynn.

—Lo están haciendo —dijo Breckenridge—, y será mejor que se vaya usted acostumbrando. Por supuesto, comprendo que no es agradable pensar que Ellos nos superan tanto en robótica.

Sus ojos permanecían límpidos, pero las palabras eran incisivas, y Lynn se estremeció con su impacto.

Desde luego, eso explicaba por qué un jefe de Robótica se enteraba tan tarde y por medio de un funcionario de Seguridad. Había perdido prestigio a ojos del Gobierno; si Robótica había fallado en la lucha, Lynn no podía esperar la menor misericordia política.

—Aunque lo que usted afirma sea cierto —se defendió Lynn—, Ellos no nos superan tanto. Nosotros podemos construir robots humanoides.

—¿Lo hemos hecho?

—Sí, en efecto. Hemos construido algunos modelos experimentales.

—Ellos ya lo hicieron hace diez años. Y llevan diez años de progreso.

Lynn estaba consternado. Se preguntó si su incredulidad era resultado del orgullo herido y del temor por su empleo y su reputación. Se sintió avergonzado ante esa posibilidad, pero aun así debía actuar a la defensiva.

—Mire, joven, el equilibrio entre Ellos y Nosotros nunca ha sido perfecto en todos sus detalles. Siempre nos llevaron la delantera en uno u otro aspecto, y Nosotros en algún otro. Si ahora nos llevan la delantera en robótica, es porque le han consagrado mayores esfuerzos que Nosotros. Y eso significa que en alguna otra rama Nosotros nos hemos esforzado más que Ellos. Quizá estamos más adelantados en investigación de campos de fuerza o en hiperatómica.

Lynn se sintió turbado ante su propia declaración. Lo que decía era cierto, pero ése era el gran peligro que amenazaba al mundo. El mundo dependía de que el equilibrio fuera lo más perfecto posible. Si la balanza se inclinaba demasiado en una u otra dirección...

Casi al principio de lo que fue la Guerra Fría, ambos bandos desarrollaron armas termonucleares, lo que hizo impensable la idea de una guerra. La competencia pasó de lo militar a lo económico y lo psicológico, y se mantuvo allí.

Pero cada bando siempre procuraba romper el equilibrio, desarrollar una defensa para todo tipo de ofensiva para la que no hubiera defensa; algo que posibilitara la guerra. Y no porque ambos bandos ansiaran la guerra, sino porque los dos temían que el otro realizara primero ese descubrimiento decisivo.

A lo largo de cien años, cada uno de los bandos mantuvo pareja la lucha. Durante cien años se conservó la paz, mientras iban apareciendo, como subproductos de una investigación continua, los campos de fuerza, la energía solar, el control de los insectos y los robots. Los dos bandos comenzaron a aventurarse en el campo de la mentálica, que era el nombre que se le dio a la bioquímica y la biofísica del pensamiento, y ambos tenían puestos de avanzada en la Luna y en Marte. La humanidad progresaba a grandes pasos por obra del reclutamiento forzoso.

Incluso era necesario para ambos bandos comportarse de un modo decente y humanitario entre sí, pues la crueldad y la tiranía podían granjearle amigos al bando contrario.

Era imposible que se hubiera roto el equilibrio con el estallido de una guerra.

—Quiero consultar a uno de mis hombres. Necesito su opinión.

—¿Es de fiar?

Lynn hizo una mueca de disgusto.

—¡Cielo santo! ¿A quién de la Oficina de Robótica no han investigado a fondo ustedes hasta el aburrimiento? Sí, garantizo que es de fiar. Si no se puede confiar en un hombre como Humphrey Carl Laszlo, entonces no estamos en condiciones de hacer frente a ese ataque que usted afirma que Ellos han lanzado, hagamos lo que hagamos.

—He oído hablar de Laszlo.

—Bien, ¿y lo aprueba?

—Sí.

—De acuerdo entonces. Le haré pasar y nos enteraremos de qué opina sobre la posibilidad de que una fuerza de robots invada Estados Unidos.

—No exactamente —murmuró Breckenridge—. Sigue usted sin aceptar la realidad. De lo que tiene que enterarse es de qué opina sobre que una fuerza de robots haya invadido ya, de hecho, Estados Unidos.

Laszlo era nieto de un húngaro que había escapado atravesando lo que entonces se llamaba Telón de Acero y eso lo eximía de toda sospecha. Era corpulento y calvo y mostraba una expresión pendenciera en su rostro desafiante, pero tenía el acento exquisito de Harvard y hablaba con voz muy queda.

Para Lynn, que después de pasarse años en administración sabía que ya no era experto en las diversas fases de la robótica moderna, Laszlo suponía un cómodo depósito de conocimientos. La mera presencia de ese hombre lo tranquilizaba.

—¿Qué opinas? —le preguntó.

Laszlo contorsionó el rostro en un gesto feroz.

—¿De que Ellos estén tan adelantados? Totalmente increíble. Significaría que han producido humanoides que no se pueden diferenciar de los seres humanos a poca distancia. Significaría un considerable avance en robomentálica.

—Usted está comprometido personalmente —observó fríamente Breckenridge—. Dejando de lado el orgullo profesional, ¿por qué es imposible que Ellos estén tan adelantados?

Laszlo se encogió de hombros.

—Le aseguro que estoy muy familiarizado con todos sus textos sobre robótica. Sé aproximadamente en qué punto se encuentran.

—Usted sabe aproximadamente en qué punto quieren Ellos que usted piense que se encuentran —le corrigió Breckenridge—. ¿Ha ido alguna vez al otro lado?

—No.

—¿Y usted, señor Lynn?

—No, tampoco.

—¿Alguien de Robótica ha ido al otro lado en los últimos veinticinco años? —preguntó Breckenridge, con el aplomo de quien conoce ya la respuesta.

Durante varios segundos hubo una atmósfera de concentrada reflexión. El ancho rostro de Laszlo manifestó cierta inquietud.

—Hace mucho tiempo que Ellos no organizan una conferencia sobre robótica —manifestó.

—Veinticinco años —dijo Breckenridge—. ¿No es significativo?

—Tal vez —admitió de mala gana Laszlo—. Pero lo que me molesta es otra cosa, que ninguno de Ellos ha asistido jamás a nuestras conferencias sobre robótica, que yo recuerde.

—¿Fueron invitados?

—Desde luego —intervino Lynn, con aire de preocupación.

—¿Se niegan a asistir a conferencias científicas de otro tipo que organicemos Nosotros?— preguntó Brecrenridge.

—No lo sé —respondió Laszlo, paseando de un lado a otro—. No he oído hablar de ningún caso. ¿Y usted, jefe?

—No —dijo Lynn.

—¿No dirían ustedes que es como si Ellos no quisieran ponerse en la situación de tener que corresponder a la invitación? ¿O como si temieran que sus hombres hablaran demasiado?

Eso parecía, y Lynn tuvo la abrumadora convicción de que Seguridad estaba en lo cierto.

¿Por qué otra razón no se establecían contactos sobre robótica? Durante años, los investigadores se estuvieron desplazando en ambas direcciones y de uno en uno, desde los días de Eisenhower y Khruschev. Había buenos motivos para ello: una honesta apreciación del carácter supranacional de la ciencia; impulsos de amistad, que resultaban difíciles de erradicar de los individuos; el deseo de someterse a una perspectiva nueva e interesante, y lograr que los otros saludaran como nuevas e interesantes las ideas trilladas propias.

Los Gobiernos mismos deseaban que la situación continuara. Siempre existía la posibilidad de que, sonsacando todo lo posible y callando lo máximo posible, el intercambio resultara favorable.

Pero no ocurría así en el campo de la robótica.

Un pequeño detalle. Más aún, un detalle que conocían desde siempre. Lynn pensó con tristeza que se habían arrellanado en la complacencia.

Como el otro bando no hacía nada públicamente en robótica, lo tentador era recostarse en la certeza de la superioridad. ¿Por qué no había parecido posible, y ni siquiera probable, que Ellos ocultaran mejores naipes, una carta de triunfo para el momento apropiado?

Era evidente que Laszlo había llegado a las mismas conclusiones, pues preguntó:

—¿Qué podemos hacer?

—¿Hacer? —repitió Lynn.

Le costaba pensar en nada, salvo en el total horror que le causaba esa nueva convicción. En alguna parte de Estados Unidos había diez robots humanoides, cada cual portando un fragmento de una bomba CT.

¡CT! La carrera por el puro horror en materia de bombas había finalizado allí. ¡CT! ¡Conversión Total! El Sol ya no servía como sinónimo. La conversión total hacía que el Sol pareciera una simple vela de cumpleaños.

Los humanoides, cada uno de ellos inofensivo por separado, podían, por el mero hecho de reunirse, superar la masa crítica y...

Lynn se levantó con esfuerzo. Sus prominentes ojeras, que por lo general le conferían a su feo rostro un aire amenazador, aparecían más visibles que nunca.

—Tendremos que hallar modos de distinguir a un humanoide de un humano para localizar a los humanoides.

—¿En cuánto tiempo? —murmuró Laszlo.

—¡Como mínimo, cinco minutos antes de que se reúnan! —gritó Lynn—. Y no tengo ni idea de cuándo se van a reunir.

Breckenridge dio su aprobación con un movimiento de cabeza.

—Me alegro de que esté usted de nuestra parte. He de llevarle a Washington a una reunión.

Lynn enarcó las cejas:

—De acuerdo.

Se preguntó si lo habrían reemplazado de haber tardado más en dejarse convencer y si asistiría a la reunión de Washington un nuevo jefe de la Oficina de Robótica. De pronto, deseó fervientemente que pasara precisamente eso.

Allí se encontraban el ayudante primero del Presidente, el ministro de Ciencias, el ministro de Seguridad, Lynn y Breckenridge. Cinco hombres sentados alrededor de una mesa en las mazmorras de una fortaleza subterránea cercana a Washington.

El ayudante presidencial Jeffreys era un hombre imponente y apuesto, de cabello cano y mandíbula prominente, fuerte, reflexivo y tan diplomático como debía serlo un ayudante del Presidente.

—A mi juicio, nos enfrentamos a tres preguntas —manifestó—. Primera, ¿cuándo se reunirán los humanoides? Segunda, ¿dónde se reunirán? Y tercera, ¿cómo los detendremos antes de que se reúnan?

Amberley, el ministro de Ciencias, asintió repetida y convulsivamente con la cabeza. Había sido decano de la Facultad de Ingeniería del Noroeste antes de ocupar ese cargo. Era delgado, anguloso y muy nervioso. Su dedo índice no paraba de trazar lentamente círculos sobre la mesa.

—En cuanto a cuándo se reunirán —dijo—, es evidente que tardarán un tiempo.

—¿Por qué lo dice? —preguntó Lynn.

—Hace por lo menos un mes que se encuentran en Estados Unidos. Eso afirma Seguridad.

Lynn se volvió automáticamente hacia Breckenridge, y Macalaster, el ministro de Seguridad, interceptó esa mirada y salió en defensa del funcionario de su Ministerio:

—La información es fiable. No se deje engañar por la aparente juventud de Breckenridge, señor Lynn. En parte nos resulta valioso por eso. En realidad, tiene treinta y cuatro años y hace diez que trabaja en el Ministerio. Estuvo en Moscú durante casi un año y sin él no sabríamos nada sobre este terrible peligro. De ese modo obtuvimos la mayoría de los detalles.

—Pero no los decisivos —objetó Lynn.

Macalaster sonrió con frialdad. Su barbilla gruesa y sus ojos cejijuntos eran bien conocidos, pero no se sabía casi nada más sobre él.

—Todos tenemos ciertas limitaciones humanas, señor Lynn —observó—. El agente Breckenridge ha conseguido muchísimo.

—Digamos que contamos con algo de tiempo —intervino el ayudante del Presidente—. Si hubieran necesitado actuar de inmediato lo habrían hecho ya. Parece bastante probable que están esperando un momento específico. Si conociéramos el lugar, tal vez el momento nos sería evidente.

—Si piensan atacar un blanco con una CT, querrán provocar el mayor daño posible, así que sospecho que ese blanco es una ciudad importante. En cualquier caso, una metrópoli es el único blanco digno de una C.T. Creo que existen cuatro posibilidades: Washington, como centro administrativo; Nueva York como centro financiero; y Detroit y Pittsburgh, como principales centros industriales.

—Yo voto por Nueva York —declaró Malacaster,

de Seguridad—. La administración y la industria están tan descentralizadas que la destrucción de una ciudad no impediría una represalia inmediata.

—Entonces, ¿por qué Nueva York? —preguntó Amberley, de Ciencias, quizá con más brusquedad de la que se proponía—. Las finanzas también están descentralizadas.

—Por una cuestión de moral. Tal vez pretenden quebrantar nuestra voluntad de resistencia, inducir a una rendición por el puro horror del primer golpe. La mayor destrucción de vidas humanas se daría en el área metropolitana de Nueva York...

—Vaya sangre fría —masculló Lynn.

—En efecto —asintió Malacaster—, pero serán capaces de ello si piensan que significará lograr la victoria final de un solo golpe. ¿Acaso nosotros no...?

El ayudante del Presidente se alisó su cabello blanco.

—Supongamos lo peor. Supongamos que Nueva York resultara destruida en algún momento del invierno, preferiblemente al cabo de una tormenta fuerte, cuando las comunicaciones se hallan en peor estado y la desorganización de los servicios públicos y del suministro alimentario en las zonas marginales está en su momento más preocupante. ¿Cómo los detenemos?

—Hallar diez hombres entre doscientos veinte millones... —murmuró Amberley—. Es una pequeñísima aguja en un inmenso pajar.

—Se equivoca —replicó Jeffreys, meneando la cabeza—. Son diez humanoides entre doscientos veinte millones de humanos.

—No veo la diferencia —insistió el ministro de Ciencias—. No sabemos si un humanoide se puede distinguir de un humano a simple vista. Tal vez no se pueda.

Miró a Lynn. Todos miraron a Lynn.

—En Cheyenne no hemos podido fabricar ninguno que pasara por humano a la luz del día —dijo muy serio Lynn.

—Pero Ellos sí han podido —hizo notar el ministro de Seguridad—, y no sólo físicamente. Estamos seguros de ello. Disponen de procedimientos metálicos tan avanzados que pueden copiar el patrón microelectrónico del cerebro y grabarlo en las sendas positrónicas del robot.

Lynn lo miró perplejo.

—¿Insinúa usted que Ellos pueden crear replicantes de seres humanos, con personalidad y memoria?

—Así es.

—¿De seres humanos específicos?

—Correcto.

—¿Esto también se basa en los hallazgos del agente Breckenridge?

—Sí. Las pruebas son irrefutables.

Lynn reflexionó un instante.

—Es decir que en Estados Unidos hay diez hombres que no son hombres, sino humanoides —dijo al fin—. Pero Ellos tendrían que haber contado con originales. No podrían ser orientales, que resultarían fáciles de localizar, así que tienen que ser europeos del Este. ¿Cómo los habrían introducido en este país? Dada la precisión de la red de radar en todas las fronteras del mundo, ¿cómo se podría introducir un individuo, humano o humanoide, sin que lo supiéramos?

—No es imposible —manifestó Macalaster—. Hay ciertas filtraciones lícitas en la frontera; empresarios, pilotos e incluso turistas. Ambos lados los vigilan, por supuesto, pero diez de ellos pudieron ser secuestrados y utilizados como modelos para los humanoides. Luego, habrían enviado a los humanoides en su lugar y, como nosotros no esperábamos esa sustitución, pasaron inadvertidos. Si eran norteamericanos no tendrían dificultades para entrar en el país. Es así de simple.

—¿Y ni siquiera sus amigos y sus parientes habrían notado la diferencia?

—Debemos suponer que no. Créame, hemos estado pendientes de todo informe que implicara un ataque repentino de amnesia o un cambio de personalidad. Hemos investigado a miles de personas.

Amberley se miró las yemas de los dedos al decir:

—Creo que las medidas comunes no darán resultado. El ataque debe provenir de la Oficina de Robótica, y depende del jefe de esa oficina.

De nuevo las miradas confluyeron en Lynn.

Lynn sintió que lo invadía el resentimiento. Tuvo la impresión de que la reunión estaba destinada a eso. No había solución para el problema, ninguna sugerencia significativa. Era una artimaña oficial, una artimaña de hombres que temían la derrota y deseaban que la responsabilidad recayera clara e inequívocamente en otra persona.

Pero había algo de justo en todo ello. Robótica había bajado la guardia. Y Lynn no era sólo Lynn; era Lynn de Robótica y suya tenía que ser la responsabilidad.

—Haré lo que pueda —dijo.

Pasó la noche en vela y, a la mañana siguiente, se sentía cansado en cuerpo y alma cuando solicitó y consiguió otra entrevista con el ayudante presidencial Jeffreys. Breckenridge estaba presente y, aunque Lynn hubiera preferido un encuentro en privado, comprendía que era una situación justa, pues Breckenridge había logrado ser influyente en el Gobierno como consecuencia de su brillante labor de espionaje. Bien, y ¿por qué no?

—Estoy pensando en la posibilidad de que el enemigo haya sembrado una falsa alarma —dijo Lynn.

—¿En qué sentido?

—Por impaciente que a veces se ponga el público, y por mucho que en ocasiones los legisladores encuentren conveniente hablar de ello, el Gobierno al menos reconoce que el equilibrio mundial es beneficioso, y Ellos también lo reconocen seguramente. Diez humanoides con una bomba CT es un modo trivial de romper ese equilibrio.

—La destrucción de quince millones de seres humanos no es trivial.

—Lo es desde el punto de vista del poder mundial. No nos desmoralizaría hasta el punto de firmar la rendición ni nos dejaría inutilizados hasta el extremo de convencernos de que no podemos ganar. Habría una guerra a muerte a escala planetaria, algo que ambos bandos han eludido con éxito durante mucho tiempo. Y Ellos sólo habrían logrado que combatiéramos con una ciudad menos. No es suficiente.

—¿Qué sugiere usted? —preguntó fríamente Jeffreys—. ¿Qué Ellos no tienen diez humanoides en nuestro país? ¿Que no hay una bomba CT esperando a ser montada?

—Concederé que esas cosas existen, pero quizá por una razón más importante que el mero estallido de una bomba.

—¿Como cuál?

—Es posible que la destrucción física resultante de la reunión de los humanoides no sea lo peor que pueda ocurrirnos. ¿Qué me dice de la destrucción moral e intelectual que se deriva de su mera presencia? Con el debido respeto al agente Breckenridge, es posible que Ellos deseen que tengamos conocimiento de los humanoides, los cuales quizá no estén destinados a reunirse, sino a permanecer separados para mantenernos en constante preocupación.

—¿Por qué?

—Dígame, ¿qué medidas se han tomado contra los humanoides? Supongo que Seguridad está revisando las fichas de todos los ciudadanos que han cruzado la frontera o se han aproximado a ella lo suficiente como para posibilitar un secuestro. Por lo que ayer dijo Macalaster, sé que están investigando casos psiquiátricos sospechosos. ¿Qué más?

—Se están instalando pequeños aparatos de rayos X en lugares clave de las grandes ciudades —le informó Jeffreys—. En los estadios, por ejemplo...

—¿Donde diez humanoides podrían mezclarse con los cien mil espectadores de un partido de fútbol o de aeropolo?

—Exacto.

—¿Y en salas de conciertos y en iglesias?

—Tenemos que empezar por alguna parte. No podemos hacerlo todo de golpe.

—Particularmente, porque hay que evitar el pánico, ¿verdad? No conviene que el público advierta que en cualquier momento una ciudad cualquiera puede esfumarse junto con todos sus habitantes.

—Es obvio. ¿A dónde quiere llegar?

—Una parte cada vez mayor de nuestro esfuerzo nacional se desviará hacia ese problema al que Amberley denominó hallar una pequeñísima aguja en un inmenso pajar. Nos perseguiremos la cola furiosamente, mientras Ellos progresan en sus investigaciones hasta un punto en el que no podamos alcanzarlos, en que debamos rendirnos sin siquiera chascar los dedos en represalia. Y, además, esta noticia se difundirá según vaya participando más gente en las medidas de precaución, y más gente empezará a adivinar qué ocurre. ¿Y entonces qué? El pánico podría hacernos más daño que una bomba CT.

—En nombre del cielo —exclamó el ayudante presidencial—, ¿qué sugiere que hagamos?

—Nada. No caer en la trampa. Vivir como hemos vivido y apostar a que Ellos no se atreverán a romper el equilibrio por llevar de ventaja una sola bomba.

—¡Imposible! ¡Totalmente imposible! Nuestro bienestar descansa en mis manos y no puedo permitirme el lujo de no hacer nada. Quizás estoy de acuerdo con usted en que las máquinas de rayos X en los estadios deportivos constituyen una medida superficial que no resultará efectiva, pero hay que tomarla para que, después, la gente no llegue a la amarga conclusión de que entregamos nuestro país en aras de un sutil razonamiento que nos indujo a no actuar. De hecho, nuestra contraofensiva va a ser muy activa, por el contrario.

—¿En qué sentido?

El ayudante presidencial miró a Breckenridge. El joven funcionario de Seguridad, que había permanecido callado hasta ese momento, dijo:

—No tiene sentido hablar de una posible ruptura del equilibrio en el futuro cuando el equilibrio está roto ahora. No importa si esos humanoides van o no van a estallar. Quizá sólo sean un señuelo para distraernos, como dice usted. Pero lo cierto es que llevamos un cuarto de siglo de retraso en robótica y eso puede ser fatal. ¿Qué otros avances en robótica nos sorprenderán si estalla una guerra? La única respuesta es encauzar todas nuestras fuerzas de inmediato, ahora mismo, hacia un programa relámpago de investigación en robótica, y el primer problema que hay que solucionar es hallar a los humanoides. Considérelo un ejercicio de robótica, si quiere, o llámelo impedir la muerte de quince millones de hombres, mujeres y niños.

Lynn movió la cabeza en sentido negativo.

—No puede hacerlo. Les estaría siguiendo el juego. Ellos quieren llevarnos hacia un callejón sin salida para tener la libertad de avanzar en las demás direcciones.

—Eso supone usted —replicó Jeffreys con impaciencia—. Breckenridge ha cursado esta propuesta a través de los canales indicados y el Gobierno la ha aprobado, así que comenzaremos con una conferencia multicientífica.

—¿Multicientífica?

—Hemos confeccionado una lista de todos los científicos importantes de cada rama de las ciencias naturales —le explicó Breckenridge—. Irán todos a Cheyenne. Habrá un solo punto en el orden del día: Cómo lograr progresos en robótica. El principal subapartado será: Cómo desarrollar un aparato receptor de los campos electromagnéticos de la corteza cerebral, que sea lo suficientemente delicado como para distinguir entre un cerebro humano protoplasmático y un cerebro humanoide positrónico.

—Esperábamos que usted quisiera dirigir esa conferencia —dijo Jeffreys.

—No se me ha consultado.

—Evidentemente no nos sobraba tiempo. ¿Acepta el cargo?

Lynn sonrió. De nuevo era una cuestión de responsabilidad. La responsabilidad debía recaer sobre Lynn de Robótica. Tenía la sensación de que sería Breckenridge quien realmente llevaría la voz cantante. Pero ¿qué podía hacer?

—Acepto —contestó.

Breckenridge y Lynn regresaron juntos a Cheyenne, donde esa noche Laszlo escuchó con hosco recelo la descripción que le hizo Lynn de los acontecimientos venideros.

—Mientras usted no estaba, jefe, sometí cinco modelos experimentales de estructura humanoide a los procedimientos de verificación. Nuestros hombres trabajan doce horas al día, en tres turnos superpuestos. Si hemos de organizar una conferencia, estaremos atestados de gente y la burocracia será infernal. El trabajo se detendrá.

—Sólo será transitorio. Ganará mucho más de lo que pierda.

Laszlo frunció el ceño.

—Un grupo de astrofísicos y geoquímicos no nos ayudará en robótica.

—La perspectiva de otros especialistas puede ser útil.

—¿Está seguro? ¿Cómo sabemos que existe un modo de detectar ondas cerebrales y, en tal caso, que hay un modo de distinguir al humano del humanoide por el patrón ondulatorio? ¿Quién ha montado este proyecto?

—Yo —respondió Breckenridge.

—¿Usted? ¿Es usted experto en robótica?

—He estudiado robótica —contestó serenamente el funcionario de Seguridad.

—No es lo mismo.

—He tenido acceso a textos sobre robótica rusa, en ruso. Información ultrasecreta y mucho más avanzada que toda la que poseen ustedes.

—En eso tiene razón, Laszlo.

—Partiendo de ese material —continuó Breckenridge—, sugerí esta línea de investigación. Cabe suponer que, al copiar el patrón electromagnético de una mente humana específica en un cerebro positrónico específico, no se consiga un duplicado exacto. Por lo pronto, el más complejo cerebro positrónico, con la pequeñez suficiente para caber en un cráneo humano, es cientos de veces menos complejo que el cerebro humano. No puede captar todos los matices, y tiene que haber un modo de sacar partido de ese detalle.

Laszlo quedó impresionado y Lynn sonrió amargamente. No costaba mucho enfurecerse con Breckenridge y la inminente intrusión de varios cientos de científicos de otras especialidades, pero el problema era estimulante. Al menos, les quedaba ese consuelo.

La idea se le ocurrió sin sobresaltos.

Lynn se encontró con que no tenía nada que hacer salvo permanecer en su despacho, en un puesto ejecutivo que era nominal. Tal vez eso contribuyó. Tuvo tiempo para pensar, para imaginar a científicos creativos de medio mundo convergiendo en Cheyenne.

Era Breckenridge quien, con fría eficiencia, manejaba los preparativos. Había sido esa especie de seguridad al decir: «Reunámonos y venceremos.»

Reunámonos.

Se le ocurrió tan sin sobresaltos que un testigo sólo hubiera visto que, en ese momento, Lynn parpadeaba dos veces, pero nada más. Hizo lo que tenía que hacer con un distanciamiento que lo mantuvo sereno cuando lo más lógico era volverse loco.

Buscó a Breckenridge en su improvisado cuartel general. El funcionario estaba a solas y tenía el ceño fruncido.

—¿Algún problema?

—Creo que ninguno —contestó Lynn, con un cierto cansancio—. He decretado la ley marcial.

—¿Qué?

—Como jefe de división, puedo hacerlo si considero que la situación lo requiere. Dentro del ámbito de mi división puedo ser un dictador. Es una de las ventajas de la descentralización.

—Anule esa orden de inmediato. —Breckenridge avanzó un paso—. Cuando Washington se entere de esto, significará su deshonra.

—Ya estoy deshonrado, de cualquier modo. ¿Cree que no me doy cuenta de que me han preparado el papel del mayor villano de la historia estadounidense, el del hombre que permitió que Ellos rompieran el equilibrio? No tengo nada que perder, y tal vez mucho que ganar. —Soltó una risa histérica—. Qué buen objetivo será la división de Robótica, ¿eh, Breckenridge? Sólo unos cuantos miles de hombres eliminados por una bomba CT, capaz de arrasar ochocientos kilómetros cuadrados en un microsegundo. Pero quinientos de esos hombres serán nuestros más importantes científicos. Nos encontraríamos entonces en la peculiar situación de tener que elegir entre entrar en guerra, cuando acaban de reventarnos los sesos, o rendirnos. Creo que nos rendiríamos.

—Pero eso es imposible, Lynn. ¿Me entiende? ¿Cómo podrían los humanoides burlar nuestras medidas de seguridad? ¿Cómo podrían reunirse?

—¡Se están reuniendo ya! Los estamos ayudando. Les estamos ordenando que se reúnan. Nuestros científicos viajan al otro lado, Breckenridge. Viajan regularmente. Usted mismo comentó que era extraño que ningún especialista en robótica lo hiciera. Pues bien, diez de esos científicos aún están allí y serán reemplazados por diez humanoides que vendrán a Cheyenne.

—Es una conjetura ridícula.

—Yo creo que es buena, Breckenridge. Pero no hubiera funcionado a menos que, al enterarnos de que los humanoides estaban en Estados Unidos, organizáramos la conferencia. Es una gran coincidencia que usted trajera la noticia de los humanoides, sugiriese la conferencia y el orden del día, esté a cargo del espectáculo y sepa qué científicos han sido invitados. ¿Se ha asegurado de que en la lista figuren esos diez?

—¡Doctor Lynn! —exclamó Breckenridge fuera de sí, disponiéndose a abalanzarse sobre él.

—No se mueva. Llevo una pistola. Aguardaremos a que los científicos lleguen uno a uno y uno a uno los examinaremos con rayos X. Uno a uno. Comprobaremos su radiactividad. No dejaremos que dos de ellos se reúnan sin registrarlos antes y, si los quinientos pasan la prueba, le entregaré mi pistola y me rendiré a usted. Sólo que sospecho que encontraremos a esos diez humanoides. Siéntese, Breckenridge. —Ambos se sentaron—. Esperaremos, y, cuando esté cansado, Laszlo me reemplazará. Esperaremos.

El profesor Manuel Jiménez, del Instituto de Estudios Avanzados de Buenos Aires, estalló en un avión estratosférico que volaba a cinco mil metros de altura sobre el valle del Amazonas. Fue una simple explosión química, pero suficiente para destruir el avión.

El profesor Herman Liebowitz, del MIT, estalló en un monorraíl, matando a veinte personas e hiriendo a otras cien.

Del mismo modo, el profesor Auguste Marin, del Instituto Nucleónico de Montreal, y otros siete científicos más perecieron en diferentes etapas de su viaje a Cheyenne.

Laszlo entró corriendo y muy excitado dio la noticia. Hacía sólo dos horas que Lynn estaba allí sentado, encañonando a Breckenridge con la pistola.

—Pensé que estaba chiflado, jefe, pero tenía usted razón. Eran humanoides. Tenían que serlo. —Se volvió hacia Breckenridge, con los ojos cargados de odio—. Sólo que alguien los avisó. Él los avisó, y ahora no queda ninguno intacto. No podemos estudiar a ninguno.

—¡Por Dios! —exclamó Lynn, y con gran celeridad apuntó el arma hacia Breckenridge y disparó. El cuello del agente voló hecho pedazos, el torso se desprendió y la cabeza cayó, chocó contra el suelo y echó a rodar—. No había caído en la cuenta. Creí que era un traidor, nada más.

Y Laszlo se quedó paralizado, con la boca abierta e incapaz momentáneamente de decir una palabra.

—Claro que los avisó —añadió Lynn—. ¿Pero cómo podía hacerlo sentado en esa silla, a menos que estuviera equipado con un transmisor de radio? ¿No lo entiendes? Breckenridge estuvo en Moscú, y el verdadero Breckenridge todavía sigue allí. ¡Por Dios, eran once!

—¿Por qué no estalló?

—Supongo que esperaba a tener la certeza de que los otros habían recibido el mensaje y estaban destruidos. Cielos, cuando entraste con la noticia y comprendí la verdad, me apresuré a disparar. Dios sabrá por cuántos segundos me adelanté a él.

—Al menos tendremos uno para estudiar —dijo Laszlo, con voz trémula.

Se agachó y metió los dedos en el pegajoso fluido que brotaba por los mutilados bordes del cuello del cuerpo decapitado. No era sangre, sino aceite de calidad superior para máquinas.

PATÉ DE HÍGADO

No podría revelar mi verdadero nombre aunque quisiera, y en estas circunstancias no quiero revelarlo.

No soy buen escritor, así que le pedí a Isaac Asimov que se encargara de redactar esto por mí. Lo escogí a él por varias razones. Primero, porque es bioquímico, así que comprende de qué hablo, al menos en parte. Segundo, porque sabe escribir, o al menos —lo cual no necesariamente significa lo mismo— ha publicado bastante.

No fui el primero que tuvo el honor de conocer a la Gallina. El primero fue un algodonero de Tejas llamado Ian Angus MacGregor, que era el dueño antes de que el ave pasara a manos del Gobierno.

En el verano de 1955, MacGregor envió cartas al Ministerio de Agricultura, solicitando información sobre la incubación de huevos de gallina. El Ministerio le remitió todos los folletos disponibles sobre el tema, pero MacGregor se limitó a enviar cartas aún más apasionadas, en las que abundaban las referencias a su «amigo», el diputado local.

Mi conexión con el asunto es que trabajo en el Ministerio de Agricultura. Como ya iba a asistir a una convención en San Antonio en julio de 1955, mi jefe me pidió que pasara por la finca de MacGregor y viera en qué podía ayudarlo. Somos funcionarios públicos, y, además, habíamos recibido una carta del diputado de MacGregor.

El 17 de julio de 1955 conocí a la Gallina.

Primero conocí a MacGregor. Era un cincuentón alto, de rostro arrugado y suspicaz. Revisé toda la información que él había recibido y le pregunté cortésmente que si podía ver sus gallinas.

—No son gallinas, amigo. Es una sola gallina.

—¿Puedo ver a esa única gallina?

—Mejor será que no.

—Entonces, no puedo ayudarlo más. Si es una sola gallina, pues eso es que le pasa algo. ¿Por qué se preocupa por una gallina? Cómasela.

Me levanté y cogí mi sombrero.

—¡Espere! —Me quedé mirándolo mientras él apretaba los labios, entrecerraba los ojos y libraba una callada lucha consigo mismo—. Acompáñeme.

Lo acompañé hasta un corral, rodeado de alambre de espinos cerrado con llave, que albergaba una gallina: la Gallina.

—Ésta es la Gallina —dijo, y lo pronunció de tal manera que hasta pude oír la mayúscula.

La miré. Parecía como cualquier otra gallina gorda, oronda y malhumorada.

—Y éste es uno de sus huevos —añadió MacGregor—. Estuvo en la incubadora. No pasa nada.

Lo sacó del espacioso bolsillo del mono. Había una tensión extraña en la forma en que lo sostenía.

Fruncí el ceño. Algo no iba bien en ese huevo. Era más pequeño y más esférico de lo normal.

—Cójalo —me ofreció MacGregor.

Lo cogí. O lo intenté. Usé la fuerza indicada para un huevo de ese tamaño, y se quedó donde estaba. Tuve que esforzarme más para levantarlo.

Comprendí por qué MacGregor lo sostenía de un modo extraño: pesaba casi un kilo.

Lo miré, apretándolo en la palma, y MacGregor sonrió socarronamente.

—Tírelo —dijo.

Me quedé boquiabierto, así que el propio MacGregor me lo quitó de la mano y lo tiró.

Cayó con un ruido blando. No se rompió. No hubo un reventón de clara y yema. Sólo se quedó allí, clavado en el suelo.

Lo recogí. La blanca cáscara se había partido en el lugar del impacto. Algunos trozos se astillaron y lo que brillaba dentro era de un tono amarillo apagado.

Me temblaban las manos. Aunque apenas podía mover los dedos, quité parte del resto de la cáscara y miré aquello amarillo.

No tenía que realizar ningún análisis. El corazón me lo decía.

¡Me encontraba ante la mismísima Gallina!

¡La Gallina de los Huevos de Oro! El primer problema a resolver fue conseguir que MacGregor me diera el huevo de oro. Yo estaba casi histérico.

—Le entregaré un recibo. Le garantizaré el pago. Haré todo lo que sea razonable.

—No quiero que el Gobierno meta las narices —protestó tercamente.

Pero yo era el doble de terco y, finalmente, le firmé un recibo y él me acompañó hasta el coche y se quedó en la carretera, siguiéndome con la vista mientras yo me alejaba.

El jefe de mi sección del Ministerio de Agricultura se llama Louis P. Bronstein. Nos llevamos bien y pensé que podría explicarle la situación sin que me pusiera bajo observación psiquiátrica. Aun así, no corrí riesgos. Tenía el huevo conmigo y cuando llegué a la parte peliaguda lo puse sobre el escritorio.

—Es un metal amarillo y pudiera ser bronce, sólo que es inerte ante el ácido nítrico concentrado.

—Es un fraude —dijo Bronstein—. Tiene que serlo.

—¿Un fraude que utiliza oro de verdad? Recuerda que cuando lo vi por primera vez estaba totalmente cubierto por una cáscara de huevo auténtica e intacta. Ha sido fácil analizar un fragmento de la cáscara. Carbonato de calcio.

El Proyecto Gallina se puso en marcha. Era el 20 de julio de 1955.

Yo fui el investigador responsable desde el principio y permanecí a cargo de la investigación durante todo el proyecto, aunque el asunto pronto me sobrepasó.

Comenzamos con ese huevo El promedio de su radio era de 35 milímetros (eje mayor, 72 milímetros; eje menor, 68 milímetros). La cápsula de oro tenía 2,45 milímetros de grosor. Al estudiar otros huevos después, descubrimos que este valor era bastante alto. El grosor medio resultó ser de 2,1 milímetros.

Por dentro era un huevo. Parecía un huevo y olía como un huevo.

Se analizaron las partes alícuotas y los componentes orgánicos eran bastante normales. La clara era albúmina en un 9,7%. La yema tenía el complemento normal de vitelina, colesterol, fosfolípido y carotenoide. Carecíamos de material suficiente para analizar otros componentes, pero luego, al disponer de más huevos, lo hicimos y no apareció nada anormal en cuanto al contenido de vitaminas, coenzimas, nucleótidos, grupos de sulfhidrilo, etcétera, etcétera.

Descubrimos una importante anomalía en lo concerniente a la conducta del huevo ante el calor. Una pequeña parte de la yema se calentaba, «endureciéndose» de inmediato. Le dimos una porción del huevo hervido a un ratón. Se la comió y sobrevivió.

Yo mordisqueé otro trozo. Una cantidad pequeña, por supuesto, pero me causó náuseas. Puramente psicosomático, sin duda.

Boris W. Finley, del Departamento de Bioquímica de la Universidad de Temple —un asesor del departamento—, supervisó estos análisis. Dijo, refiriéndose al endurecimiento por hervor:

—La facilidad con que se desnaturalizan térmicamente las proteínas del huevo indica una desnaturalización parcial inicial, y teniendo en cuenta la estructura del huevo se trata de una contaminación por metal pesado.

Así que analizamos una parte de la yema en busca de componentes inorgánicos y descubrimos que poseía una elevada proporción de ion de clorarurato, un ion de carga simple y que contiene un átomo de oro y cuatro de cloro, cuyo símbolo es $AuCl4^-$. (El símbolo «Au» para el oro viene de la palabra latina «aurum».) Cuando digo que había una elevada proporción de ion de clorarurato, me refiero a que había 3,2 partes sobre mil; es decir, un 0,32%. Eso es lo suficientemente alto como para formar complejos insolubles de una «proteína de oro» que se coagularía fácilmente.

—Es evidente que no se puede empollar este huevo —señaló Finley—, ni ningún huevo similar. Está envenenado por metal pesado. Tal vez el oro sea más atractivo que el plomo, pero es igual de venenoso para las proteínas.

Asentí sombríamente.

—Al menos, también está a salvo del deterioro.

—En efecto. Ningún parásito que se precie viviría en esta espesura cloraurífera.

Llegó el definitivo análisis espectrográfico del oro: prácticamente puro. La única impureza detectable era el hierro, en un 0,23% del total. El contenido ferroso de la yema también era el doble del normal. Por el momento, sin embargo, olvidamos el tema del hierro.

Una semana después del inicio del Proyecto Gallina se envió una expedición a Tejas. Fueron cinco bioquímicos (aún poníamos el énfasis en la bioquímica, como se ve), junto con tres camiones repletos de equipo y un escuadrón del Ejército. Yo también fui, desde luego.

En cuanto llegamos, aislamos la granja de Mac-Gregor.

Fue una idea afortunada que tomáramos medidas de seguridad desde el principio. El razonamiento era erróneo, pero los resultados fueron buenos.

El Ministerio quería que el Proyecto Gallina se mantuviera en secreto porque aún flotaba la sospecha de que podía ser un fraude, y no queríamos arriesgarnos a quedar en ridículo. Y si no era un fraude no podíamos exponernos al acoso de los reporteros, que inevitablemente vendrían a husmear buscando un artículo sobre los huevos de oro.

Las implicaciones del asunto sólo se aclararon después del comienzo del Proyecto Gallina y de nuestra llegada a la granja de MacGregor.

Naturalmente, a MacGregor no le gustó verse rodeado de hombres y de equipo. No le gustó que le dijeran que la Gallina era propiedad del Gobierno. No le gustó que le confiscaran los huevos.

No le gustó, pero lo aceptó, si se puede hablar de aceptación cuando alguien debe negociar mientras le instalan una ametralladora en el establo y diez hombres con bayoneta calada desfilan frente a su casa.

Recibió una compensación, por supuesto; ¿qué significa el dinero para el Gobierno?

A la Gallina tampoco le gustaron ciertas cosas. Que le extrajeran muestras de sangre, por ejemplo. No nos atrevíamos a anestesiarla por miedo a alterarle el metabolismo, y se necesitaron dos hombres para sujetarla. ¿Alguna vez han intentado ustedes sujetar a una gallina furiosa?

La Gallina quedó bajo vigilancia las veinticuatro horas del día, con amenaza de consejo de guerra sumarísimo para cualquier persona que dejara que algo le ocurriese. Si alguno de esos soldados lee esta historia, quizá llegue a entrever qué sucedía. En tal caso, tendrá la sensatez de cerrar el pico si sabe lo que le conviene.

La sangre de la Gallina se sometió a todos los análisis concebibles.

Tenía dos partes de cien mil (0,002%) de ion de cloraurato. La sangre tomada de la vena hepática era más rica que el resto, casi cuatro partes de cien mil.

—El hígado —gruñó Finley.

Tomamos radiografías. En el negativo, el hígado era una confusa masa de color gris claro, más claro que las vísceras cercanas, porque detenía más rayos X, puesto que contenía más oro. Los vasos sanguíneos eran más claros que el hígado, y los ovarios eran puro blanco. Ningún rayo X atravesó los ovarios.

Tenía sentido, y en uno de los primeros informes Finley lo expuso con la mayor franqueza posible. En una parte del informe se decía:

«El ion de cloraurato es vertido por el hígado en la corriente sanguínea. Los ovarios actúan como una trampa para el ion, que allí es reducido a oro metálico y depositado como una cáscara en torno del huevo en desarrollo. Las concentraciones relativamente altas del ion de cloraurato no reducido penetran en el contenido del huevo en desarrollo.

»Hay pocas dudas de que este proceso permite a la Gallina liberarse de los átomos de oro que, de continuar acumulándose, la envenenarían. La excreción mediante cáscaras de huevo puede ser nueva en el reino animal, tal vez única, pero es innegable que mantiene viva a la Gallina.

»Lamentablemente, sin embargo, el ovario se emponzoña tanto que se ponen pocos huevos, probablemente sólo los necesarios para liberarse del oro acumulado, y esos pocos huevos son imposibles de empollar.»

Esto fue lo que explicó por escrito, pero a los demás nos dijo:

—Eso nos plantea una pregunta embarazosa.

Yo sabía cuál era. Todos lo sabíamos.

¿De dónde venía el oro?

No hubo respuesta por un tiempo, a excepción de algunas pruebas negativas. No se encontró oro perceptible en lo que comía la Gallina ni ésta había engullido ningún guijarro que contuviera oro. No existían rastros de oro en el suelo de la zona y no hallamos nada al examinar la casa y el terreno. No había monedas de oro ni alhajas de oro ni láminas de oro ni relojes de oro ni ninguna otra cosa de oro. Nadie en la granja tenía siquiera empastes de oro en la dentadura.

Estaba la sortija de bodas de la señora MacGregor, desde luego, pero sólo había tenido una en toda su vida y la llevaba puesta.

Entonces, ¿de dónde venía el oro?

Los primeros indicios de la respuesta aparecieron el 16 de agosto de 1955.

Albert Nevis, de Purdue, estaba metiéndole tubos gástricos a la Gallina (otro procedimiento al cual ella se oponía enérgicamente) con la idea de analizar el contenido de su tubo digestivo. Era una de nuestras búsquedas rutinarias de oro exógeno.

Encontramos oro, pero sólo vestigios, y había buenas razones para suponer que esos vestigios habían acompañado a las secreciones digestivas y, por ende, eran de origen endógeno; es decir, interno.

Sin embargo, apareció algo más. Mejor dicho, la carencia de algo.

Yo estaba allí cuando Nevis entró en el despacho que Finley tenía en la estructura prefabricada que habíamos levantado de la noche a la mañana cerca del corral.

—La Gallina tiene poco pigmento biliar —nos informó Nevis—. El contenido del duodeno no muestra casi nada.

Finley frunció el ceño.

—Tal vez la función hepática esté bloqueada a causa de la concentración áurea. Puede que no esté secretando bilis.

—Sí, está secretando bilis —replicó Nevis—. Hay ácidos biliares en cantidad normal, o casi normal. Sólo faltan los pigmentos biliares. He realizado un análisis fecal para confirmarlo. No hay pigmentos biliares.

Quiero explicar algo. Los ácidos biliares son esteroides que el hígado vierte en la bilis y que llegan por esa vía al extremo superior del intestino delgado. Estos ácidos biliares son moléculas similares al detergente, que ayudan a emulsionar la grasa de nuestra dieta —o de la dieta de la Gallina— y la distribuyen en forma de pequeñas burbujas en el contenido acuoso del intestino. Esta distribución u homogeneización facilita la digestión de las grasas.

Los pigmentos biliares —la sustancia que le faltaba a la Gallina— son otra cosa. El hígado los genera a partir de la hemoglobina, esa proteína sanguínea roja y portadora de oxígeno. La hemoglobina consumida se descompone en el hígado, y el hemo es separado. El hemo está compuesto por una molécula cuadrangular llamada porfirina, con un átomo de hierro en el centro. El hígado extrae el hierro y lo almacena para un uso futuro; luego, descompone la molécula cuadrangular que queda. Esta porfirina descompuesta es pigmento biliar. Tiene un color pardusco o verdusco —según los nuevos cambios químicos— y se vierte en la bilis.

Los pigmentos biliares no son útiles para el cuerpo. Se vierten en la bilis como productos de desecho. Atraviesan los intestinos y se expulsan con las heces. Son los responsables del color de las heces.

A Finley le destellaron los ojos.

—Parece ser que el catabolismo de la porfirina no sigue el curso normal en el hígado —dijo Nevis—. ¿No les parece?

Claro que nos parecía.

Después de eso reinó un gran entusiasmo. Por primera vez descubríamos en la Gallina una anomalía metabólica que no estaba directamente relacionada con el oro.

Hicimos una biopsia del hígado (es decir, le sacamos a la Gallina un trozo cilíndrico de hígado). La Gallina sintió dolor, pero no sufrió daño. También tomamos más muestras de sangre.

Aislamos la hemoglobina de la sangre y pequeñas cantidades de los citocromos de las muestras de hígado. (Los citocromos son enzimas oxidizantes y que también contienen hemo.) Separamos el hemo y, en una solución de ácido, una parte se condensó en una forma de sustancia anaranjada y brillante. El 2 de agosto de 1955 teníamos cinco microgramos del compuesto.

El compuesto anaranjado era similar al hemo, pero no era hemo. El hierro del hemo puede estar en la forma de un ion ferroso doblemente cargado $(Fe++)$, o de un ion férrico triplemente cargado $(Fe+++)$, en cuyo caso el compuesto se llama hematina. (A propósito ferroso y férrico vienen de la palabra latina «ferrum».)

El compuesto anaranjado que habíamos separado del hemo tenía la parte de porfirina de la molécula, pero el metal del centro era oro; para ser más específico, un ion áurico triplemente cargado $(Au++)$. Llamamos a este compuesto «aurem», que es simplemente una abreviatura de «hemo áurico».

Nunca se había descubierto un compuesto orgánico natural que contuviera oro. El aurem fue el primero, y normalmente sería noticia de primera plana en el mundo de la bioquímica. Pero ahora no era nada, nada en comparación con los nuevos horizontes que abría su mera existencia.

Al parecer, el hígado no descomponía el hemo en pigmento biliar; en cambio, lo convertía en aurem: reemplazaba el hierro por oro. El aurem, en equilibrio con el ion de clourato, entraba en la corriente sanguínea y era llevado a los ovarios, donde un mecanismo aún no identificado separaba el oro y eliminaba la porfirina de la molécula.

Los nuevos análisis mostraron que el 29% del oro de la sangre de la Gallina se introducía en el plasma en forma de ion de cloraurato; el 71% restante era transportado en corpúsculos de sangre roja en forma de «aureomoglobina». Se hizo un intento de introducir en la Gallina rastros de oro radiactivo, para detectar radiactividad en el plasma y en los corpúsculos y ver cómo los ovarios manejaban las moléculas de aureomoglobina. Nos parecía que la aureomoglobina se debía eliminar más despacio que el ion de cloraurato disuelto en el plasma.

El experimento falló, sin embargo, pues no detectamos radiactividad. Lo atribuimos a la inexperiencia, pues ninguno de nosotros era experto en isótopos, lo cual fue una lástima porque ese fallo resultó ser muy significativo y el no advertirlo nos costó varias semanas.

La auremoglobina se demostró inútil como portadora de oxígeno, pero sólo abarcaba un 0,1% de la hemoglobina total de los glóbulos rojos, de modo que no había interferencia con la respiración de la Gallina.

La pregunta acerca del origen del oro seguía en pie, y fue Nevis quien hizo la sugerencia decisiva.

—Quizás —aventuró, en una reunión que celebramos la noche del 25 de agosto de 1955—, la Gallina no reemplace el hierro con oro. Tal vez transmute el hierro en oro.

Antes de conocer personalmente a Nevis ese verano, yo lo conocía ya por sus publicaciones (se especializa en química biliar y función hepática) y siempre lo había considerado una persona lúcida y cauta. Tal vez excesivamente cauta. Nadie lo consideraría capaz de hacer una afirmación tan ridícula.

Eso demuestra la desesperación y la desmoralización que reinaban en el Proyecto Gallina.

La desesperación procedía de que no había ningún sitio de donde pudiera venir el oro. La Gallina excretaba oro a razón de 38,9 gramos diarios y lo llevaba haciendo desde hacía meses. Ese oro tenía que venir de alguna parte o, de no ser así, debía hacerse a partir de algo.

La desmoralización que nos indujo a examinar la segunda alternativa se debía al hecho de que nos enfrentábamos a la Gallina de los Huevos de Oro. Todo era posible. Todos vivíamos en un mundo de cuento de hadas y eso nos llevaba a perder el sentido de la realidad.

Finley consideró seriamente esa posibilidad:

—La hemoglobina entra en la sangre y sale un poco de auremoglobina. La cáscara de oro de los huevos tiene una sola impureza, el hierro. La yema del huevo no contiene más que dos elementos en cantidad elevada: oro y hierro. Tiene sentido, aunque de un modo descabellado. Necesitaremos ayuda, caballeros.

La necesitábamos, e implicaba una tercera etapa de la investigación. La primera de ellas consistió en mi intervención; la segunda fue el grupo de bioquímicos; y la tercera, la mejor, la más importante, suponía la intrusión de físicos nucleares.

El 5 de septiembre de 1955 llegó John L. Billings, de la Universidad de California. Traía equipo, y en las semanas siguientes llegaron más aparatos. Se estaban construyendo más estructuras prefabricadas. Comprendí que al cabo de un año tendríamos un instituto de investigaciones construido en torno de la Gallina.

Billings se reunió con nosotros la noche del día 5. Finley lo puso al corriente:

—Hay muchos problemas serios en esta idea del hierro que se transforma en oro. Por lo pronto, la cantidad total de hierro de la Gallina sólo puede estar en el orden del medio gramo, pero produce cuarenta gramos de oro al día.

Billings tenía una voz clara y aguda.

—Hay un problema peor —dijo—. El hierro se encuentra en el fondo de la curva de aglomeración. El oro está mucho más elevado. Para convertir un gramo de hierro en un gramo de oro se requiere tanta energía como la que se produce en la fisión de un gramo de uranio 235.

Finley se encogió de hombros.

—Dejaré ese problema en sus manos.

—Lo pensaré.

No se limitó a pensar en ello. Aisló nuevas muestras de hemo de la Gallina, las transformó en cenizas y envió el óxido de hierro a Brookhaven para que efectuaran un análisis isotópico. No había razones específicas para hacer tal cosa; fue sólo una de las muchas investigaciones, pero fue también la que produjo resultados.

Cuando recibimos las cifras, Billings dio un respingo.

—No hay Fe^{56} —dijo.

—¿Y qué pasa con los demás isótopos? —preguntó Finley.

—Todos están presentes en las proporciones relativas apropiadas, pero no se detecta Fe^{56}.

Tendré que dar otra explicación. El hierro natural se compone de cuatro isótopos. Estos isótopos son variedades de átomos que difieren de otros en su peso atómico. Los átomos de hierro con un peso atómico de 56 (Fe^{56}) constituyen el 91,6% de todos los átomos del hierro. Los demás átomos tienen pesos atómicos de 54, 57 y 58.

El hierro del hemo de la Gallina estaba compuesto sólo por Fe^{54}, Fe^{57} y Fe^{58}. La consecuencia era obvia. El Fe^{56} desaparecía, mientras que los demás isótopos no; y esto significaba que se estaba produciendo una reacción nuclear. Una reacción nuclear podía tomar un isótopo y dejar tranquilos a los demás. Una reacción química común, cualquier reacción química, tendría que disponer de todos los isótopos en forma equitativa.

—Pero..., pero es energéticamente imposible —objetó Finley.

Lo dijo con un ligero sarcasmo, teniendo en cuenta el comentario inicial de Billings. Como bioquímicos, sabíamos que en el cuerpo acontecían muchas reacciones que requerían una entrada de energía, y esto se resolvía acoplando la reacción que demandaba energía con una reacción que generaba energía.

Sin embargo, las reacciones químicas despedían o consumían pocas kilocalorías por mol; las reacciones nucleares despedían o consumían millones. Suministrar energía para una reacción nuclear que consumiera energía requería, pues, una segunda reacción nuclear, productora de energía.

No vimos a Billings en dos días. Cuando regresó nos dijo:

—Miren esto. La reacción productora de energía debe producir tanta energía por nucleón involucrado como la que absorbe la reacción consumidora de energía. Si produce un poco menos, la reacción general no funciona. Si produce un poco más, considerando la cantidad astronómica de nucleones involucrados, la energía excedente producida vaporizaría a la Gallina en una fracción de segundo.

—¿Y? —preguntó Finley.

—Pues que el número de reacciones posibles es limitado. He conseguido descubrir un solo sistema probable. El oxígeno 18, si se convierte en hierro 56, produce energía suficiente para transformar el hierro 56 en oro 197. Es como bajar por un lado de una montaña rusa y luego por el otro. Tendremos que verificarlo.

—¿Cómo?

—Podemos verificar primero la composición isotópica del oxígeno de la Gallina.

El oxígeno está integrado por tres isótopos estables, y casi todo es O^{18}. El O^{18} constituye un solo átomo de oxígeno de cada 250.

Otra muestra de sangre. El contenido acuoso fue destilado en el vacío y se sometió una parte al espectrógrafo de masa. Había O^{18}, pero sólo un átomo de oxígeno por cada 1.300. El 80% del O^{18} que esperábamos no se encontraba allí.

—Esto lo corrobora —afirmó Billings—. El oxígeno 18 se consume. Se suministra constantemente en el agua y en la comida que le damos a la Gallina, pero aun así se consume. Se produce así el oro 197. El hierro 56 es un intermediario y, como la reacción que consume hierro 56 es más rápida que la que lo produce, no puede alcanzar una concentración significativa, y el análisis isotópico muestra su ausencia.

No estábamos satisfechos, así que probamos de nuevo. Durante una semana alimentamos a la Gallina con agua enriquecida con O^{18}. La producción de oro se elevó casi en seguida. Al final de una semana producía 45,8 gramos, pero el contenido de O^{18} del agua de su cuerpo no era más alto que antes.

—No cabe la menor duda —dijo Billings. Rompió su lápiz y se puso en pie—. Esa Gallina es un reactor nuclear viviente.

La Gallina era obviamente una mutación.

Una mutación sugería radiación, entre otras cosas, y la radiación nos recordó las pruebas nucleares realizadas en 1952 y en 1953 a cientos de kilómetros de la granja de MacGregor. (Si alguien piensa que nunca se realizaron pruebas nucleares en Tejas, eso sólo indica dos cosas: que yo no estoy contándolo todo y que ustedes no lo saben todo.)

Dudo que en ningún momento de la historia de la era atómica la radiación de fondo se haya analizado tan exhaustivamente ni que el contenido radiactivo del suelo se haya examinado con tanto rigor.

Se estudiaron documentos previos, sin importar lo

secretos que fueran; a esas alturas, el Proyecto Gallina tenía la mayor prioridad que jamás se hubiera concedido.

Incluso analizamos informes meteorológicos para seguir la conducta de los vientos en la época de las pruebas nucleares.

Aparecieron dos elementos.

Primero: la radiación de fondo de la granja era un poco más alta de lo normal. Nada dañino, me apresuro a añadir. Había indicios, sin embargo, de que en el momento del nacimiento de la Gallina la granja había estado en las inmediaciones de, por lo menos, dos precipitaciones radiactivas. Nada dañino, insisto.

Segundo: la Gallina era la única de su especie, la única de todas las criaturas de la granja que pudimos analizar, humanos incluidos, que no revelaba radiactividad. Mirémoslo así: todo muestra vestigios de radiactividad; eso es lo que significa radiación de fondo. Pero la Gallina no mostraba ninguno.

Finley envió un informe el 6 de diciembre de 1955, una parte del cual era como sigue:

«La Gallina es una mutación extraordinaria, nacida en un ámbito de alta radiactividad que alentaba mutaciones en general y que hizo de esta mutación en particular una mutación beneficiosa.

»La Gallina tiene sistemas enzimáticos capaces de catalizar varias reacciones nucleares. Ignoramos si el sistema enzimático contiene una enzima o más. Tampoco sabemos nada sobre la naturaleza de las enzimas en cuestión. Tampoco se puede formular ninguna teoría en cuanto a cómo una enzima puede catalizar una reacción nuclear, pues éstas involucran interacciones con fuerzas que superan en cinco órdenes de magnitud a las involucradas en las reacciones químicas comunes que las enzimas suelen catalizar.

»El cambio nuclear general es de oxígeno 18 a oro 197. El oxígeno 18 abunda en este ámbito, pues se halla en gran cantidad en el agua y en todos los alimentos orgánicos. El oro 197 es excretado a través de los ovarios. Un intermediario conocido es el hierro 56, y el hecho de que se forme auremoglobina nos induce a sospechar que la enzima o enzimas pueden tener al hemo como grupo protésico.

»Se ha reflexionado bastante sobre el valor que este cambio nuclear podría revestir para la Gallina. El oxígeno 18 no es nocivo y el oro 197 resulta difícil de eliminar, es potencialmente venenoso y causa esterilidad. Su formación podría ser un medio de evitar un peligro mayor. Este peligro...»

Pero la mera lectura del informe, amigo lector, crea una impresión de placidez reflexiva. En realidad, nunca he visto un hombre tan cerca de la apoplejía como lo estaba Billings cuando oyó hablar de esos experimentos con oro radiactivo que mencioné antes; los experimentos en los que no detectamos ninguna radiactividad en la Gallina, por lo cual los desechamos.

Nos preguntó una y otra vez que cómo podíamos haberle quitado importancia a la pérdida de radiactividad.

—Son ustedes como un periodista novato al que se envía a cubrir una boda de sociedad y, al regresar, dice que no hay artículo porque el novio no se ha presentado. Le dieron oro radiactivo y se perdió. No sólo eso, sino que no detectaron ustedes radiactividad natural en la Gallina; ni carbono 14; ni potasio 40. Y a eso lo llamaron fracaso.

Comenzamos a alimentar a la Gallina con isótopos radiactivos. Al principio, con cautela; pero, antes del fin de enero de 1956, le dábamos montones de ellos.

La Gallina permanecía sin radiación.

—Lo que ocurre —explicó Billings— es que este proceso nuclear catalizado por enzimas logra convertir todo isótopo inestable en un isótopo estable.

—Eso es provechoso —comenté ya.

—¿Provechoso? ¡Es una cosa hermosa! Se trata de la defensa perfecta contra la era atómica. Escuchen, la conversión de oxígeno 18 en oro 197 libera ocho positrones y una fracción por cada átomo de oxígeno. Eso significa ocho rayos gamma y una fracción en cuanto cada positrón se combina con un electrón. Tampoco hay rayos gamma. La Gallina debe de ser capaz de absorber rayos gamma sin sufrir daño alguno.

Rociamos a la Gallina con rayos gamma. Al elevarse el nivel, tuvo una fiebre leve e interrumpimos la operación, asustados. Pero era sólo fiebre, no enfermedad por radiación. Pasó un día, la fiebre bajó y la Gallina estaba perfecta.

—¿Ven ustedes lo que tenemos? —preguntó Billings.

—Una maravilla científica —respondió Finley.

—¡Hombre!, ¿es que no ve las aplicaciones prácticas? Si pudiéramos descubrir el mecanismo y reproducirlo en el tubo de ensayo, tendríamos un método perfecto para eliminar cenizas radiactivas. El mayor obstáculo para promover una economía atómica en gran escala es el contratiempo de qué hacer con los isótopos radiactivos generados durante el proceso. Y bastaría con pasarlos por un preparado enzimático en grandes toneles. Si descubriéramos ese mecanismo, caballeros, podríamos dejar de preocuparnos de las precipitaciones radiactivas; hallaríamos una protección contra la enfermedad por radiación. Si alteramos el mecanismo, podemos tener gallinas que excreten cualquier elemento que necesitemos. ¿Qué les parece huevos de uranio 235? ¡El mecanismo! ¡El mecanismo!

Y todos nos quedamos mirando a la Gallina.

Si se pudiera empollar esos huevos... Si pudiéramos conseguir una bandada de gallinas semejantes a reactores nucleares...

—Debe de haber ocurrido con anterioridad —observó Finley—. Las leyendas sobre estas gallinas debieron de originarse de algún modo.

—¿Quiere usted esperar? —preguntó Billings.

Si tuviéramos un grupo de esas gallinas podríamos comenzar a diseccionar algunas; estudiaríamos sus ovarios; prepararíamos muestras de tejido y homogenatos de tejido.

Tal vez no sirviera de nada. El tejido de una biopsia de hígado no reaccionaba con el oxígeno 18 en ninguna de las condiciones que probamos.

Pero quizá pudiéramos rociar un hígado intacto. Podríamos estudiar embriones intactos y observar si alguno desarrollaba el mecanismo.

Pero con una sola Gallina no podíamos hacer nada de eso.

No nos atrevíamos a matar a la Gallina de los Huevos de Oro. El secreto estaba en el hígado de esa gorda Gallina.

¡Vaya paté de hígado que nos habían servido! La frustración era realmente indigesta.

—Necesitamos una idea —dijo Nevis pensativamente—. Un enfoque radicalmente distinto. Un pensamiento crucial.

—Con hablar no ganamos nada —refunfuñó Billings, abatido.

Y en un malogrado intento de bromear, yo dije:

—Podríamos hacerlo público en los periódicos. —Y eso me dio una idea y exclamé—: ¡Ciencia ficción!

—¿Qué? —preguntó Finley.

—Escuchen, las revistas de ciencia ficción publican historias en tono de broma. A los lectores les divierten. Se interesan por ellas. —Les hablé de las historias de Asimov sobre la tiotimolina, que yo había leído en otros tiempos. La atmósfera era fría y reprobatoria—. Ni siquiera atentaríamos contra las normas de seguridad —insistí—, porque nadie se lo creería. —Les hablé también de aquella vez en 1944, cuando Cleve Cartmill escribió un cuento donde describía la bomba atómica con un año de antelación y el FBI se calló la boca—. Y los lectores de ciencia ficción tienen ideas. No los subestimen. Aunque ellos lo consideren una historia de broma, enviarán sus ideas al jefe de redacción. Y ya que no tenemos ideas propias, ya que nos encontramos en un callejón sin salida, ¿qué podemos perder?

Aún no estaban convencidos.

—Además —añadí—, la Gallina no vivirá eternamente.

Eso dio resultado.

Tuvimos que convencer a Washington; luego, me puse en contacto con John Campbell, director de la revista, y él habló con Asimov.

Ahora, la historia ya está escrita. La he leído, la apruebo y ruego a los lectores que no se la crean. No, por favor.

Pero...

¿Alguna idea?

GALEOTE

La empresa Robots y Hombres Mecánicos de Estados Unidos, la parte acusada, tenía suficiente influencia como para forzar un juicio sin jurado, a puerta cerrada.

La Universidad del Noreste no se molestó en impedirlo. Los síndicos sabían cómo podía reaccionar el público ante cualquier problema relacionado con la mala conducta de un robot, por anómala que fuera esa conducta. Sabían también que una manifestación contra los robots podía transformarse rápidamente en una manifestación contra la ciencia.

El Gobierno, representado por el juez Harlow Shane, también estaba deseando poner un final silencioso a ese enredo. No convenía contrariar ni a la compañía ni al mundo académico.

—Como no están presentes la prensa, el público ni el jurado —dijo el juez Shane—, omitamos las ceremonias y vayamos al grano.

Sonrió de mala gana, quizá sin mayor esperanza de que esa solicitud surtiera efecto, y se subió la toga para sentarse más cómodamente. Tenía rostro rubicundo, barbilla redonda y blanda, nariz ancha y ojos claros y separados. No era un rostro imponente y el juez lo sabía.

Barnabas H. Goodfellow, profesor de Física en la

Universidad del Noreste, fue el primero en comparecer, prestando el juramento habitual con una expresión que daba un mentís a su apellido*.

Después de las preguntas iniciales de costumbre, el fiscal se metió las manos en los bolsillos y dijo:

—¿Cuándo se le llamó la atención, profesor, sobre el posible empleo del robot EZ-27, y cómo?

El rostro menudo y anguloso del profesor Goodfellow adoptó una expresión crispada, apenas más benévola que la anterior.

—He mantenido contacto profesional y una cierta relación social con el profesor Alfred Lanning, director de investigaciones de Robots y Hombres Mecánicos. De modo que estaba dispuesto a escuchar con cierta tolerancia cuando recibí su extraña sugerencia el 3 de marzo del año pasado...

—¿Del 2033?

—En efecto.

—Excúseme por la interrupción. Continúe, por favor.

El profesor asintió con frialdad, frunció el ceño para ordenarse las ideas y comenzó a declarar.

El profesor Goodfellow miró al robot con aprensión. Lo habían trasladado a esa sala del sótano en una caja de embalaje, respetando las normas que regulaban el embarque de robots de un lado al otro de la superficie terrestre.

Sabía que iba a llegar; no era que no estuviese preparado. Lanning le había telefoneado el 3 de marzo y él se dejó persuadir, con el inevitable resultado de que ahora se encontraba frente a un robot.

* *A god fellow* se utiliza como «una buena persona». *(N. del T.)*

Era mucho más grande de lo común.

Alfred Lanning también miró al robot, como cerciorándose de que no hubiera sufrido daños en el traslado. Luego, volvió sus cejas enérgicas y la melena de su cabello blanco hacia el profesor.

—Éste es el robot EZ-27, el primero de su modelo que será accesible al uso público. —Se giró hacia el robot—. Te presento al profesor Goodfellow, Easy.

Easy habló en un tono neutro, pero tan de súbito que el profesor se sobresaltó.

—Buenas tardes, profesor.

Easy tenía más de dos metros de altura y las proporciones de un hombre, un detalle distintivo de la compañía, que, gracias a ese detalle y a la posesión de las patentes básicas del cerebro positrónico, disfrutaba del monopolio en materia de robots y de un cuasimonopolio en materia de ordenadores.

Los dos hombres que habían desenvuelto el robot se marcharon y el profesor miró a Lanning, al robot y de nuevo a Lanning.

—Estoy seguro de que es inofensivo —dijo, aunque no parecía tan seguro.

—Más inofensivo que yo —afirmó Lanning—. A mí podrían persuadirme de pegarle a usted, pero nadie podría persuadir a Easy. Supongo que conoce las tres leyes de la robótica.

—Sí, por supuesto.

—Están incorporadas a los patrones positrónicos del cerebro y deben ser respetadas. La primera ley, la regla primordial de la existencia robótica, salvaguarda la vida y el bienestar de todos los humanos. —Hizo una pausa, se frotó la mejilla y añadió—: Es algo de lo cual quisiéramos persuadir a toda la Tierra si pudiéramos.

—Es que tiene un aspecto impresionante.

—Concedido. Pero al margen de su apariencia descubrirá usted que es útil.

—No sé en qué sentido. Nuestras conversaciones no fueron muy esclarecedoras. Aun así, acepté echarle un vistazo y aquí me tiene.

—Haremos algo más que echar un vistazo, profesor. ¿Ha traído un libro?

—Sí.

—¿Puedo verlo?

El profesor Goodfellow bajó la mano sin apartar los ojos de la figura humanoide y metálica. Sacó un libro del maletín que tenía a sus pies.

Lanning extendió la mano y miró el lomo: *Química física de los electrolitos en solución*.

—Perfecto. Usted lo seleccionó al azar. El texto no fue sugerencia mía. ¿De acuerdo?

—Sí.

Lanning le pasó el libro al robot EZ-27.

El profesor se sobresaltó.

—¡No! ¡Es un libro valioso!

Lanning enarcó las cejas, que parecían coco en polvo.

—Easy no piensa romper el libro en una demostración de fuerza, se lo aseguro. Puede manejar un libro con tanto cuidado como usted o como yo. Adelante, Easy.

—Gracias —dijo Easy. Y volviendo ligeramente su corpachón de metal añadió—: Con su permiso, profesor Goodfellow.

El profesor lo miró anonadado.

—Sí... Sí, claro.

Moviendo con lentitud y firmeza los dedos de metal, Easy pasaba una página del libro, echaba una ojeada a la página de la izquierda y otra a la de la derecha; pasaba la página, miraba a la izquierda y a la derecha; pasaba otra página, y repitió esa operación minuto tras minuto. Su aire resultaba imponente aun en esa vasta sala de paredes de cemento, y los dos observadores humanos parecían enclenques por comparación.

—La luz no es muy buena —murmuró Goodfellow.

—Servirá.

—¿Pero qué está haciendo?

—Paciencia, por favor.

Al fin, el robot pasó la última página.

—¿Qué opinas, Easy? —preguntó Lanning.

—Es un libro muy preciso y puedo efectuar pocas observaciones —contestó el robot—. En la línea 22 de la página 27, la palabra «positivo» está escrita p-o-i-s-t-i-v-o. La coma de la línea 6 de la página 32 es superflua, mientras que se debió poner una coma en la línea 13 de la página 54. El signo más de la ecuación XIV-2 de la página 337 debería ser un signo menos para guardar coherencia con las ecuaciones anteriores...

—¡Un momento! —exclamó el profesor—. ¿Qué está haciendo?

—¿Haciendo? —repitió Lanning, con súbita irritación—. ¡Caramba, ya lo ha hecho! Ha leído ese libro como un corrector de pruebas.

—¿Como un corrector de pruebas?

—Sí. En el breve tiempo que le llevó pasar las páginas, ha detectado todos los errores de ortografía, gramática y puntuación. Ha captado las incoherencias y los errores en el orden de las palabras. Y retendrá la información al pie de la letra indefinidamente.

El profesor estaba boquiabierto. Echó a andar, alejándose de Lanning y de Easy, y regresó. Se cruzó los brazos sobre el pecho y los miró fijamente.

—¿Este robot es un corrector de pruebas? —preguntó.

Lanning asintió.

—Entre otras cosas.

—¿Y por qué me lo muestra usted?

—Para que me ayude a convencer a la universidad de que adquiera uno.

—¿Para corregir pruebas?

—Entre otras muchas cosas —repitió pacientemente Lanning.

El profesor frunció el rostro con ceñuda incredulidad.

—¡Pero esto es ridículo!

—¿Por qué?

—La universidad nunca podría pagar este corrector de pruebas de media tonelada, que eso es lo que debe de pesar.

—No sólo corrige pruebas. Prepara informes a partir de resúmenes, llena formularios, sirve como archivo de memoria, actualiza ponencias...

—¡Nimiedades!

—No tanto, como le mostraré en seguida. Pero creo que podremos hablar más cómodamente en su despacho, si usted no se opone.

—Claro que no —dijo el profesor mecánicamente, dio un paso como para salir y añadió—: Pero el robot... No podemos llevar al robot. Tendrá que guardarlo de nuevo en la caja.

—Podemos dejarlo aquí.

—¿Sin vigilancia?

—¿Por qué no? Él sabe que debe quedarse. Profesor Goodfellow, tiene usted que comprender que un robot es mucho más fiable que un ser humano.

—Yo sería el responsable de cualquier daño...

—No habrá daños, se lo garantizo. Mire, es tarde. Usted no espera a nadie hasta mañana por la mañana. El camión y mis dos hombres están ahí fuera. La empresa se responsabilizará de cualquier incidente, aunque no va a ocurrir nada. Tómelo como una demostración de la fiabilidad del robot.

El profesor se dejó conducir fuera del sótano. Pero no parecía tenerlas todas consigo una vez en su despacho, cinco pisos más arriba.

Se enjugó las gotas que le perlaban la frente con un pañuelo blanco.

—Como usted sabe muy bien, Lanning, hay leyes contra el uso de robots en la superficie terrestre.

—Las leyes, profesor Goodfellow, no son tan simples. No puede hacerse uso de robots en avenidas públicas ni dentro de edificios públicos. No se pueden usar en terrenos ni edificios privados, excepto con ciertas restricciones que, por lo general, son prohibitivas. La universidad es una institución vasta y de propiedad privada que recibe tratamiento preferencial. Si el robot se utiliza sólo en una sala específica y sólo con propósitos académicos, si se observan ciertas restricciones y si los hombres y las mujeres que entran en esa sala prestan su plena colaboración, nos mantendremos dentro de la ley.

—¿Tantos problemas sólo para corregir pruebas?

—Los usos serían infinitos, profesor. Hasta ahora sólo se ha utilizado mano de obra robótica para aliviar las tareas físicas rutinarias. Pero hay también tareas mentales rutinarias. Si un profesor creativo está obligado a pasarse dos semanas revisando penosamente la ortografía de unos trabajos impresos y yo le ofrezco una máquina que puede hacerlo en treinta minutos, ¿le parece eso una nimiedad?

—Pero el precio...

—El precio no es problema. Usted no puede comprar a EZ-27, pues mi empresa no vende sus productos. Pero la universidad puede alquilar a EZ-27 por mil dólares anuales; mucho menos que lo que cuesta un espectrógrafo de microondas de grabación continua.

Goodfellow se quedó estupefacto, y Lanning aprovechó la oportunidad:

—Sólo le pido que plantee el asunto ante las personas que toman las decisiones. Yo estaría encantado de hablar con ellos si quieren más información.

—Bueno... —aceptó dubitativamente Goodfellow—, puedo mencionarlo en la reunión del senado la próxima semana. Pero no le puedo prometer que sirva de algo.

—Naturalmente —dijo Lanning.

El abogado defensor era bajo y rechoncho y caminaba con cierto aplomo, en una postura que le acentuaba la papada. Miró fijamente al profesor Goodfellow, una vez que le cedieron el turno para interrogar al testigo.

—Usted aceptó sin vacilar, ¿verdad? —dijo.

El profesor se apresuró a responder:

—Supongo que deseaba librarme del profesor Lanning. Habría aceptado cualquier cosa.

—¿Con la intención de olvidarse de ello cuando él se fuera?

—Bien...

—No obstante, usted planteó el asunto ante una reunión de la junta ejecutiva del senado universitario.

—Sí, lo hice.

—Así que siguió la sugerencia del profesor Lanning. No se limitó a aceptar simbólicamente, sino que aceptó con entusiasmo, ¿no es así?

—Simplemente me atuve a los procedimientos habituales.

—En realidad, el robot no le atemorizaba tanto como afirma ahora. Usted conoce las tres leyes de la robótica y las conocía en el momento de su entrevista con el profesor Lanning.

—Sí.

—Y estaba dispuesto a dejar a un robot suelto y sin custodia.

—El profesor Lanning me aseguró...

—Usted nunca habría aceptado la palabra del profesor si hubiera abrigado el menor temor de que el robot fuese peligroso.

—Tenía fe en la palabra...

—Eso es todo —le interrumpió bruscamente el defensor.

Cuando el agitado profesor Goodfellow, bastante aturdido, se retiró del estrado, el juez Shane se inclinó hacia delante y dijo:

—Como no soy experto en robótica, me gustaría saber con exactitud cuáles son las tres leyes de la robótica. ¿Tendría el profesor Lanning la amabilidad de citarlas?

Lanning se sorprendió. Estaba hablando en voz baja con la mujer canosa que tenía al lado. Se puso de pie y la mujer irguió un rostro inexpresivo.

—Muy bien, señoría. —Lanning hizo una pausa como para iniciar un discurso y manifestó, con exagerada claridad—: Primera Ley: un robot no debe dañar a un ser humano ni, por inacción, permitir que un ser humano sufra daño. Segunda Ley: un robot debe obedecer las órdenes impartidas por los seres humanos, excepto cuando dichas órdenes estén reñidas con la Primera Ley. Tercera Ley: un robot debe proteger su propia existencia, mientras dicha protección no esté reñida ni con la Primera ni con la Segunda Ley.

—Entiendo —aprobó el juez, tomando notas con rapidez—. Estas leyes están incorporadas a todos los robots, ¿verdad?

—A cada uno de ellos. Cualquier robotista puede atestiguarlo.

—¿Y en el robot EZ-27, específicamente?

—Sí, señoría.

—Tal vez deba repetir estas declaraciones bajo juramento.

—Estoy dispuesto a hacerlo, señoría.

Se sentó de nuevo.

Susan Calvin, robopsicóloga jefa de Robots y Hombres Mecánicos, la mujer canosa sentada junto a Lanning, miró a su superior con severidad (miraba a todos los seres humanos con severidad).

—¿El testimonio de Goodfellow fue exacto, Alfred?

—En lo esencial sí —murmuró Lanning—. Él no estaba tan intimidado por el robot y estuvo muy dispuesto a hablar de negocios en cuanto oyó el precio. Pero no hay alteraciones graves.

—Hubiera sido conveniente poner un precio superior a mil dólares —comentó pensativa la doctora.

—Estábamos deseando colocar a Easy.

—Lo sé. Demasiada ansiedad, tal vez. Tratarán de insinuar que teníamos algún otro motivo.

—Lo teníamos —gruñó Lanning—. Lo admití en la reunión del senado universitario.

—Pueden insinuar que teníamos otro además del que admitimos.

Scott Robertson, hijo del fundador de la empresa y propietario de la mayor parte de las acciones, se inclinó por el otro lado de la doctora Calvin y susurró:

—¿Por qué no hace que hable Easy, para que sepamos dónde estamos?

—Usted sabe que él no puede hablar de ello, señor Robertson.

—Es usted la psicóloga, doctora Calvin. Hágale hablar.

—Si yo soy la psicóloga, señor Robertson —replicó fríamente Susan Calvin—, deje que sea yo quien tome las decisiones. Mi robot no será obligado a hacer nada al precio de su bienestar.

Robertson frunció el ceño, dispuesto a replicar a su vez, pero el juez Shane dio unos golpecitos con el mazo cortésmente y todos guardaron silencio de mala gana.

Francis J. Hart, jefe del Departamento de Inglés y decano de Estudios de Posgrado, se hallaba en el estrado. Era un hombre regordete, meticulosamente vestido con ropa oscura y de corte conservador. Varios mechones de cabello le atravesaban la rosada coronilla. Estaba sentado con las manos entrelazadas sobre las piernas y, cada poco tiempo, sonreía apretando los labios.

—Mi primera participación en el asunto del robot EZ-27 —declaró— fue con motivo de la sesión del comité ejecutivo del senado de la universidad, donde el profesor Goodfellow presentó el tema. Luego, el 10 de abril del año pasado, celebramos una reunión especial para tratar el asunto, y yo la presidí.

—¿Se tomó acta de la reunión del comité ejecutivo, o de esa reunión especial?

—No. Fue una reunión bastante excepcional. —El decano sonrió—. Consideramos que convenía mantener una cierta reserva.

—¿Qué sucedió en esa reunión?

El decano Hart no se sentía a gusto como presidente de esa reunión. Tampoco los demás miembros parecían demasiado tranquilos. Sólo el profesor Lanning parecía en paz consigo mismo. Con su figura alta y esbelta y su melena de cabello blanco, evocaba un retrato de Andrew Jackson.

En el centro de la mesa había muestras del trabajo del robot, y el profesor Minott de química física tenía en sus manos la reproducción de un gráfico dibujado por el robot. El químico fruncía los labios en un gesto de aprobación.

Hart se aclaró la garganta y dijo:

—Parece indudable que el robot puede realizar ciertas tareas de rutina con adecuada competencia. Por ejemplo, he revisado esto antes de entrar y hay poquísimos reparos que poner.

Cogió una larga hoja impresa, el triple de larga que una página común de un libro. Era una hoja de unas galeradas, destinadas a ser corregidas por los autores antes de que el texto se compaginara. A lo largo de los dos anchos márgenes de la hoja había marcas, claras y perfectamente legibles. Algunas palabras aparecían tachadas y estaban reemplazadas en el margen por caracteres tan pulcros y regulares que parecían letra de imprenta. Unas correcciones estaban en azul, para indicar que el error original era del autor; otras, en rojo, indicativas de que se trataba de un error de impresión.

—En realidad —intervino Lanning—, yo diría que hay poquísimos reparos. Diría que no hay ninguno, profesor Hart. Estoy seguro de que las correcciones son perfectas, en la medida en que lo era el manuscrito original. Si el manuscrito con el cual se cotejaron estas galeradas contenía inexactitudes, al margen de los problemas idiomáticos, el robot no es competente para corregirlas.

—Lo aceptamos. De todas formas, en ocasiones el robot modificó el orden de las palabras y no creo que las reglas de nuestro idioma sean tan rígidas como para tener la certeza de que la opción del robot fue la correcta en cada caso.

—El cerebro positrónico de Easy —replicó Lanning, mostrando sus grandes dientes en una sonrisa—se modeló según el contenido de todas las obras autorizadas sobre el tema. Estoy seguro de que no puede usted señalar un solo caso donde la elección del robot fuera claramente incorrecta.

El profesor Minott apartó los ojos del gráfico que seguía teniendo en la mano.

—La pregunta que a mí se me ocurre, profesor Lanning, es por qué necesitamos un robot, con todas las dificultades en relaciones públicas que ello supondría. La ciencia de la automatización ha llegado sin duda al punto en que su empresa podría diseñar una máquina, un ordenador común de un tipo conocido y aceptado por el público, que corrigiera galeradas.

—Claro que podríamos, pero esa máquina requeriría que las galeradas fueran traducidas a símbolos especiales o, al menos, transcritas en cinta. Las correcciones aparecerían en símbolos. Sería preciso emplear gente que tradujera palabras a símbolos y símbolos a palabras. Más aún, ese ordenador no podría realizar ninguna otra tarea. No podría preparar el gráfico que usted tiene en la mano, por ejemplo. —Minott emitió un gruñido—. La característica distintiva del robot positrónico es su adaptabilidad. Puede realizar diversas tareas. Su diseño humanoide lo habilita para utilizar herramientas y máquinas que están destinadas, a fin de cuentas, al uso humano. Habla, y uno puede hablarle. Hasta cierto punto se puede razonar con él. Comparado incluso con un robot sencillo, cualquier ordenador común con un cerebro no positrónico es sólo una pesada máquina de sumar.

—Si todos hablamos y razonamos con el robot —intervino Goodfellow—, ¿qué probabilidades hay de desconcertarlo? Supongo que no tiene capacidad para absorber una cantidad infinita de datos.

—No, no la tiene. Pero dura cinco años con un uso ordinario. Sabrá cuándo necesita una limpieza, y nuestra empresa realizará el trabajo sin cargo.

—¿La empresa?

—Sí. La compañía se reserva el derecho de atender al robot fuera de sus tareas asignadas. Es una de las razones por las cuales conservamos el control de nuestros robots positrónicos y los alquilamos en vez de venderlos. En el cumplimiento de sus funciones ordinarias, cualquier robot puede ser dirigido por cualquier hombre. Fuera de esas funciones, un robot requiere un manejo experto, y nosotros podemos ofrecerlo. Por ejemplo, cualquiera de ustedes puede borrar la mente de un robot EZ hasta cierto punto, diciéndole que olvide tal o cual cosa. Pero seguramente dirán la frase de un modo que le hará olvidar demasiado o demasiado poco. Nosotros detectaríamos esa irregularidad, porque lleva incorporados unos dispositivos de seguridad.

»De todos modos, como normalmente no es preciso borrar datos ni realizar otras tareas inútiles, esto no supone ningún problema.

El decano Hart se tocó la cabeza, como para así cerciorarse de que los mechones de su cabello estuvieran distribuidos de modo uniforme.

—Usted está deseando que nos quedemos con esa máquina —dijo—, pero sin duda su empresa pierde dinero con el trato. Mil dólares por año es un precio ridículamente bajo. ¿Acaso así espera alquilar otras máquinas semejantes a otras universidades a un precio más razonable?

—Por supuesto —admitió Lanning.

—Pero aun así la cantidad de máquinas que podría alquilar sería limitada. Dudo que resultara ser un buen negocio.

Lanning apoyó los codos en la mesa y se inclinó hacia delante.

—Lo diré sin rodeos, caballeros. Los robots no se pueden utilizar en la Tierra, excepto en casos especiales, a causa de un prejuicio que existe contra ellos por parte del público. Robots y Hombres Mecánicos es una compañía de gran éxito en los mercados extraterrestres y en las rutas espaciales, por no mencionar nuestras subsidiarias de ordenadores. Sin embargo, no nos interesan sólo los beneficios económicos; mantenemos la firme creencia de que el uso de robots en la Tierra significaría una vida mejor para todos, aunque al principio se produjeran ciertos trastornos de índole económica.

»Naturalmente, los sindicatos están contra nosotros, pero sin duda podemos esperar cooperación por parte de las grandes universidades. El robot Easy ayudará a eliminar las tareas académicas pesadas y aburridas, adoptando, si se me concede la libertad de expresarlo así, el papel de esclavo en galeras. Otras universidades e instituciones de investigación seguirán el ejemplo y, si da resultado, tal vez podamos colocar otros robots de otros tipos y logremos superar paulatinamente el rechazo del público.

—Hoy la Universidad del Noreste, mañana el mundo —murmuró Minott.

Lanning le susurró irritado a Susan Calvin:

—Ni yo fui tan elocuente ni ellos estaban tan reacios. A mil dólares por año, se morían de ganas de tener a Easy. El profesor Minott me dijo que nunca había visto un trabajo tan bello como ese gráfico y que no había errores en las galeradas ni en ninguna otra parte. Hart lo admitió sin reservas.

Las severas arrugas verticales del rostro de la doctora Calvin no se ablandaron.

—Tendrías que haber pedido más dinero del que podían pagar, Alfred, y dejar que regatearan.

—Tal vez —gruñó Lanning.

El fiscal aún no había terminado con el profesor Hart.

—Cuando se fue el profesor Lanning, ¿se votó sobre la aceptación del robot EZ-27?

—Sí, en efecto.

—¿Con qué resultado?

—En favor de la aceptación, por voto mayoritario.

—¿Qué influyó sobre ese voto, en su opinión?

La defensa protestó de inmediato.

El fiscal replanteó la pregunta:

—¿Qué influyó sobre su voto personal? Creo que usted votó a favor.

—Sí, voté a favor. Lo hice principalmente porque me impresionó la afirmación del profesor Lanning de que era nuestro deber, en cuanto representantes de la dirección intelectual del mundo, permitir que la robótica ayudara al hombre a solucionar sus problemas.

—En otras palabras, el profesor Lanning le convenció.

—Es su trabajo y lo hizo muy bien.

—Su testigo.

El defensor se aproximó al estrado y examinó durante unos largos segundos al profesor Hart. Luego, dijo:

—En realidad, todos ustedes estaban bastante ansiosos de poder utilizar el robot EZ-27, ¿no es así?

—Pensábamos que nos sería útil si era capaz de realizar el trabajo.

—¿Si era capaz de realizar el trabajo? Entiendo que usted examinó las muestras del trabajo del robot EZ-27 con sumo cuidado el día de la reunión que acaba de describir.

—Sí, lo hice. Como la tarea de la máquina se relacionaba principalmente con el manejo del idioma, y dado que ésa es mi principal área de competencia, parecía lógico que fuera yo el escogido para examinar ese trabajo.

—Muy bien. ¿Había en la mesa, en el momento de la reunión, algo que resultara insatisfactorio? Tengo todo el material aquí, como parte de las pruebas; ¿puede usted señalar algo que fuera insatisfactorio?

—Bueno...

—Es una pregunta sencilla. ¿Había una sola cosa insatisfactoria? Usted lo inspeccionó todo. ¿La había?

El profesor frunció el ceño.

—No.

—También tengo algunas muestras del trabajo realizado por el robot EZ-27 durante sus catorce meses de labor en la universidad; ¿lo examinaría usted y me indicaría si hay algún problema en alguna de ellas?

—Cuando cometía un error, era una belleza.

—¡Responda a mi pregunta —vociferó el defensor— y sólo a la pregunta que le hago! ¿Hay algún error en este material?

El decano Hart lo miró todo con cautela.

—No, ninguno.

—Al margen de la cuestión que a todos nos ocupa, ¿sabe de algún error por parte de EZ-27?

—Al margen de la cuestión que es objeto de este juicio, no.

El defensor carraspeó, como para indicar un punto y aparte.

—Ahora bien, en cuanto al voto concerniente a la aceptación del robot EZ-27, usted dijo que había una mayoría a favor. ¿Cuál fue el resultado exacto?

—Trece contra uno, si mal no recuerdo.

—¡Trece contra uno! Algo más que una mayoría, ¿no le parece?

—¡No, señor! —el decano Hart no pudo contener su pedantería—. La palabra «mayoría» significa «más de la mitad». Trece sobre catorce es una mayoría, nada más.

—Pero una mayoría casi unánime.

—¡Una mayoría como cualquier otra!

El defensor cambió de enfoque:

—¿Y quién fue el único que se opuso?

El decano Hart parecía encontrarse muy incómodo.

—El profesor Simon Ninheimer.

El defensor fingió sorpresa.

—¿El profesor Ninheimer? ¿El jefe del Departamento de Sociología?

—Sí, señor.

—¿El querellante?

—Sí, señor.

El defensor frunció los labios.

—En otras palabras, resulta que el hombre que entabla un pleito de 750.000 dólares por daños y perjuicios contra mi cliente, Robots y Hombres Mecánicos S. A., fue el hombre que se opuso desde el principio al uso del robot, aunque todos los demás integrantes del comité ejecutivo del senado universitario estaban convencidos de que era una buena idea.

—Votó contra la moción, como era su derecho.

—En su descripción de la reunión usted no ha citado ninguna observación del profesor Ninheimer; ¿hizo alguna?

—Creo que habló.

—¿Cree?

—Bueno, sí que habló.

—¿Contra el uso del robot?

—Sí.

—¿Se expresó con violencia?

El decano Hart hizo una pausa antes de contestar:

—Se expresó con vehemencia.

El defensor adoptó un tono confidencial.

—¿Cuánto tiempo hace que conoce al profesor Ninheimer, decano Hart?

—Unos doce años.

—¿Es suficiente?

—Yo diría que sí.

—Conociéndolo, pues, ¿diría usted que es la clase de hombre que seguiría guardándole rencor a un robot, máxime cuando un voto adverso...?

El fiscal ahogó el resto de la pregunta con una indignada y ferviente protesta. La defensa dio por terminado su interrogatorio y el juez Shane propuso un receso para almorzar.

Robertson trituraba furioso su sándwich. La empresa no se iría a pique por una pérdida de 750.000 dólares, aunque perderlos tampoco sería beneficioso. Por otra parte, sabía que habría consecuencias mucho más perjudiciales en cuanto a las relaciones públicas.

—¿A qué viene tanta palabrería sobre cómo entró Easy en la universidad? —masculló—. ¿Qué esperan ganar?

—Una acción judicial es como una partida de ajedrez, señor Robertson —le explicó el abogado defensor—. Suele ganar quien prevé más jugadas, y mi amigo el fiscal no es un principiante. Puede ser que parezcan dañados, pero eso no es ningún problema. Su objetivo principal es adelantarse a nuestra defensa. Deben contar con que nosotros procuraremos demostrar que Easy no pudo ser culpable, dadas las leyes de la robótica.

—De acuerdo —aceptó Robertson—. Ésa es nuestra defensa. Y es absolutamente hermética.

—Lo es para un ingeniero en robótica, no necesariamente para un juez. Se están parapetando en una posición desde la cual pueden demostrar que EZ-27 no era un robot común. Era el primero de su tipo que se presentaba en público, un modelo experimental que necesitaba ser puesto a prueba; y la universidad era el único modo aceptable de ofrecer esa prueba. Eso parecería verosímil, dados los insistentes intentos del profesor Lanning para colocar el robot y la voluntad de la compañía de alquilarlo por tan poco dinero. Luego, la fiscalía argumentará que las pruebas han demostrado que Easy fue un fracaso. ¿Ahora comprende el propósito de todo lo expuesto?

—Pero EZ-27 era un modelo perfecto —argumentó Robertson—. Era el número veintisiete de la producción.

—Lo cual es desfavorable —apuntó sombríamente el abogado—. ¿Qué tenía de malo el veintiséis? Algo, evidentemente. ¿Por qué no podía haber defectos en el veintisiete también?

—No había nada malo en el veintiséis, excepto que no era lo suficientemente complejo para la tarea. Fueron los primeros cerebros positrónicos de su clase que se construyeron y procedíamos más bien al azar. ¡Pero las tres leyes eran válidas en todos ellos! Ningún robot es tan imperfecto como para que las tres leyes no sean válidas.

—El profesor Lanning me lo ha explicado, señor Robertson, y estoy dispuesto a creerle. Pero tal vez el juez no esté tan dispuesto. Dependemos de la decisión de un hombre honesto e inteligente que no sabe nada de robótica y, por lo tanto, es susceptible de ser persuadido. Por ejemplo, si usted, el profesor Lanning o la doctora Calvin comparecieran en el estrado y dijeran que los cerebros positrónicos se construyen «al azar», como acaba de decir usted, el fiscal les haría trizas en el interrogatorio. Estaríamos perdidos. Así que conviene evitar esa expresión.

—Si Easy pudiera hablar... —gruñó Robertson.

El abogado se encogió de hombros.

—Un robot no es válido como testigo, así que no serviría de nada.

—Al menos, conoceríamos los hechos. Sabríamos cómo llegó a hacer semejante cosa.

Susan Calvin se enfureció. En sus mejillas apareció un apagado tono rojo y su voz sonó con vestigios de calor humano:

—Sabemos cómo llegó a hacerlo. ¡Se lo ordenaron! Se lo he explicado a nuestros abogados y se lo explicaré a usted ahora.

—¿Quién se lo ordenó? —preguntó Robertson, francamente perplejo, y pensando con resentimiento que nadie le contaba nunca nada y que esa gente de investigación ¡se consideraban los dueños de la compañía, por amor de Dios!

—El querellante —respondió la doctora.

—¡Santo cielo! ¿Por qué?

—Aún no sé por qué. Tal vez sólo para demandarnos, para ganar un poco de dinero —contestó la doctora, con un destello tristón en los ojos.

—¿Y por qué Easy no lo dice?

—¿No es obvio? Le han ordenado que se calle.

—¿Por qué habría de ser obvio? —preguntó Robertson de mal humor.

—Bien, es obvio para mí. La psicología robótica es mi profesión. Aunque Easy no responde a las preguntas directas sobre el asunto, pero sí a las colaterales. Midiendo la vacilación creciente de sus respuestas a medida que nos aproximamos a la pregunta central, midiendo la zona de vacío y la intensidad de los contrapotenciales configurados, es posible afirmar con precisión científica que sus problemas son resultado de la orden de no hablar, cuya fuerza se basa en la Primera Ley. En otras palabras, le han dicho que si habla causará daño a un ser humano; supuestamente, al abominable profesor Ninheimer, el querellante, quien para el robot parecerá un ser humano.

—Muy bien —dijo Robertson—, ¿y no puede usted explicarle que si no habla causará daño a toda la compañía?

—La compañía no es un ser humano y la Primera Ley de la robótica no reconoce a una empresa como una persona, al igual que ocurre con las leyes comunes. Además, sería peligroso tratar de cancelar esa inhibición. La persona que la instaló podría anularla de una forma menos peligrosa, porque las motivaciones del robot en ese aspecto se centran en esa persona. Cualquier otro sistema... —Sacudió la cabeza, casi con apasionamiento—. ¡No permitiré que le hagan daño al robot!

Lanning intervino, con el aire de quien introduce cordura en un problema.

—Me parece que sólo tenemos que demostrar que un robot es incapaz del acto del cual se acusa a Easy. Nosotros podemos lograrlo.

—Exacto —se apresuró a decir el defensor, irritado—. Sólo ustedes pueden lograrlo. Los únicos testigos capaces de dar cuenta de la condición en que se encuentra Easy y de la naturaleza del estado mental de Easy son empleados de Robots y Hombres Mecánicos. El juez no puede aceptar ese testimonio como imparcial.

—¿Cómo puede negar el testimonio de los expertos?

—Negándose a dejarse convencer. Está en su derecho como juez. Ante la posibilidad de que un hombre como el profesor Ninheimer se haya propuesto arruinar su propia reputación, aun por una suma suculenta, el juez no aceptaría los tecnicismos de sus ingenieros. A fin de cuentas, el juez es un hombre. Si tiene que escoger entre un hombre que hace algo imposible y un robot que hace algo imposible, decidirá a favor del hombre.

—Un hombre sí puede hacer algo imposible —arguyó Lanning—, porque desconocemos todas las complejidades de la mente humana y no sabemos qué es imposible en una determinada mente humana. Pero sí sabemos qué es imposible para un robot.

—Bien, veremos si podemos convencer de eso al juez —masculló el abogado.

—¡Si eso es todo lo que se le ocurre decir, no veo cómo va a conseguirlo! —vociferó Robertson.

—Ya lo veremos. Es bueno tener presentes las dificultades, pero no nos dejemos abatir. Yo también he tratado de adelantarme a algunas jugadas en nuestra partida de ajedrez. — Y añadió, señalando a la robopsicóloga con un solemne movimiento de cabeza—: Con ayuda de esta señora.

Lanning los miró a ambos y preguntó:

—¿De qué se trata?

Pero el ujier asomó la cabeza y anunció con voz ronca que el juicio iba a continuar.

Se sentaron y examinaron al hombre que había iniciado el problema.

Simon Ninheimer tenía el cabello rubio rojizo y esponjoso, y un rostro delgado y que se estrechaba en una nariz picuda y una barbilla puntiaguda. Su costumbre de titubear ante las palabras decisivas le daba el aire de un amante de la precisión absoluta. Cuando decía que «el sol sale por el..., mmm..., oriente», uno tenía la certeza de que había reflexionado sobre la posibilidad de que pudiera salir por occidente.

—¿Se opuso usted al empleo del robot EZ-27 en la universidad? —le preguntó el fiscal.

—En efecto.

—¿Por qué?

—Pensé que no comprendíamos del todo los..., mmm..., motivos de la compañía. Yo recelaba de esa urgencia para entregarnos el robot.

—¿Creía usted que era capaz de realizar las tareas para las cuales estaba diseñado?

—Sé con certeza que no lo era.

—¿Expondría usted sus razones?

Hacía ocho años que Simon Ninheimer trabajaba en un libro titulado *Tensiones sociales en el viaje espacial y su resolución*. El afán de precisión de Ninheimer no se limitaba sólo a sus hábitos en la conversación, y en una disciplina como la sociología, casi imprecisa por definición, eso lo dejaba sin aliento.

No tenía la sensación de haber completado su trabajo ni siquiera cuando lo vio ya en las galeradas. Todo lo contrario. Al mirar aquellas largas tiras de papel impreso, lo único que deseaba era disponer de otro modo las líneas.

Jim Baker, instructor e inminente profesor auxiliar de sociología, se encontró a Ninheimer, tres días después de que el impresor le enviara la primera tanda de galeradas, enfrascado en los papeles. Las galeradas llegaron en tres copias: una para Ninheimer, otra para Baker y una tercera, designada «original», que recibiría las correcciones finales, una combinación de las de

Ninheimer y de las de Baker, tras una reunión en la que se zanjaban conflictos y desacuerdos. Así habían actuado en los diversos trabajos en que habían colaborado en los últimos tres años, y funcionaba bien.

El joven Baker tenía su copia en la mano.

—He revisado el primer capítulo y contiene algunos errores tipográficos —dijo con su voz meliflua.

—El primer capítulo siempre los tiene —replicó Ninheimer con aire distante.

—¿Quiere que los miremos ahora?

Ninheimer fijó sus graves ojos en Baker.

—No he hecho nada con las galeradas, Jim. Creo que no voy a tomarme esa molestia.

—¿Que no va a tomarse esa molestia? —preguntó Baker, confundido.

Ninheimer frunció los labios.

—He preguntado cuánto... mmm..., trabajo tiene la máquina. A fin de cuentas, se lo..., mmm..., designó como corrector de pruebas. Han fijado un calendario.

—¿La máquina? ¿Se refiere a Easy?

—Creo que ése es el estúpido nombre que le han puesto.

—Pero, profesor Ninheimer, creí que usted prefería mantenerse alejado de él.

—Al parecer soy el único. Pero quizá debiera sacar partido de esa..., mmm..., ventaja.

—Oh, vaya, parece ser que he estado perdiendo el tiempo con este primer capítulo —se lamentó el joven, con voz plañidera.

—No lo has perdido. Podemos comparar el resultado de la máquina con el tuyo, como verificación.

—Si usted quiere, pero...

—¿Sí?

—Dudo que encontremos problemas en el trabajo de Easy. Se supone que jamás ha cometido un error.

—Conque no, ¿eh? —dijo secamente Ninheimer.

Cuatro días después, Baker llevó de nuevo el primer capítulo. Esa vez era la copia de Ninheimer, recién salida del pabellón que se había construido para albergar a Easy y su equipo.

Baker estaba eufórico.

—¡Doctor Ninheimer, no sólo ha detectado los mismos errores que yo, sino varias erratas que se me habían pasado por alto! ¡Y lo hizo en doce minutos!

Ninheimer miró el fajo, con las marcas y los símbolos pulcramente anotados en los márgenes.

—No es tan completo como lo habríamos hecho tú y yo. Tendríamos que haber metido una inserción sobre el trabajo de Suzuki acerca de los efectos neurológicos de la baja gravedad.

—¿Se refiere al artículo publicado en *Reseñas Sociológicas*?

—Desde luego.

—Bien, no se puede esperar lo imposible. Easy no podría leerse la bibliografía en nuestro lugar.

—Me doy cuenta. De hecho, he preparado la inserción. Veré a la máquina y comprobaré si sabe..., mmm..., manejar inserciones.

—Sabrá hacerlo.

—Prefiero asegurarme.

Ninheimer tuvo que concertar una cita para ver a Easy, y sólo pudo conseguir quince minutos al atardecer.

Pero los quince minutos resultaron ser tiempo de sobra. El robot EZ-27 comprendió de inmediato cómo insertar textos.

Ninheimer se sintió incómodo al hallarse por primera vez tan cerca del robot. Casi automáticamente, como si Easy fuera humano, se sorprendió preguntándole:

—¿Eres feliz con tu trabajo?

—Muy feliz, profesor Ninheimer —respondió Easy solemnemente, y las fotocélulas que eran sus ojos relucieron con su habitual resplandor rojo.

—¿Me conoces?

—Dado que usted me presenta material adicional para incluirlo en las galeradas, deduzco que usted es el autor. El nombre del autor, por supuesto, figura en el encabezamiento de cada página de las pruebas.

—Entiendo. Así que haces..., mmm..., deducciones. Dime... —añadió el profesor, sin poder evitar la pregunta—: ¿qué piensas hasta ahora del libro?

—Me resulta grato trabajar con él.

—¿Grato? Es una palabra extraña en un..., mmm..., mecanismo sin emociones. Me han dicho que no tienes emociones.

—Las palabras del libro armonizan con mis circuitos —explicó Easy—. No inspiran contraposibilidades. Mis sendas cerebrales traducen este dato mecánico en una palabra como «grato». El contexto emocional es fortuito.

—Entiendo. ¿Por qué el libro te parece grato?

—Trata sobre seres humanos, profesor, y no sobre materia inorgánica ni símbolos matemáticos. El libro intenta entender a los seres humanos y contribuir al aumento de la felicidad humana.

—¿Y eso es lo que intentas hacer tú y por eso el libro armoniza con tus circuitos? ¿Es así?

—Así es, profesor.

Los quince minutos terminaron. Ninheimer salió y se marchó a la biblioteca de la universidad, que estaba a punto de cerrar. La obligó a permanecer abierta el tiempo suficiente para hallar un texto elemental sobre robótica. Se lo llevó a casa.

Excepto por las ocasionales inserciones de material adicional, las galeradas iban a Easy y de Easy a los editores, con escasa intervención de Ninheimer al principio y ninguna después.

—Me hace sentir inútil —se quejó Baker, con cierta turbación.

—Lo que deberías sentir es que tienes tiempo para iniciar un nuevo proyecto —masculló Ninheimer, sin apartar la vista de las notas que estaba haciendo en el último número de *Extractos de Ciencias Sociales*.

—No estoy habituado. Me siguen preocupando las galeradas, aunque sé que es una tontería.

—Lo es.

—El otro día tomé un par de hojas antes de que Easy las enviara a...

—¿Qué? —Ninheimer irguió un rostro iracundo. Cerró con violencia la revista—. ¿Molestaste a la máquina mientras trabajaba?

—Sólo un minuto. Todo estaba bien. Ah, modificó una palabra. Usted definía algo como «criminal», y él cambió la palabra por «cruento». Pensó que el segundo adjetivo concordaba mejor con el contexto.

—¿Qué pensaste tú? —preguntó Ninheimer, reflexivamente.

—Estuve de acuerdo. Aprobé la corrección.

Ninheimer hizo girar la silla y se enfrentó a su joven adjunto.

—Oye, preferiría que no volvieras a hacerlo. Si he de usar la máquina, quiero..., mmm..., aprovecharla plenamente. Si he de usarla, pero pierdo tus..., mmm..., servicios porque resulta que la supervisas, cuando la idea es precisamente que no requiere supervisión, no gano nada, ¿entiendes?

—Sí, profesor Ninheimer —dijo con cierta sumisión Baker.

Los ejemplares de prueba de *Tensiones sociales* llegaron al despacho del profesor Ninheimer el 8 de mayo. Les echó una ojeada, pasó las páginas y leyó uno que otro párrafo. Luego, los guardó.

Como explicó posteriormente, se olvidó de ellos. Durante ocho años había trabajado en eso, pero hacía meses que otros intereses cautivaban su atención, mientras Easy le quitaba ese peso de encima. Ni siquiera se acordó de donar el ejemplar de rigor a la biblioteca de la universidad.

Tampoco Baker, que estaba enfrascado en su trabajo y se había distanciado del jefe de departamento desde que tuvo que soportar aquella reprimenda en su último encuentro, recibió un ejemplar.

El 16 de junio, esa etapa terminó. Ninheimer recibió una llamada videotelefónica y miró sorprendido a la imagen de la pantalla.

—¡Speidell! ¿Estás en la ciudad?

—No, en Cleveland —contestó Speidell, temblándole la voz.

—¿Y por qué me llamas?

—¡Porque he estado ojeando tu nuevo libro! Ninheimer, ¿estás loco? ¿Has perdido el juicio?

Ninheimer se puso tenso.

—¿Hay algún..., mmm..., problema? —preguntó alarmado.

—¿Un problema? Te remito a la página 562. ¿Qué demonios te propones al interpretar mi trabajo de ese modo? ¿En qué parte del artículo que citas yo sostengo que la personalidad delictiva no existe y que los organismos que hacen cumplir las leyes son los verdaderos delincuentes? Mira, déjame citar...

—¡Espera, espera! —exclamó Ninheimer, tratando

de hallar la página—. Veamos. Veamos... ¡Santo Dios!

—¿Y bien?

—Speidell, no entiendo cómo ha ocurrido esto. Yo no lo escribí.

—¡Pero es lo que está impreso! Y esa tergiversión no es la peor. Mira en la página 690 e imagínate lo que hará Ipatiev cuando vea el embrollo que has armado con sus descubrimientos. Oye, Ninheimer, este libro está plagado de errores de ese tipo. No sé en qué estabas pensando, pero la única opción que te queda es retirar el libro del mercado. ¡Y será mejor que te prepares para presentar muchas disculpas en la próxima reunión de la Asociación!

—Speidell, escucha...

Pero Speidell cortó la comunicación con tal brusquedad que durante quince segundos parpadearon sombras en la pantalla.

Ninheimer, entonces, se enfrascó en el libro y empezó a marcar pasajes con tinta roja.

Se las apañó para contener la furia cuando se entrevistó de nuevo con Easy, pero tenía los labios pálidos. Le pasó el libro a Easy y dijo:

—¿Quieres leer los pasajes marcados en las páginas 562, 631, 664 y 690?

Easy los leyó en cuatro ojeadas.

—Sí, profesor Ninheimer.

—Esto no es lo que ponía en las galeradas originales.

—No, profesor.

—¿Tú hiciste estas modificaciones?

—Sí, profesor.

—¿Por qué?

—Profesor, los pasajes de su versión eran muy lesivos para ciertos grupos de seres humanos. Me pareció aconsejable cambiar las palabras para evitar causarles daño.

—¿Cómo te atreviste a semejante cosa?

—La Primera Ley, profesor, no me permite que, mediante la inacción, consienta que se cause daño a seres humanos. Dada su reputación en el mundo de la sociología y la amplia circulación de que gozaría su libro entre los especialistas, varios seres humanos que usted menciona sufrirían un daño considerable.

—¿Y no comprendes el daño que sufriré yo ahora?

—Era preciso escoger la alternativa menos dañina.

El profesor Ninheimer se marchó temblando de furia. Era evidente que Robots y Hombres Mecánicos tendría que pagar por aquello.

En la mesa de los acusados reinaba una excitación que se intensificó cuando el fiscal remató su argumento:

—Entonces, ¿el robot EZ-27 le informó de que la razón de lo que había hecho se basaba en la Primera Ley de la robótica?

—Correcto.

—¿Y que, por lo tanto, no tenía otra opción?

—En efecto.

—De lo que se deduce, pues, que Robots y Hombres Mecánicos diseñó un robot que estaría obligado a reescribir los libros de acuerdo con sus propias concepciones de lo que era correcto, y, sin embargo, lo vendió como un simple corrector de pruebas. ¿Usted diría eso?

La defensa protestó de inmediato, señalando que se pedía al testigo que decidiera sobre una cuestión sobre la cual no tenía competencia. El juez amonestó a la fiscalía en los términos habituales, pero no quedó duda de que la declaración había surtido efecto, incluso en el abogado defensor. La defensa pidió un breve receso antes de iniciar el interrogatorio, usando un tecnicismo legal que le valió cinco minutos.

El abogado consultó con Susan Calvin.

—¿Es posible, doctora Calvin, que el profesor Ninheimer esté diciendo la verdad y que Easy actuara motivado por la Primera Ley?

Calvin apretó los labios y respondió:

—No, no es posible. La última parte del testimonio de Ninheimer es deliberadamente falsa. Easy no está diseñado para juzgar en el nivel de abstracción representado por un texto avanzado de sociología. No podría afirmar nunca que ciertos grupos de humanos se verían dañados por una frase de un libro semejante. Su mente no está construida para eso.

—Pero supongo que no podemos demostrárselo a un lego —comentó el abogado, con tono pesimista.

—No —admitió Calvin—. La prueba sería extremadamente compleja. Nuestra salida sigue siendo la misma. Hemos de probar que Ninheimer miente, y nada de lo que ha dicho debe cambiar nuestro plan de ataque.

—Muy bien, doctora Calvin. Tendré que aceptar su palabra. Continuaremos según lo planeado.

En la sala del juicio, la maza del juez se elevó y bajó, y el profesor Ninheimer se sentó nuevamente en el estrado. Sonreía ligeramente, como si supiese que su posición era inexpugnable y estuviera disfrutando de la posibilidad de repeler un ataque infructuoso.

El abogado defensor se le acercó cauteloso y comenzó a hablar con voz suave:

—Profesor Ninheimer, ¿afirma usted que ignoraba por completo esos presuntos cambios en el manuscrito hasta que el profesor Speidell habló con usted el 16 de junio?

—Así es.

—¿Nunca vio las galeradas después de que el robot EZ-27 corrigiera las pruebas?

—Al principio sí, pero me pareció una tarea inútil. Me fié de las afirmaciones de la compañía. Esas absurdas..., mmm..., modificaciones se efectuaron sólo en la última parte del libro, una vez que el robot, supongo, hubo aprendido bastante sobre sociología...

—¡Olvidemos las suposiciones! Tengo entendido que su colega, el profesor Baker, vio las últimas pruebas por lo menos en una ocasión. ¿Recuerda que usted dio testimonio de ello?

—Sí. Como ya declaré, me contó que había visto una página, y hasta en esa página el robot había alterado una palabra.

—¿No le resulta extraño, profesor, que después de un año de implacable hostilidad hacia el robot, después de haber votado contra él y de haberse negado a usarlo, decidiera usted de pronto poner su libro, su *magnum opus*, en sus manos?

—No me resulta extraño. Decidí que era conveniente usar la máquina.

—¿Y de repente confió tanto en el robot EZ-27 que ni siquiera se molestó en revisar las galeradas?

—Ya le he dicho que me..., mmm..., convenció la propaganda de Robots y Hombres Mecánicos.

—¿Tanto se convenció que, cuando su colega, el profesor Baker, intentó revisar la tarea del robot, usted le reprendió severamente?

—No le reprendí. Simplemente no deseaba que él..., mmm..., perdiera el tiempo. Al menos, entonces me pareció una pérdida de tiempo. No vi que fuera significativa la modificación de esa palabra en el...

—No tengo dudas de que le han aconsejado que mencione este punto, para que la modificación conste en acta —ironizó el abogado, pero cambió de rumbo para impedir una protesta—. Lo cierto es que usted estaba muy enfadado con el profesor Baker.

—No, señor. No estaba enfadado.

—Pues no le dio un ejemplar del libro cuando lo recibió.

—Por mera distracción. Tampoco entregué un ejemplar a la biblioteca —Ninheimer sonrió cautelosamente—. Los profesores son famosos por su despiste.

—¿No le resulta extraño que, al cabo de más de un año de trabajo perfecto, el robot EZ-27 se equivocara precisamente en su libro, en un libro escrito por la persona más implacablemente hostil hacia el robot?

—Mi libro fue la única obra voluminosa que tuvo que corregir en la que se hablaba sobre la humanidad. Las tres leyes de la robótica cobraron validez.

—Profesor Ninheimer, varias veces usted se ha expresado como un experto en robótica. Al parecer, se tomó usted un repentino interés en la robótica y sacó libros sobre el tema de la biblioteca. Dio testimonio de ello, ¿verdad?

—Sólo un libro. Fue resultado de lo que considero..., mmm..., curiosidad natural.

—¿Y eso le permite explicar por qué el robot, como usted alega, tergiversó el libro?

—Así es.

—Muy oportuno. Pero ¿está seguro de que su interés por la robótica no estaba destinado a permitirle manipular al robot con otros propósitos?

Ninheimer se sonrojó.

—¡Por supuesto que no!

El defensor elevó la voz:

—Más aún, ¿está seguro de que los pasajes presuntamente alterados no se encontraban tal como usted los escribió originalmente?

El sociólogo se irguió en el asiento.

—¡Eso es…, mmm…, muy rídiculo! Tengo las galeradas…

Le costaba hablar y el fiscal se levantó para intervenir:

—Con su permiso, señoría, me propongo presentar como prueba el juego de galeradas que le entregó el profesor Ninheimer al robot EZ-27 y el juego de galeradas que envió el robot EZ-27 a los editores. Lo haré si mi estimado colega así lo desea, y estoy dispuesto a que se conceda un receso con el objeto de que ambos juegos de galeradas puedan compararse.

El defensor agitó la mano con impaciencia.

—No es necesario. Mi honorable oponente puede presentar esas galeradas cuando le plazca. Estoy seguro de que mostrarán las discrepancias que alega el querellante. Pero me gustaría que el testigo nos dijera si también está en posesión de las galeradas del profesor Baker.

Ninheimer frunció el ceño. Aún no las tenía todas consigo.

—¿Las galeradas del profesor Baker?

—¡Sí, profesor! Las galeradas del profesor Baker. Usted ha declarado que el profesor Baker recibió otra copia de las galeradas. Le pediré al escribiente que lea su testimonio si es que de pronto padece usted una amnesia selectiva. ¿O será simplemente que los profesores, como usted dice, son famosos por su despiste?

—Recuerdo las galeradas del profesor Baker —dijo Ninheimer—. No eran necesarias una vez que el trabajo quedó a cargo de la máquina…

—¿Así que las quemó?

—No. Las tiré a la papelera.

—Quemarlas, tirarlas…, ¿qué más da? Lo cierto es que se desembarazó de ellas.

—No hay nada malo… —comenzó débilmente Ninheimer.

—¿Nada malo? —vociferó el defensor—. Nada malo, excepto que ahora no hay modo de comprobar si, en ciertas hojas cruciales, pudo usted haber reemplazado una inofensiva página de la copia del profesor Baker por una página de su propia copia, la cual usted alteró deliberadamente para obligar al robot a...

El fiscal presentó una enérgica protesta. El juez Shane se inclinó hacia delante, procurando adoptar un semblante colérico que expresara la intensidad de sus emociones.

—¿Tiene usted pruebas, abogado, de la notable afirmación que acaba de hacer? —preguntó.

—Ninguna prueba directa, señoría —respondió serenamente el defensor—. Pero quisiera señalar que la repentina conversión del querellante al abandono del antirrobotismo, el repentino interés en la robótica, la negativa a revisar las galeradas o a permitir que otra persona las revisara, su modo de evitar que nadie viera el libro inmediatamente después de la publicación; todo ello apunta claramente...

—Abogado —interrumpió el juez con impaciencia—, éste no es sitio para deducciones esotéricas. El querellante no está sometido a juicio. Tampoco es usted su fiscal. Prohíbo este tipo de ataques, y sólo puedo señalar que la desesperación que le indujo a ello únicamente contribuirá a perjudicar su posición. Si tiene preguntas legítimas, abogado, continúe con el interrogatorio. Pero le advierto que no vuelva a usar tales procedimientos en esta sala.

—No tengo más preguntas, señoría.

Robertson le susurró acaloradamente cuando el abogado defensor regresó a su mesa:

—¿Por qué hizo eso, por amor de Dios? Ahora el juez está totalmente en contra de usted.

—Pero Ninheimer está temblando —replicó con

calma el abogado—. Y lo hemos preparado para la maniobra de mañana. Estará maduro.

Susan Calvin asintió gravemente.

El resto de la exposición de la fiscalía fue débil en comparación. Compareció el profesor Baker y corroboró la mayor parte del testimonio de Ninheimer. Comparecieron los profesores Speidell e Ipatiev y comentaron en tono conmovedor su consternación ante ciertos pasajes del libro del profesor Ninheimer. Ambos dieron su opinión profesional respecto de que la reputación del profesor Ninheimer había sufrido un grave revés.

Se presentaron las galeradas como prueba, así como algunos ejemplares del libro concluido.

La defensa no hizo más preguntas ese día. La fiscalía concluyó con sus alegatos y se declaró un receso hasta la mañana siguiente.

El defensor realizó su primera maniobra cuando el juicio se reanudó el segundo día. Pidió que el robot EZ-27 fuera admitido como espectador.

El fiscal protestó de inmediato, y el juez Shane llamó a ambos al estrado.

—Esto es obviamente ilícito —alegó el fiscal—. Un robot no puede estar en un edificio público.

—Este tribunal —señaló el defensor— está cerrado para todos, excepto para quienes guardan una relación inmediata con el caso.

—Una enorme máquina conocida por su conducta irregular perturbaría a mi cliente y a mis testigos con su sola presencia. Transformaría este juicio en una parodia.

El juez parecía estar de acuerdo. Se volvió hacia el defensor y preguntó con severidad:

—¿Cuáles son sus razones para esta solicitud?

—Alegaremos que el robot EZ-27 no pudo, por la naturaleza de su constitución, haberse comportado tal como se dice que se comportó. Será necesario efectuar algunas demostraciones.

—No tiene objeto, señoría —rechazó el fiscal—. Las demostraciones realizadas por empleados de Robots y Hombres Mecánicos tienen escaso valor testimonial cuando es la propia compañía la acusada.

—Señoría —replicó el defensor—, a usted, no al fiscal, le corresponde decidir la validez de una prueba. Al menos, eso tengo entendido.

Al quedar en juego sus prerrogativas, el juez Shane se vio obligado a decir:

—Entiende usted bien. No obstante, la presencia de un robot en la sala suscita importantes cuestiones legales.

—Señoría, seguramente no será nada que prevalezca sobre los requerimientos de la justicia. Si el robot no está presente, se nos impide presentar nuestra única defensa.

El juez reflexionó.

—Está también el problema de transportar el robot.

—La compañía se ha enfrentado a menudo con ese problema. Tenemos un camión aparcado frente al juzgado, construido según las leyes que rigen el transporte de robots. El robot EZ-27 se encuentra en una caja de embalaje bajo la vigilancia de dos hombres. Las puertas del camión están bien aseguradas y se han tomado todas las precauciones necesarias.

—Parece usted seguro —dijo el juez, de mal talante— de que la decisión de este tribunal será en su favor.

—En absoluto, señoría. En caso contrario, simplemente nos llevaremos el camión. No he hecho ningún supuesto en cuanto a las decisiones de su señoría.

El juez movió la cabeza afirmativamente.

—Ha lugar la solicitud de la defensa.

Metieron la caja en un gran carro, y los dos hombres que la empujaban la abrieron. La sala estaba sumida en un profundo silencio.

Susan Calvin esperó que quitaran las gruesas láminas de celuforme y estiró una mano.

—Ven, Easy.

El robot extendió su gran brazo metálico. Le llevaba más de medio metro de altura, pero la seguía dócilmente, como un niño a su madre. Alguien se rió nerviosamente y la doctora Calvin le clavó una mirada fulminante.

Easy se sentó cuidadosamente en una gran silla que le acercó el ujier, la cual crujió pero resistió.

—Cuando sea necesario, señoría —habló el defensor—, demostraremos que éste es EZ-27, el robot que estuvo trabajando en la Universidad del Noreste durante el periodo que nos ocupa.

—Bien —aprobó el juez—. Eso será necesario, pues yo, al menos, no tengo ni idea de cómo distinguir un robot de otro.

—Y ahora —añadió el defensor—, quisiera llamar a mi primer testigo. El profesor Simon Ninheimer, por favor.

El escribiente titubeó y miró al juez. El juez Shane preguntó, visiblemente sorprendido:

—¿Llama usted al querellante como testigo?

—Sí, señoría.

—Espero que recuerde que, mientras él sea testigo de la defensa, no se le permitirá a usted el margen de libertad del que podría disfrutar si interrogara a un testigo de la fiscalía.

—Mi único propósito es llegar a la verdad. Sólo será preciso hacer unas cuantas preguntas corteses.

—Bien —aceptó el juez, dubitativamente—, es usted quien lleva el caso. Llame al testigo.

Ninheimer se sentó en el estrado y fue informado de que estaba aún bajo juramento. Parecía más nervioso que el día anterior, casi atemorizado.

Pero el abogado lo miró benévolamente.

—Vamos a ver, profesor Ninheimer, usted le pide a mi cliente la suma de setecientos cincuenta mil dólares.

—Esa es la..., mmm..., cantidad. Sí.

—Es mucho dinero.

—He sufrido muchos perjuicios.

—No tantos, seguramente. El texto puesto en cuestión se refiere exactamente a unos pocos pasajes de un libro. Tal vez fueran pasajes desafortunados, pero, a fin de cuentas, a veces se publican libros con curiosos errores.

Ninheimer hinchó sus fosas nasales.

—Señor, este libro tenía que haber sido la cumbre de mi carrera profesional. Por el contrario, me presenta como un investigador incompetente, alguien que tergiversa las opiniones de honorables amigos y colegas, y un apologista de perspectivas ridículas y..., mmm..., obsoletas. ¡Mi reputación está irremisiblemente destruida! Nunca podré comparecer con orgullo en ninguna..., mmm..., asamblea de especialistas, sea cual fuese el resultado de este juicio. Con toda seguridad, no podré continuar mi carrera, que ha constituido toda mi vida. El auténtico objetivo de mi vida ha sido..., mmm..., abortado y destruido.

El abogado no intentó interrumpir la perorata, sino que se limitó a mirarse distraídamente las uñas.

—Pero, profesor Ninheimer —dijo, en un tono muy tranquilo—, a su edad, usted no puede aspirar a ganar más de..., seamos generosos..., más de ciento cincuenta mil dólares durante el resto de su vida. En cambio, le pide a este tribunal que le otorgue el quíntuple de esa cifra.

En un arrebato emocional aún más vehemente, Ninheimer alegó:

—No sólo se me ha destruido en vida. No sé durante cuántas generaciones los sociólogos me acusarán de..., mmm..., necio o maniático. Mis verdaderos logros quedarán sepultados e ignorados. No sólo se me ha destruido hasta el día de mi muerte, sino para toda la eternidad, pues siempre habrá personas que no se creerán que un robot insertó esos textos...

El robot EZ-27 se puso de pie. Susan Calvin no intentó impedírselo. Sin inmutarse, siguió mirando hacia delante. El abogado defensor suspiró.

La melodiosa voz de Easy resonó claramente:

—Me gustaría explicarles a todos que yo, en efecto, inserté en las galeradas ciertos pasajes que parecían en abierta contradicción con lo que allí se decía al principio...

Hasta el fiscal parecía tan anonadado ante el espectáculo de un robot de más de dos metros, levantándose para hablarle al tribunal, que no fue capaz de impedir lo que evidentemente constituía un procedimiento de lo más irregular.

Cuando logró reaccionar, era ya demasiado tarde, pues Ninheimer se levantó con el rostro demudado y bramó:

—¡Maldita sea! ¡Se te ordenó que mantuvieras la boca cerrada...!

Se interrumpió de golpe. Easy también se calló.

El fiscal estaba de pie, exigiendo que se declarase nulo el juicio. El juez Shane golpeó desesperadamente con su maza.

—¡Silencio! ¡Silencio! Por supuesto que hay excelentes razones para declarar nulo el juicio, pero en bien de la justicia me gustaría que el profesor Ninheimer concluyera su declaración. He oído claramente que le decía al robot que se le había ordenado que mantuviera la boca cerrada. En su testimonio, profesor Ninheimer, no se mencionaba que al robot se le hubiera ordenado que guardara silencio sobre nada. —Ninheimer miró atónito al juez—. ¿Le ordenó usted al robot EZ-27 que guardara silencio sobre algo? En tal caso, ¿sobre qué?

—Señoría... —comenzó Ninheimer con voz ronca, pero no pudo continuar.

El juez agudizó la voz:

—¿Ordenó usted que se insertaran esos textos en las galeradas y le ordenó luego al robot que guardara silencio sobre esa participación que había tenido usted?

El fiscal presentó una enérgica protesta, pero Ninheimer gritó:

—¡Oh, no vale la pena! ¡Sí, sí!

Abandonó el estrado a todo correr y en la puerta lo detuvo el ujier. Se desplomó desesperado en un asiento y hundió la cabeza entre las manos.

—Es evidente que la presencia del robot EZ-27 ha sido una artimaña —manifestó el juez Shane—. Si no fuera por el hecho de que dicha artimaña ha servido para impedir un grave error, declararía al abogado de la defensa en desacato. Ahora me resulta claro, más allá de toda duda, que el querellante ha cometido un fraude inexplicable, pues aparentemente arruinó su carrera a sabiendas...

La sentencia, desde luego, favoreció a la parte acusada.

La doctora Susan Calvin se hizo anunciar en el piso de soltero que el profesor Ninheimer ocupaba en la universidad. El joven ingeniero que conducía el coche se ofreció a acompañarla, pero ella lo miró con desdén.

—¿Crees que me atacará? Aguarda aquí.

Ninheimer no tenía ánimos para atacar a nadie. Estaba recogiendo sus cosas a toda prisa, deseando marcharse de allí antes de que la adversa conclusión del juicio llegara a conocimiento de todo el mundo.

Miró a Calvin con aire desafiante.

—¿Viene a advertirme que presentarán una contrademanda? En tal caso, no obtendrán nada. No tengo dinero ni trabajo ni futuro. Ni siquiera puedo pagar las costas del juicio.

—Si busca compasión, no la va a encontrar conmigo —replicó Calvin—. Este asunto fue responsabilidad suya. Pero no habrá una contrademanda ni contra usted ni contra la universidad. Más aún, haremos lo posible para impedir que lo encarcelen por falso testimonio. No somos vengativos.

—Ah, ¿es por eso por lo que no me han arrestado? Me lo estaba preguntando. Pero a fin de cuentas no tienen razones para ser vengativos. Han conseguido lo que deseaban.

—En parte, sí. La universidad conservará a Easy por una tarifa bastante más elevada. Además, la publicidad extraoficial relacionada con el juicio nos permitirá colocar más modelos EZ en otras instituciones, sin peligro de que este problema se repita.

—¿Y por qué ha venido a verme?

—Porque yo aún no he conseguido todo lo que quiero. Quiero saber por qué odia tanto a los robots. Aunque hubiera ganado el juicio, su reputación estaría destruida. El dinero que hubiese obtenido no le habría bastado como compensación. ¿Se hubiera contentado con desahogar su odio hacia los robots?

—¿Le interesan las mentes humanas, doctora Calvin? —preguntó Ninheimer, con un tono sarcástico.

—En la medida en que sus reacciones afectan al bienestar de los robots, sí. Por esa razón he aprendido un poco de psicología humana.

—¡Lo suficiente como para engañarme!

—Eso no me fue difícil —apostilló la doctora Calvin—. Lo difícil fue hacerlo de un modo que no dañara a Easy.

—Es típico de usted preocuparse más por una máquina que por un humano.

Ninheimer la miró con feroz desprecio, pero Calvin no se inmutó.

—Sólo parece que es así, profesor Ninheimer. Únicamente preocupándonos por los robots podemos preocuparnos por el hombre del siglo veintiuno. Usted lo entendería si fuera robotista.

—¡He leído bastante sobre robótica para saber que no quiero ser robotista!

—Disculpe, pero no ha leído más que un libro sobre robótica. Y no le ha servido de nada. Usted aprendió lo suficiente para saber que podía ordenarle a un robot que hiciera muchas cosas, incluso falsificar un libro, si lo hacía correctamente. Aprendió lo suficiente para saber que no podía ordenarle que olvidara algo del todo sin arriesgarse a que lo detectaran, pero pensó que era más seguro ordenarle simplemente que guardara silencio. Se equivocó.

—¿Adivinó usted la verdad a partir de su silencio?

—No se trata de adivinar. Usted es un aficionado y no supo borrar sus rastros. Mi único problema era demostrarlo ante el juez, pero tuvo usted la amabilidad de ayudarnos con su ignorancia.

—¿Esta conversación tiene sentido? —preguntó Ninheimer, con aire cansado.

—Para mí sí, porque quiero que entienda que ha juzgado muy mal a los robots. Hizo callar a Easy diciéndole que si le contaba a alguien que había tergiversado el libro perdería usted el empleo. Eso configuró un potencial en Easy para el silencio, el cual tenía la fuerza suficiente para resistir nuestros esfuerzos de quebrantarlo. Si hubiéramos insistido, le habríamos dañado el cerebro. En el estrado, sin embargo, configuró usted un contrapotencial más elevado. Dijo que, como la gente pensaría que usted, no un robot, había escrito los pasajes controvertidos, perdería mucho más que su empleo. Perdería su reputación, su prestigio, su respeto, su razón para vivir. Se perdería el recuerdo de usted después de su muerte. Usted mismo configuró así un potencial nuevo y más elevado, y eso hizo que Easy hablara.

—Por Dios —exclamó Ninheimer, desviando la cabeza.

Calvin fue inexorable:

—¿Comprende usted por qué habló? ¡No fue para acusarlo, sino para defenderlo! Se puede demostrar matemáticamente que estaba dispuesto a asumir la culpa por ese delito en su lugar, a negar que usted tenía algo que ver. La Primera Ley se lo exigía. Iba a mentir, a dañarse a sí mismo, causando un perjuicio monetario a la compañía. Para él, todo eso significaba menos que salvarle a usted. Si entendiera algo sobre robots y robótica, profesor, le habría dejado hablar. Pero no sabe usted nada. Yo estaba segura de que así era, y eso le aseguré al abogado defensor. En su odio por los robots, usted pensó que Easy actuaría como un ser humano y se defendería a expensas de usted. Así que reaccionó contra él, presa del pánico, y se destruyó a sí mismo.

—¡Ojalá algún día sus robots se vuelvan contra usted y la liquiden! —exclamó Ninheimer con vehemencia.

—No diga bobadas. Y ahora me gustaría que me explicase por qué ha hecho todo esto.

Ninheimer sonrió amargamente.

—¿He de diseccionar mi mente en beneficio de su curiosidad intelectual y a cambio de mi inmunidad ante una acusación de falso testimonio?

—Puede expresarlo así si quiere —contestó fríamente Calvin—. Pero explíquese.

—¿Para que usted pueda repeler futuros ataques contra los robots con mayor eficacia, con mayor conocimiento?

—En efecto.

—Se lo diré, pero sólo para darme el gusto de ver que no le sirve de nada. Usted no comprende la motivación humana; sólo puede comprender a esas condenadas máquinas porque usted misma es una máquina, recubierta de piel. —Respiraba entrecortadamente y no vacilaba al hablar, no buscaba palabras precisas. Era como si la precisión ya no le interesara—. Durante doscientos cincuenta años, la máquina ha reemplazado al hombre y ha destruido al artesano. Las piezas de alfarería se hacen con moldes y prensas. Las obras de arte se han reemplazado por baratijas catalogadas en moldes.

»Tal vez usted lo considere un progreso. El artista está limitado a las abstracciones, restringido al mundo de las ideas. Debe diseñar algo con la mente, y luego la máquina hace el resto. ¿Cree usted que el alfarero se contenta con la creación mental? ¿Cree que sólo la idea es suficiente? ¿Cree que no hay nada en el contacto con la arcilla, en observar cómo el objeto crece mientras la mano y la mente trabajan juntos? ¿Cree que el crecimiento no actúa como realimentación para modificar y mejorar la idea?

—Usted no es alfarero —replicó airada la doctora Calvin.

—¡Soy un artista creativo! Diseño y construyo artículos y libros. No se trata sólo de pensar palabras y ponerlas en el orden apropiado. Si eso fuera todo, no habría placer ni retribución en ello. Un libro debe cobrar forma en las manos del escritor. Uno debe ver el crecimiento y el desarrollo de los capítulos. Uno debe escribir y reescribir y observar cómo los cambios trascienden el concepto original. Es importante tener en la mano las galeradas, ver cómo quedan las frases impresas y modelarlas de nuevo. Hay un centenar de contactos entre un hombre y su obra en cada etapa del juego, y el contacto mismo es placentero y compensa del trabajo que un hombre vuelca en su creación. Su robot nos arrebataría todo eso.

—Lo mismo hace una máquina de escribir. Lo mismo hace una imprenta. ¿Propone usted volver a los manuscritos pergeñados a mano?

—Las máquinas de escribir y las imprentas nos quitan algo, pero su robot nos privaría de todo. Su robot se encarga de las galeradas. Pronto él u otros robots se encargarán de escribir, de buscar las fuentes, de cotejar y revisar los pasajes, incluso de sacar conclusiones. ¿Qué le dejarían al autor? Sólo una cosa: las áridas decisiones concernientes a las órdenes que debe dar al robot. Quiero salvar de semejante infierno a las futuras generaciones del mundo académico. Eso era para mí más importante incluso que mi reputación y me propuse destruir a Robots y Hombres Mecánicos por los medios que fueran necesarios.

—Estaba condenado al fracaso —sentenció Susan Calvin.

—Estaba condenado a intentarlo —replicó Simon Ninheimer.

Calvin dio media vuelta y se marchó. Hizo lo posible para no sentir un aguijonazo de compasión por ese hombre acabado.

No lo consiguió del todo.

ÍNDICE